D0365255

ПЕТР ВАЙЛЬ

СТИХИ ПРО МЕНЯ

ПЕТР ВАЙЛЬ

СТИХИ ПРО МЕНЯ

Москва, 2006

УДК 821.161.1
ББК 84(2Рос=Рус)6
В14

Художественное оформление
и макет А.Бондаренко

Вайль П.
В14 Стихи про меня : М.: КоЛибри, 2006. — 688 с.
ISBN 5-98720-031-8

Петр Вайль — блестящий эссеист, путешественник и гурман, автор "Гения места" и "Карты родины", соавтор "Русской кухни в изгнании", "Родной речи» и других книг, хорошо знакомых нашему читателю, взялся за необычный жанр, суть которого определить непросто. Он выстроил события своей жизни — и существенные, и на вид незначительные, а на поверку оказавшиеся самыми важными, — по русским стихам XX века: тем, которые когда-то оказали и продолжают оказывать на него влияние, "становятся участниками драматических или комических жизненных эпизодов, поражают, радуют, учат". То есть обращаются, по словам автора, к нему напрямую. Отсюда и вынесенный в заглавие книги принцип составления этой удивительной антологии: "Стихи про меня".

УДК 821.161.1
ББК 84(2Рос=Рус)6

ISBN 5-98720-031-8

Содержание

От автора

“Быть может, все в жизни лишь средство для ярко-певучих стихов” – тезис несомненный. Но столь же убедительно и обратное: стихи – средство для жизни. Шире – литература вообще, просто поэзия легче запоминается, потому стихи, написанные и прочитанные на родном языке, действуют раньше и прямее. Как музыка – внутривенно.

По вторгавшимся в тебя стихам можно выстроить свою жизнь – нагляднее, чем по событиям биографии: пульсирующие в крови, тикающие в голове строчки задевают и подсознание, выводят его на твое обозрение. “Почему Цветаева” больше скажет о человеке, чем “почему на филфак”; пронесенная до старости юношеская преданность Маяковскому психологически важнее, чем многолетняя супружеская верность.

Разумеется, нужно честно говорить только о тех стихах, которые про тебя. Которые попадают в соответствие с твоими мыслями и чувствами, с твоим ритмом, связываются с событиями жизни, становятся участниками драматических или комических ее эпизодов, поражают, радуют, учат. И главное: безошибочно прямо обращаются к тебе. Вот критерий, выношенный годами: отбрасывая тонны прочитанного и узнанного, возврат едва ли не к детскому "нравится – не нравится". Лишь это и оказывается существенно – недоказуемое, необъяснимое, личное, только твое, свое у каждого: "про меня – не про меня".

Были поэты, которые интересовали, которыми увлекался, зачитывался, но в первую очередь надо сказать о тех, через которых *прошел*. Осознанно началось это лет в четырнадцать, одни из тех прежних отошли, другие остались, но благодарность, во всяком случае, при мне: всё в точности так, как с любовными увлечениями. Имена в хронологии появления в моей жизни: Лермонтов, Блок, Есенин, Пастернак, Пушкин, Заболоцкий, Баратынский, Бродский, Мандельштам, Лосев, Гандлевский, Георгий Иванов. Но и других еще много, ведь не представить своих юных лет без Тютчева, Гумилева, Северянина, взрослых – без Державина, Олейникова, Цветкова.

Задача охватить всё – пожалуй, непосильная. Решил ограничиться русским XX веком, к которому принадлежу сам. Смешное слово – "ограничиться", когда там гении шли погодками. Даты рождения: 1885 – Хлебников, 1886 – Гумилев, Ходасевич, 1887 – Северянин, 1889 – Ахматова, 1890 – Пастернак, 1891 – Мандельштам, 1892 – Цветаева, 1893 – Маяковский, 1894 – Г.Иванов, 1895 – Есенин... Что за сбой в 88-м?

Стал выбирать, руководствуясь вот этим критерием: про меня или нет. За сто лет в хронологическом порядке: от Анненского 1901 года до Гандлевского 2001-го. После долгого мучительного отбора остались пятьдесят пять стихотворений. Хорошее число 55: возможность выставить две пятерки стихам, без которых жизнь была бы иной – скучнее, беднее, тусклее. Хуже.

Не понять

Иннокентий Анненский

1855–1909

Среди миров

Среди миров, в мерцании светил
Одной Звезды я повторяю имя…
Не потому, чтоб я Ее любил,
А потому, что я томлюсь с другими.

И если мне сомненье тяжело,
Я у Нее одной молю ответа,
Не потому, что от Нее светло,
А потому, что с Ней не надо света.

1901

Поэзия — то, что не переводится. Есть такое определение. Можно и расширить: стихи — то, что до конца не понять. Можно только догадаться и попасть в резонанс. Сколько лет повторяю строчки Анненского, но так и не знаю, кто эта звезда. Бог? Женщина? По всем первичным признакам — женщина. Но Анненский был человек глубокой традиции и тонкого вкуса, да еще и преподаватель, директор Царскосельской гимназии, входил в ученый совет министерства просвещения. Не расставлял прописные буквы зря. О женщине, причем женщине любимой, он мог написать: "Господи, я и не знал, до чего / Она некрасива..." Горько, безжалостно. Он сказал, будто занес в графу отчета: "Сердце — счетчик муки".

Это — не вполне метафора, скорее именно констатация факта, медицинская справка. У Анненского был порок сердца, он стоически готовился к внезапной кончине (внезапно и умер на ступенях вокзала), шутил на эту тему. Кажется неслучайным, что псевдоним для первых публикаций избрал какой-то несуществующий: "Ник. Т-о", вслед за Одиссеем в пещере Полифема.

О смерти Анненский писал часто и безбоязненно, почему Ходасевич и назвал его Иваном Ильичем русской поэзии. Неоднократно впрямую описывал похороны, даже удваивая впечатления, сталкивая погребение человека с уходом времени года: "Но ничего печальней нет, / Как встреча двух смертей". Об умершем — фотографически бесстрастно: "И, жутко задран, восковой / Глядел из гроба нос". О вагонах поезда у него сказано: "Влачатся тяжкие гробы, / Скрипя и лязгая цепями". Не эшелон ведь с зэками, а обычный пассажирский. О городе: "И не все ли равно вам: / Камни там или люди?" В самом деле, все равно для человека, которому была доступна точка зрения осколка статуи: "Я на дне, я печальный обломок, / Надо мной зеленеет вода". За полвека до погребального "Августа" Пастернака и почти за век до предсмертного "Августа" Бродского он написал свой "Август": "Дрожат и говорят: "А ты? Когда же ты?" / На медном языке истомы похоронной".

В отношении к смерти, вероятно, сказывалась закалка античника: Анненский перевел и прокомментировал всего Еврипида, сам писал драмы на античные сюжеты. Древние воспринимали смерть не так, как люди Нового времени. Для нас смерть – прежде всего то, что случается с другими. Во-вторых – то, что вынесено за скобки жизни: сначала идет одно, потом приходит другое. Смерть – это не мы. Для них – все неразрывно вместе: а чем же еще может оканчиваться бытие?

Обрести бы этот взгляд на собственную жизнь со стоических вершин – как у Марка Аврелия: "Сел, поплыл, приехал, вылезай".

Восходящая к античным образцам трезвость придавала остроты взору Анненского. Он видел торчащий из гроба нос, замечал перепад стилей и эпох в привычной эклектике ресторанного интерьера: "Вкруг белеющей Психеи / Те же фикусы торчат, / Те же грустные лакеи, / Тот же гам и тот же чад". (Потом Блок этот "Трактир жизни" перенес в кабак "Незнакомки": "Лакеи сонные торчат".)

Поэты-современники относились к Анненскому с почтением, но на дистанции: он был гораздо старше поэтической компании, с которой водился, крупный чиновник, штатский генерал, держался очень прямо, поворачиваясь всем корпусом, не все же знали, что это дефект шейных позвонков. Анненский даже изощренных деятелей Серебряного века удивлял эстетством, которое у него было внутренним, личным, греческим. Маковский, редактор "Аполлона", вспоминает, как не нравилась Анненскому фонетика собственного имени: "У вас, Сергей Маковский, хоть -ей — -ий, а у меня -ий — -ий!" При тогдашнем массовом (в том числе и массовом для элиты) увлечении всяческой трансцендентностью, Анненского отличала античная рациональность. Называя его "очарователем ума" и "иронистом", Маковский пишет: "Я бы назвал "мистическим безбожием" это состояние духа, отрицающего себя во имя рассудка и вечно настороженного к мирам иным". Сам Анненский подтверждает: "В небе ли меркнет звезда, / Пытка ль земная все длится: / Я не молюсь никогда, / Я не умею молиться".

Для человека, который тоже не умеет (или еще не научился) молиться, – утешение. Благодарное чувство солидарности. Но все-таки — это та же звезда? Или другая, потому что та с прописной?

И снова – Бог? женщина? Сходно у Мандельштама: "Господи!" – сказал я по ошибке...", но в первой строке “Образ твой, мучительный и зыбкий...” – “твой” со строчной буквы. Чей образ?

Возникает острое ощущение – даже не непонимания, а полной и безнадежной невозможности понять. Похоже, это все-таки заблуждение – что искусство доступно вполне. Не только то, что принципиально не переводится, но и то, что может казаться внятным и простым. Уходят предметы и понятия, и главное – не восстановить контекст.

Так бесплодны, хоть и благородны, попытки исполнения музыки на старинных инструментах. Как будто если мы заменим фортепиано клавесином, а виолончель – виолой да гамба, Бах станет понятнее. Но Бах сочинял, не зная ни Бетховена, ни Шостаковича, а мы их слышали, наше понятие о гармонии иное, и сам слух иной. И вообще, на концерт мы приехали в автомобиле, в зале работает кондиционер и горят электрические лампы, позади стоит телекамера, так как идет прямая трансляция, одеты мы иначе. Бах тот же, мы – другие.

С литературой вроде бы проще – передается без посредников. Слова, они и есть слова. Но вот натыкаешься у того же Анненского на слово "свеча" – раз, другой, третий. Да они по всей поэзии, эти свечи: кто без них обходился, вплоть до самой знаменитой в XX веке свечи, пастернаковской. Но не зря ведь Лосев написал: "Мело весь вечер в феврале, свеча горела в шевроле", это же не просто шутка. Автомобильная свеча нам знакома, знаем и другую, вставляется известно куда. Но ту, ту свечу мы уже не понимаем – так, как они. Мы втыкаем нечто в именинный торт, можем зажечь, когда перегорят пробки, или по рекомендации глянцевых журналов за интимным ужином – но для них это была живая метафора жизни.

Тут равно важны оба слова: и "метафора", и "живая". Повседневная, бытовая, близкая, наглядная метафора. И потому, что горит-догорает, и что оплывает-обрастает, как суть подробностями, а главное, что свет свечи – зыбкий и уязвимый, и так же зыбок и уязвим возникающий в получившемся свете мир. Это правда – правда вообще, но нам такой мир надо вообразить, а они с ним были каждый вечер. (Кстати, еще и потому, может, от нашего всепроникающего электричества, мы попроще, попрямолинейнее, потому, может, не ловим оттенков и поражаемся тонкости их проникновения и чуткости их взгляда.) Как читалось при свече, как писалось — еще можно специально попробовать, поставить опыт, можно и посмотреть на любимую женщину в свете свечи. Но уже не узнать, как ежедневно переходили сумерки в ночь через свечу, какой был запах в бальном зале, освещенном сотнями канделябров, как двигались тени, как они росли мимолетно и мимолетно исчезали. Свеча перемещается в раздел осознаваемого, но неощутимого, туда же, где доспехи, дилижанс, купальня. Не понять.

Бездомность

Иван Бунин

1870–1953

Одиночество

И ветер, и дождик, и мгла
 Над холодной пустыней воды.
Здесь жизнь до весны умерла,
 До весны опустели сады.
Я на даче один. Мне темно
За мольбертом, и дует в окно.

Вчера ты была у меня,
 Но тебе уж тоскливо со мной.

Под вечер ненастного дня
    Ты мне стала казаться женой…
Что ж, прощай! Как-нибудь до весны
Проживу и один — без жены…

Сегодня идут без конца
    Те же тучи — гряда за грядой.
Твой след под дождем у крыльца
    Расплылся, налился водой.
И мне грустно смотреть одному
В предвечернюю серую тьму.

Мне крикнуть хотелось вослед:
    "Воротись, я сроднился с тобой!"
Но у женщины прошлого нет:
    Разлюбила — и стал ей чужой.
Что ж! Камин затоплю, буду пить…
Хорошо бы собаку купить.

[1903]

Прочел лет в пятнадцать, и сразу понравилось все. Больше всего – проза стиха. Такое, как и положено откровению, является на ровном пути без предупреждения. Бунин пишет, что его писательское сознание началось с картинки, которую он увидел в книге: "Дикие горы, белый холст водопада и какого-то приземистого, толстого мужика, карлика с бабьим лицом, с раздутым горлом... а под картинкой прочел надпись, поразившую меня своим последним словом, тогда еще, к счастью, неизвестным мне: "Встреча в горах с кретином". Кретин!.. В этом слове мне почудилось что-то страшное, загадочное, даже как будто волшебное!.. Не был ли этот день все-таки каким-то началом моего писательства?" Мой-то кретин отражался в зеркале: я впервые понял, что стихи могут быть такими. До того уже любил и знал Лермонтова и Блока (помимо того, чему напрасно учили в школе) – в общем, гладкопись. А тут интонация сбивчивой неторопливости, чуть нарочитая неуклюжесть, повторы "что ж" – как у нынешних телеведущих.

Можно по-разному. Это очень важное открытие — можно по-разному! — и его нельзя позаимствовать, его нужно сделать самому. А толчок — уж какой случится. "Встреча в горах с..." (нужное вставить).

Еще "Одиночество" было похоже на обожаемого в ту пору Хемингуэя с его подтекстом — при чем тут собака? Бунинская собака в залитой ливнем усадьбе выходила не хуже импортной "Кошки под дождем".

Еще: хотелось такого же отношения к женщинам и душевным бедам вообще, как раз начинался романный возраст. Очень нравились эти формулировки, которые потом обернулись фальшивкой. У женщины прошлого нет. А у мужчины? Разлюбила, стал чужой. А если он разлюбил? Обобщения хороши в молодости, когда искренне рассчитываешь на то, что жизнь можно свести к формуле.

У Бунина есть еще одно "Одиночество", написанное на двенадцать лет позже и совсем другое: некая фантазия на тему чеховской "Дочери Альбиона" — о купающейся иностранке и подглядывающем писателе. Не случайно ведь он назвал стихотворение так же: холодный цинизм второго "Одиночества" – саркастический укор самому себе за сентиментальную элегичность первого.

Это, разумеется, любовное стихотворение. Но со временем, по мере перечитывания, стало казаться, что самые интересные и важные строки – последние: "Что ж! Камин затоплю, буду пить... Хорошо бы собаку купить". Камин, собака, выпивка, можно догадываться, приличная. Уют. Дом. Идея дома.

Вздох в конце стихотворения вырывается как вызов. Кому это брошено: "Что ж!"? Да себе, конечно – писателю Бунину, всегда, во всю свою жизнь, по сути, бездомному. В 33-м он сказал журналистам: "Впервые Нобелевская премия присуждена..." – все ожидали продолжения "...русскому", но Бунин произнес "...изгнаннику". Но не мог же он знать за тридцать лет до этого своей будущей скитальческой судьбы. Судьбы не мог, но знал себя и предчувствовал российскую бездомность XX века.

Мой отец в середине 50-х отказался от дачи на Рижском взморье. Ему, советскому офицеру, отдавали за баснословные гроши дом на станции Лиелупе, в двадцати минутах от Риги, в сосновом лесу, рядом и море, и река. Узнав об этом только в 70-е, я спрашивал отца, что он имел в виду. Он отвечал: "Знаешь, как-то не принято было в моем кругу, я и вообразить не мог". В 70-е уже мог и, похоже, жалел. Тогда юный бунтарь в исполнении прелестного Олега Табакова, который в раннешестидесятническом фильме "Шумный день" дедовской шашкой рубил родительские шкафы и серванты, уже воспринимался безумцем и дураком: зачем портить дорогие хорошие вещи?

Идея дома в России со времен бунинской усадьбы претерпела поразительные приключения, к началу следующего столетия вернувшись к той же теплой идиллии – камин, бокал, собака.

Хотя камин – затея не русская. Открытый огонь не для холодной северной страны, где прижился другой европейский очаг – печка-голландка. У нас в рижской квартире две такие, в изысканных монохромных изразцах, раздолбали с появлением центрального отопления, а узорчатые чугунные дверцы еще год стояли в коридо-

шечная малахитовая пудреница на столике у окна". А вот девушка, которую он все-таки потом вырывает из мещанской среды, живет на грани: с одной стороны – "комод, уставленный разными безделушками... на стене десятка три фотографий и открыток... кисейная занавеска", но с другой – "узкая железная кровать" в "крошечной комнате". Есть шанс.

Огромное множество сатирических вариаций на тему Людоедки Эллочки само говорит о том, как соблазнительна и распространена была "буржуазная" модель быта. Через сорок лет после Ильфа и Петрова Володька Силин из заготовительного цеха пришел в нашу бытовку грузчиков и отвел меня в сторону: "Банкет у меня сегодня, двадцать пять лет. Всех не зову, сам понимаешь. Держи адрес. В семь часов, а я побежал, мне на Матвеевском сардельки отложили". На столе были не только сардельки, но даже сардины. На кровати с никелированными спинками – пирамида подушек под кисейным покрывалом. Над настенным ковром с бегущим оленем – гитара с голубым бантом. На покрытой кружевной салфеткой радиоле "Рига" – усатый скрипач из не-

ре, пока их не забрал к себе на дачу капитан Евсеев из 3-й квартиры. Не одни голландки, весь идеал городского домашнего уклада пришел из Европы – поздневикторианский уют: основательная тяжелая мебель, много мягких поверхностей, плотные портьеры, кружевные занавеси и абажуры, обилие мелких предметов обстановки и украшений.

С этой "буржуазной" моделью почти весь XX век боролась модель "пролетарская". Выросшая из революции, гражданской войны и военного коммунизма, она была за аскезу и минимализм. Комфорт – помеха в труде и бою. Быт вспомогателен, дом – времянка. Как у героев романа "Как закалялась сталь": "Смастерили койки, матрацы из мешков набили в парке кленовыми листьями... Между двумя окнами полочка с горкой книг. Два ящика, обитые картоном, – это стулья. Ящик побольше – шкаф".

Эстетика военной бедности провозглашалась и тогда, когда не было войны, или она шла всегда? В конце 50-х книга "Домоводство" предлагала, чтобы в собственном доме "на каждого члена семьи приходилось 9 квадратных метров...

Вполне достаточно иметь высоту помещений в 2,4—2,6 метра… Вещи в комнате только необходимые и удобные. Если же комната перегружена мебелью, даже дорогой и красивой, и различными безделушками, она всегда будет казаться пыльной, тесной и захламленной". Тезис повторяется и через двадцать лет (в книге "Твой дом, твой быт"): "Всегда следует придерживаться "золотого правила": чем меньше мебели, тем лучше".

Ранние — условно, платоновские, из "Котлована" и "Чевенгура" — коммунисты были гностиками, для многих из них действительно в одежде, еде и мебели воплощался антагонизм материального и духовного. Тем более не очень-то ясно было, что делать с деньгами, если б они и появились. Зощенковский герой 20-х, выигравший большую сумму, размышляет: "Вот дров, конечно, куплю. Кастрюли, конечно, нужны новые для хозяйства… Штаны, конечно". Хрестоматиен случай неприкаянного миллионера 30-х в "Золотом теленке". Можно еще верить в искренность физика из культового фильма 60-х "Девять дней одного года": "Зачем мне квартира?" Но тем не менее все это время параллельно

воспроизводился мало менявшийся с десятилетиями викторианский быт, устоявший против страшных ударов по мещанству и в конце концов победивший.

Мещанством было все, что не соответствовало идеологическим правилам: и стяжательство, и ханжество, и общественная пассивность, и пристрастие к любовным или детективным романам. Но более всего — в силу заметности — излишества в одежде и внимание к быту. Граммофон, плюшевый диван, клетка с канарейкой проходили по разряду улик. В фадеевской "Молодой гвардии" предатель засвечивается еще до перехода на службу к немецким оккупантам: "Втайне он завидовал заграничным галстукам и зубным щеткам своих товарищей до того, что его малиновая лысина вся покрывалась потом". А герой-коммунист из той же книги, напротив, "не променял своего советского первородства на галантерею". Павка Корчагин окончательно развенчивает свою первую любовь, когда она предстает в бытовом антураже: "Бросились в глаза два изящных кожаных чемодана в сетках, небрежно брошенное на диван меховое манто, флакон духов и кро-

мецкого фаянса. Кактусы на подоконнике в консервных банках, обернутых гофрированной бумагой. На двери – "Шоколадница" из "Огонька". Как перехватывало тогда, так и теперь перехватывает горло. Сколько я их видел, сколько их было, клонированных от Карпат до Камчатки, подушек, скрипачей, кисеи, "Шоколадниц". Сколько есть.

Пролетарское городское жилье мало отличалось от сельского. Коммуналка побуждала к деревенской организации пространства: все в одной комнате, которая разом и гостиная, и столовая, и спальня для нескольких человек, и мастерская для побочного промысла и домашних поделок. Внутренняя скученность при этом сочеталась с внешней открытостью и проницаемостью. В коммуналке дивным образом сошлись крестьянская изба и дворянская анфилада: очень тесно и все нараспашку.

Коммуналку пытались вписать в народную традицию: во-первых, в какой-то особый демократический коллективизм, во-вторых – в климатическое почвенничество (у нас холодно, потому живем тесно). Наша семья переехала в отдельную квартиру, когда мне было девятнадцать лет, и я знаю, что была даже правда в слезливых газетных очерках о том, как не хотят расселяться многолетние соседи. Не только коммунальная дружба, но и коммунальная вражда становилась сутью и стилем жизни — своего рода стокгольмский синдром.

Однако на длинной дистанции всегда побеждает норма, она и победила, когда в годы позднего сталинизма "буржуазная" модель стала законной. Фильм "Весна", поставленный в 1947 году, я впервые увидел лет на тридцать позже, но сразу узнал то, что увидел. В пятом классе Сашка Козельский пригласил на день рождения, и когда мы вышли, физкультурник Колька Бокатый злобно сказал: "Вот же богато живут, гады". Козельский, сын академика, существовал в пышных декорациях "Весны". Советский голливудец Александров воспроизвел в обиходе советской научно-художественной элиты миллионерскую роскошь, с прислугой и лимузинами. Идея была проста, но на идеологической поверхности страны нова: верно служишь — много получаешь. Иерархия ценностей в системе наград и привилегий оставалась всемирно общепринятой: главное — просторное добротное жилье. Важно, что роль советской аристократки в "Весне" исполняла любимица зрителей Любовь Орлова, та самая, которая прочно запечатлелась простой девушкой из "Веселых ребят" и "Светлого пути", боровшейся с мещанами. Те же герои помещались в новый антураж.

Лучшим подтверждением, что Россия, при всей своей изоляции, все же была частью мира, служат 60-е. Странно и удивительно, но в СССР в эти годы шла такая же социальная (молодежная, сексуальная, музыкальная) революция, как в Штатах или Франции, с понятными поправками, конечно. Решающим стало открытие Запада.

Дом преобразился решительно. Хлынул поток вещей с клеймом "Made in...": бытовая техника, плитка для облицовки ванной, посуда, как минимум — заграничная бутылка с пробкой на винте. В воспоминаниях певицы Галины Вишневской — история о том, как выдающийся музыкант со своей прославленной женой везут через всю Европу кафельную плитку на крыше автомобиля, преодолевая кордоны и заслоны. Самое примечательное – и через годы ощущение гордости, а не унижения.

С другой стороны, "буржуазность" позднего сталинизма трактовалась как тяжесть и застой. Уютный быт мог удержать человека от духовных стремлений, как Корчагина – от строительства узкоколейки. Тогда-то и рубил Олег Табаков мебель буденновской шашкой. В сиротском алюминиево-пластмассовом интерьере органично оралось под гитару (без банта): "Ледорубом, бабка, ледорубом, Любка, ледорубом, ты моя сизая голубка". Дальние дороги, "милая моя, солнышко лесное". Из "Огонька" вырезали импрессионистов: что "Огонек" публиковал – то и вырезали.

С третьей же стороны, немедленно – как всегда бывает с одновременно разными обличиями свободы – усилились поиски народных корней. Квартиры украсились иконами, прялками, лубком. В "Июльском дожде" Марианна Вертинская очаровательно танцует твист в лаптях. Грибоедов за полтораста лет до этого потешался над смесью французского с нижегородским – и зря потешался: только так, шатаясь из стороны в сторону, прихватывая на ходу и по ходу отбрасывая, развивается любая культура.

При всей пестроте 60-х квартиры истинных шестидесятников походили одна на другую: инженера, артиста, физика, журналиста — потому прежде всего, что человека определяла не профессия, а хобби. Вовсе не оттого, что на первый план выходила частная жизнь, явленная в личных склонностях, а потому, что человек обязан был быть гармоничным. У тебя профессия, тебя научили, а умеешь ли ты разжечь костер с одной спички, а играешь ли ты на гитаре, и вообще, где твой ледоруб?

Установка на отдельные квартиры была хороша, но сами квартиры в "хрущобах" — очень плохи. (Аналогично — со всеми другими соотношениями слова и дела, до сих пор, от Конституции начиная.) Почему-то особенно огорчали совмещенные санузлы, что несомненно удобно, когда в квартире два-три человека, но если больше, то неловко сидеть, когда рядом лежат.

Проблема гигиены находилась в небрежении, хотя прогрессивная книга "Твой дом, твой быт" рекомендовала "ежедневно мыть теплой водой с мылом все места, где может застаиваться пот". Но уж вопрос физиологических отправлений воспринимался досадной помехой. На российскую целомудренность наложилась общеевропейская викторианская. Меня в детстве озадачивал "Таинственный остров" Жюля Верна: при дотошном описании устройства жилья в пещере – ни слова о сортире. Зощенко упоминает характерно: "Раз, говорит, такое международное положение и вообще труба, то, говорит, можно, к примеру, уборную не отапливать". Повышенное внимание к этому делу было знаком чуждости: в "Молодой гвардии" для оккупанта "была сделана отдельная уборная, которую бабушка Вера должна была ежедневно мыть, чтобы генерал мог совершать свои дела, не становясь на корточки". На корточки в те времена становилось подавляющее большинство населения страны. Не раз ходивший в первый год срочной службы "мыть толчки", досконально знаю, что в армии уборные строились в расчете 1 очко на 20–25 солдат. Нам хватало. Городские туалеты служили убежищем зимой: здесь выпивали и закусывали, в женских – торговали косметикой и одеждой, так что пользоваться сортиром по прямому назначению делалось неловко.

Домашний санузел – совмещенный или нет – украшался, для чего везли технику из соц- и желательно из капстран. Известный писатель-сатирик рассказывал, как долго объяснял сантехнику, что привез из Финляндии биде и оно только похоже на унитаз, но назначение другое. Выслушав, мастер веско сказал: "Ты чего мне тут говоришь? Мы что, пиздомоек не ставили? Да я их наизусть знаю". Успокоенный писатель ушел, а когда вернулся вечером, увидел, что биде аккуратно вмонтировано заподлицо с полом.

Позитивистское мышление требовало "научного" обоснования и гигиены и эстетики. Инструктивные книги обосновывали то, что было, кажется, и так ясно: "Недостаток солнечного света может способствовать появлению таких заболеваний, как малокровие, рахит у детей и пр. …Грязные, запыленные стекла задерживают половину солнечных лучей", "Портьеры не только защищают помещение от любопытных взглядов, но и служат хорошей тепловой и звуковой изоляцией", "Цветы в комнате украшают жилище.

Кроме того, они в течение дня активно поглощают углекислоту и выделяют много кислорода".

Понадобился брежневский застой, когда общественная безнадежность обратила человека к насущным личным нуждам – быт негласно, но необратимо реабилитировался. К тому же шестидесятники довели до пародии и обессмыслили атаки на мещан, объявив их источником всех социальных бед, в том числе фашизма и сталинизма. Обыватель, обставляющий квартиру, вписывался в цивилизованную норму, которой теперь можно было не стесняться. И, что очень важно, – не бояться. Не то чтобы люди переменились – разложилась власть. Разложилась она давно, уже в 30-е революционеры стали бюрократами и обросли привилегиями, но сейчас этого, по сути, не скрывали. В "холодной войне" победили не ракеты, а ручки "паркер", зажигалки "ронсон", джинсы "ли", машины – не "жигули", а "тойота", а лучше "мерседес", добротная мебель, просторная квартира, дача. Победила идея жизни, то есть идею победила жизнь.

На широчайшем уровне – от зажиточного колхозника до городского интеллигента и провинциального партбюрократа – предметами вожделения были хрусталь, большой ковер (или безворсовый "палас"), мебельный гарнитур югославского или румынского производства. На высоком столичном уровне появлялись вещи из Западной Европы и Штатов: электроника, кухонная техника. Невыездных по мере сил обслуживала Прибалтика: транзисторы, магнитофоны, а также подсвечники, вазы, пепельницы, вешалки – вообще мелкие бытовые предметы, обилие которых подтверждало полный отказ от аскетической модели дома. Среди элиты выше "фирменной" мебели ценилась антикварная, само наличие павловского инкрустированного столика было пропуском в высший круг. В таких домах на стенах висели живописные подлинники: русских академистов конца XIX века, либо современных художников, которым уже было принято заказывать портреты членов семьи.

Человек на всех уровнях полюбил жить богато и нарядно – попросту полюбил жить! Как писал по сходному поводу Зощенко: "Получилось довольно красиво. Не безобразно, одним словом. Морда инстинктивно не отворачивается".

За прошедшие годы переменилось многое: психика, эстетика, акустика, оптика. Как-то я шел в районе московских новостроек. Красная неоновая вывеска прочитывалась издалека: "Тигровый центр". И только через полсотни метров сообразил, что все-таки "Торговый центр". Другая пошла жизнь: в конце концов, почему бы и нет, отчего бы тиграм не иметь своего центра?

В свое время Галич пел: "Мы поехали за город, а за городом дожди, а за городом заборы, за заборами вожди". Сейчас заборов стало еще больше, вокруг той же Москвы, но это уже иное.

Дома под Москвой, Питером, Екатеринбургом, Нижним – особое российское явление: гибрид старой русской усадьбы с американским пригородом. Ведь это не уединенная бунинская Орловщина, а каких-нибудь полчаса-час от центра. Стилистический ориентир – начало XX века, но психология обитателей иная. Они жмутся друг к другу, потому что своя собственная надежная охрана по карману очень немногим, и они собираются вместе, неуютно ставя дома тесным рядком: сообща обороняться. Миллионерская коммуналка. Дачные поселки обнесены крепостными стенами, у ворот шлагбаумы, псы, автоматчики. Красивая жизнь куплена, но за нее страшно. Не помещичьи усадьбы, а феодальные замки среди крестьянских полей. Там, за заборами, воссоздается жизнь, о которой надолго забыли, но Бунин все-таки писал о той собаке, которая лежит у камина, а не рвется у шлагбаума с поводка.

Песня о памяти

Александр Блок
1880–1921

Девушка пела в церковном хоре
О всех усталых в чужом краю,
О всех кораблях, ушедших в море,
О всех, забывших радость свою.

Так пел ее голос, летящий в купол,
И луч сиял на белом плече,
И каждый из мрака смотрел и слушал,
Как белое платье пело в луче.

И всем казалось, что радость будет,
Что в тихой заводи все корабли,
Что на чужбине усталые люди
Светлую жизнь себе обрели.

И голос был сладок, и луч был тонок,
И только высоко, у царских врат,
Причастный тайнам, — плакал ребенок
О том, что никто не придет назад.

Август 1905

Странно вспомнить: в моих юношеских разгульных компаниях часто читали стихи. Не свои, сами не писали: кроме чепухи на случай, ничего такого не было. Чаще всего звучали Есенин и Блок. Выбор понятен – по совпадению интересов, хотя пили все разное: мы – бормотуху, Есенин – водку, Блок – порядочное вино ("Нюи" елисеевского разлива №22", уточняет Георгий Иванов), но объединяла увлеченность. Соответственно и читали "Москву кабацкую", а из Блока – "Незнакомку" с ее истиной в вине; "Я пригвожден к трактирной стойке. / Я пьян давно. Мне всё – равно"; "В ресторане".

Блок звучал слишком красиво, особенно про черную розу в бокале, но базовые установки – верные и знакомые. Как и алкоголические симптомы, о которых мы в ту пору не знали: он был все заносивший в записную книжку патологический аккуратист и педант, подобно Веничке Ерофееву и Довлатову. Красивость же в юности не мешает: небо сине, лица розовы, впечатления зелены. Отторжение начинается потом – словно приводя окружающее в единое серенькое соответствие. Услышав строки “В кабаках, в переулках, в извивах, / В электрическом сне наяву / Я искал бесконечно красивых / И бессмертно влюбленных в молву”, Куприн почтительно спросил Блока: “Почему не в халву?” Со временем ощущение приторности возникло и росло, стало казаться, что даже по лучшим блоковским стихам кусками и крошками разбросана халва.

А тогда, в пьяном стихобормотании, меня почти непременно просили: “Прочти про девушку в белом”, и я заводил томительную мелодию чуть сбивчивого – правильно, жизненно сбивчивого! – ритма, в которой слышалось то, что только можно услышать в семнадцать лет. Когда сил столько, что трехдневная бессонная гульба нипочем, но драма нужна, потому что она нужна всем и всегда, вообще необходима, и чужая несбыточная мечта идет в дело, и этот всхлип за счет Блока, спасибо ему.

Очень важно помнить, что чувствовал раньше. Возродить эмоцию не получается, ощутить заново то, что восхищало, волновало, возмущало, – нельзя, но восстановить, *что* именно и *как* именно восхищало, волновало, возмущало, – это возможно. Оттого и способен воспринять, например, следующие поколения, без гнева или снисхождения, а с пониманием, памятуя о том, каким был сам.

Уже никогда не затуманиться от девушки в белом, лишь с благодарностью вспомнить и Блока с его песней об усталых и забывших, и себя того, какого нет и не будет. С годами главным чувственным переживанием становится память.

Любовный масштаб

Александр Блок
1880–1921

Незнакомка

По вечерам над ресторанами
Горячий воздух дик и глух,
И правит окриками пьяными
Весенний и тлетворный дух.

Вдали, над пылью переулочной,
Над скукой загородных дач,
Чуть золотится крендель булочной,
И раздается детский плач.

И каждый вечер, за шлагбаумами,
Заламывая котелки,
Среди канав гуляют с дамами
Испытанные остряки.

Над озером скрипят уключины,
И раздается женский визг,
А в небе, ко всему приученный,
Бессмысленно кривится диск.

И каждый вечер друг единственный
В моем стакане отражен
И влагой терпкой и таинственной,
Как я, смирён и оглушен.

А рядом у соседних столиков
Лакеи сонные торчат,
И пьяницы с глазами кроликов
"In vino veritas!" кричат.

И каждый вечер, в час назначенный
(Иль это только снится мне?),
Девичий стан, шелками схваченный,
В туманном движется окне.

И медленно, пройдя меж пьяными,
Всегда без спутников, одна,
Дыша духами и туманами,
Она садится у окна.

И веют древними поверьями
Ее упругие шелка,
И шляпа с траурными перьями,
И в кольцах узкая рука.

И странной близостью закованный,
Смотрю за темную вуаль,
И вижу берег очарованный
И очарованную даль.

Глухие тайны мне поручены,
Мне чье-то сердце вручено,
И все души моей излучины
Пронзило терпкое вино.

И перья страуса склоненные
В моем качаются мозгу,
И очи синие бездонные
Цветут на дальнем берегу.

В моей душе лежит сокровище,
И ключ поручен только мне!
Ты право, пьяное чудовище!
Я знаю: истина в вине.

24 апреля 1906, Озерки

Прочел очень рано, как раз в то время, когда увлеченно рассматривал материнский – мать была врач – четырехтомный атлас анатомии. Особенно разворот, где слева изображались "половые органы девицы" – так и было написано под картинкой, а справа – "половые органы женщины". Слева значилось – 1:1, справа – 4:5. Так я навсегда осознал, что такое масштаб.

Незнакомка мне тоже понравилась, хотя была куда менее конкретной. Портрета нет: перед нами – словно фанерный щит курортного фотографа с прорезью для головы. Но как писал блаженный Августин: "Я еще не любил, но уже любил любовь и, любя любовь, искал, кого бы полюбить". У незнакомки синие глаза, тонкая талия и узкая рука. Неплохо, но немного. Немного, но достаточно. Не было и нет сомнения, что она – завораживающая красавица. Портрет дан через впечатления оцепеневшего от восторга наблюдателя.

Как остроумно замечено одним историком, "любовь – французское изобретение XII века".

Речь идет о начале идеализации женщины. В первую очередь об очеловечивании образа Мадонны: от неземного условного образа – к прелестному реалистическому, где материнство соединяется с женственностью. Французские, точнее провансальские, трубадуры много взяли у арабов, с их поэтическим тезисом: только рабы любви являются свободными. Уничижение во имя любви – высшая степень благородства. Объектом обожания для трубадура чаще всего служила замужняя женщина, и то, что шансы сводились к нулю – возвышало воздыхателя. Высокую поэзию порождала идея недостижимости, которая сочеталась с идеей вознаграждения за подвиги во имя любви, по принципу "она меня за муки полюбила". Эротическую любовь – spiritus motor, духовный двигатель мира, превращающий хаос в гармонию – хорошо знали древние. Подробно об этом – у Лукреция. По-русски выразительнее всего у Мандельштама: "И море, и Гомер – все движется любовью". Даже море!

Время женщин по-настоящему наступило в XX веке. В предыдущем столетии его приход подготовили установки романтизма – личная судьба важнее общественной, эмоции выше разума, порыв плодотворнее познания. Но нужен был XX век, в котором войны, революции и диктатуры окончательно скомпрометировали рациональное мышление, что всегда было прерогативой мужчины. Соответственно возросло значение интуиции и инстинкта – качеств женщины.

Живший на грани эпох Блок, поэт из профессорской семьи, трубадур-позитивист, не только поклонялся Прекрасной Даме, но и проводил опыты по созданию прекрасных дам из подручного материала.

Довольно рано я догадался, что Незнакомка – блядь. Помню, такая трактовка вызывала возмущенный протест девушек, за которыми я ухаживал в свои пятнадцать – понятно, читая стихи и давая по ходу пояснения. Следить, как она проходит меж пьяными, было почти так же возбуждающе, как рассматривать анатомический атлас. Но у моих подруг эта текстология отклика не находила. Хотя в результате привлекала, как любой порок.

В то время я еще не читал блоковских записных книжек и писем, где много об этих Озерках и прочих местах отдыха. “18 июля. Пью в Озерках… День был мучительный и жаркий – напиваюсь… 27 июля. Напиваюсь под граммофон в пивной на Гороховой… 6 августа. Пью на углу Большого и 1-й линии… Пьянство 27 января – надеюсь – последнее. О нет: 28 января”.

Как сказал наш ответственный квартиросъемщик полковник Пешехонов, когда я ночью сшиб с гвоздя в коридоре эмалированный таз: “Где пьянство, там и блядство”. Это прозвучало нелогично в тот момент, но вообще, по сути, справедливо – по крайней мере, в отношении Блока.

“Остался в Озерках на цыганском концерте, почувствовав, что здесь – судьба”, – сообщает он матери. Очередная судьба. “Моя система – превращения плоских профессионалок на три часа в женщин страстных и нежных – опять торжествует”. У Блока – словно пародия на Чернышевского: “Ее совсем простая душа и мужицкая становится арфой, на которой можно извлекать все звуки. Сегодня она разнежилась так, что взяла в номере на разбитом рояле несколько очень глубоких нот”. Герои “Что делать?” усаживали проституток хоть за швейные машинки, поэт – за рояль. По признанию Блока, у него таких женщин было "100–200–300". Похоже, он не ощущал фальши, когда записывал отчет о сеансе перевоспитания: "Когда я говорил ей о страсти и смерти, она сначала громко хохотала, а потом глубоко задумалась..." Довлатов рассказывал, как в юности оказался с Бродским в компании двух продавщиц из гастронома. В предвкушении выпивали, Бродский читал стихи, девушки расслабленно хихикали: "Болтун ты, Ося".

Как гласит сексистская поговорка: "Не бывает некрасивых женщин, бывает мало выпивки". Выпивки Блоку хватало, так что он мог говорить какой-то "глупой немке" Марте "о Гете и "Faust'e", на время творя для себя из озерковской шлюхи прекрасную распутную музу.

Вообще-то шлюхи, только высокого пошиба – богатый и привлекательный образ. Куртизанки – спецназ любви. Гетеры античного мира, меценатствующие фаворитки Ренессанса, хозяйки салонов XVII–XVIII веков, дамы полусвета belle époque – образованные, изящные, остроумные, собиравшие вокруг себя лучших мужчин своего времени.

С этими женщинами не обязательно стремились вступить в связь. Законом женско-мужских отношений тут была игра. Утрачиванию этой важнейшей категории жизни посвятил целую книгу Жан Бодрийяр. По-русски она называется "Соблазн", хотя оригинал двусмысленнее: "De la Séduction", что означает и "О соблазне", и "О соблазнении" – о процессе.

Горе Бодрийяра патетично: "Наслаждение приняло облик насущной потребности и фундаментального права... Наступает эра контрацепции и прописного оргазма". Как-то на рижском кожгалантерейном комбинате ко мне в курилке подсела Лариса из закройного цеха: "Хорошего абортмеханика не посоветуешь? Мы с Танькой думали, еще рано, а тут с календарем подсчитали – со Дня Советской армии уже семь недель!" Ареал сексологических знаний расширяется, но все-таки заметно, что Бодрийяр не проводил полевых исследований к востоку от Карпат.

Механистическая "эра контрацепции и прописного оргазма" наступит еще не завтра – не только из-за перепада в уровнях экономики и социального развития. Дело в основополагающих моделях поведения, неизменных с нашего обезьяньего прошлого. Это только кажется, как утверждает другой француз, Жиль Липовецкий, что "когда "все дозволено", победы над женщинами теряют для мужчины первостепенную важность". Ценности остаются нетронуто прежними. Власть и деньги – цель и одновременно средство для завоевания женщин. Показатель могущества, как и на протяжении тысячелетий, – появление на публике с юной красивой самкой.

Не так уж безнадежно инструментально наше мышление, и ценность символов не поколеблена, а значит, и таинственность, всегда окружающая символы, в цене. Еще Базаров горячился: "Ты проштудируй-ка анатомию глаза: откуда тут взяться загадочному взгляду?" Но загадочности не убывает, даже наоборот, коль скоро авторитет научного знания с базаровских времен так сильно подорван.

Не забыть и об азарте, побуждающем к любовной игре. Неизбывная тяга человека к рекордам заводит его и на неприступные горные пики, и в кромешную непроглядность микротехники. Наконец, есть просто спорт, в том числе и этот.

Мне показывали в Москве журналиста, который делает женщинам в среднем десять нескромных предложений в день и уже превзошел достижения Мопассана, тем более Блока – при том, что немолод, невзрачен и скуп. Он реализовал на практике закон больших чисел. Десять на тридцать – триста, из них примерно двести девяносто восемь отказов, причем сто грубых, двадцать – тридцать с оскорблением действием. Оставшиеся два согласия умножаем на двенадцать месяцев и еще на двадцать пять лет – результат впечатляет. Этот подвижник и даже, с учетом регулярно битой морды, мученик любви довел идею игры соблазнения до абсурда, но что есть бездны Достоевского, пейзаж на рисовом зерне или покорение Эвереста? Нам нужны недостижимые и даже неприемлемые ориентиры: не следовать им, но по ним соизмеряться.

Бодрийяр досадно рационален: "Женщина как эмблема оргазма, оргазм как эмблема сексуальности. Никакой неопределенности, никакой тайны. Торжество радикальной непристойности". Какой простой, убедительный и оптимистический ответ давно уже дал Ницше: "Одни и те же аффекты у мужчин и женщин различны в темпе; поэтому-то мужчина и женщина *не перестают не понимать друг друга*".

К счастью, не перестают. Не становятся и не станут ближе "берег очарованный и очарованная даль".

Разумеется, перемены в самом интересном назначении человека — отношениях с противоположным полом — происходят. Но, пожалуй, не принципиально качественные, а количественные. Важнейшее — расширение возраста любви и сексуальной привлекательности

Вниз по возрастной шкале — не то чтобы молодых стало больше, чем прежде, но они сделались заметнее. Омолодилась *значимая* часть общества. Социальная революция 60-х, прошедшая во всем мире — в Советском Союзе тоже, — по сути отменила понятие стиля. Стало можно по-разному. Например, молодым вести себя по своему усмотрению — не слушаться старших. Рухнула возрастная иерархия.

В начале XX столетия молодые, стремившиеся чего-то достигнуть, рано обзаводились пиджачной тройкой, переживали из-за худобы (известны страдания Кафки), надевали при прекрасном зрении очки с простыми стеклами – чтобы выглядеть солиднее. Молодой *не считался*.

Начиная с 60-х, все в мире меняется. Иной стала звуковая гамма окружающего: ритм потеснил мелодию, резко усилилась громкость. Ускорился под влиянием телевидения темп кино, были заложены основы клипового визуального восприятия – быстрого, отрывочного, динамичного. Понятно, что такие звуки и такие образы проще и легче воспринимаются молодыми гибкими органами чувств. Молодые становятся и авторами подобных звуков и образов – движение встречное.

В закрытом, управляемом советском обществе процессы были затушеваны. Партизаны молодежной революции слушали и играли свою музыку по квартирам, для новой литературы был выделен единственный журнал – "Юность", стремительную киноэксцентрику выводил на экран едва ли не один Леонид Гайдай. Заметно и наглядно зато омолодился спорт, бывший серьезным государственным делом. Когда Михаил Таль победил Михаила Ботвинника, важнее всего было, что новый чемпион мира по шахматам в два с половиной раза моложе прежнего. Латынина и Астахова побеждали на мировом гимнастическом помосте вплоть до тридцати лет, новые — Петрик, Кучинская, Турищева, потом Корбут — к своим тридцати давно уже были за помостом. Зато чемпионками становились в пятнадцать — шестнадцать.

На бытовом уровне в свободном мире подростковый секс Ромео и Джульетты становился материалом не для трагедии, а для сериала по будням.

Движение шло по возрастной шкале и вверх. Медицина и мода удлинили женский век. Давно уже "бальзаковским возрастом" именуется сорокалетие и старше, но ведь "бальзаковской женщине" в оригинале — тридцать: ее свеча догорает, она уже в заботах о чужом сватовстве. Во второй половине XX столетия тридцатилетняя женщина решительно перешла в разряд девушек. Туда же движется сорокалетняя.

"Чего бог не дал, того в аптеке не купишь". Эту утешительную философию сменяет императив: "Некрасивых женщин нет, есть только ленивые". Изменение своего дарованного свыше облика, что возможно только в кризисе религиозности, вызывало на Западе бурные дискуссии. В России на эту тему споров нет и не было – и потому, что подключились к процессу поздно, и потому что атеисты.

В 60-е в "Огоньке" вяло обсуждали: достойная ли профессия – манекенщица. Теперь сам язык вступился за ремесло: прежняя "манекенщица" – нечто пассивное и почти неодушевленное, нынешняя "модель" – образец и эталон.

Видел я как-то на Бродвее Клаудиу Шиффер без косметики – если не знать, не обернешься. Нетрадиционная привлекательность – рост и худоба. Королевы красоты 30–50-х ниже теперешних на пять–восемь сантиметров и тяжелее на десять–двенадцать килограммов. А лицо можно нарисовать, тело вылепить. Как говорила с обидой одна знакомая, глядя в телевизор на Плисецкую: "Конечно, у нее не отекают ноги". Так и у тебя не должны.

Опыт недельного проживания на Канарах возле нудистского пляжа погрузил меня в тяжелую мизантропию. Как некрасив человек! Как важна, оказывается, одежда. Как узок круг рекордсменов и рекордсменок красоты. Как необходимы запреты и каноны — чем строже, тем лучше, потому что все равно кто-то захочет собраться дружной стайкой и затеять волейбол через сетку без трусов. Отчего те, с обложек, кувыркаются в каких-то других местах, обрекая меня на блуждания в дряблых зарослях целлюлита? С Канарских островов я приехал еще более убежденным сторонником индустрии красоты.

Не говоря о том, что мода и косметика, тем более пластическая хирургия — прикладная разновидность концептуального искусства. Включая дивные названия перформансов: "Лазерная коррекция лопоухости с пожизненной гарантией"! Я обнаружил в себе склонность к чистому искусству, иногда включая круглосуточный телеканал "Fashion". При чем тут "что носить" — это же как показывать день и ночь галерею Уффици.

Бессмысленное "апельсинство" — так называл всякое эстетство Блок. Но увлекательное, уточним, и очень доходное: я ведь смотрю, и еще сотни миллионов приникают к тому или другому явлению того же рода, и понятно, почему. Как высказался Вагрич Бахчанян: "Меняю башню из слоновой кости на хер моржовый тех же размеров".

Блоковский Серебряный век некоторое время успешно скрещивал слона с моржом. Те, кто именуется творческой интеллигенцией, начали расшатывание института брака и семьи, которое продолжалось почти весь XX век.

Проповедь свободной любви теснее всего связывается с именем Александры Коллонтай. Но подтверждения приходят отовсюду. Надежда Мандельштам пишет откровенно: "Я не понимала разницы между мужем и случайным любовником и, сказать по правде, не понимаю и сейчас... Мне иногда приходит в голову, что мое поколение напрасно разрушало брак, но все же я предпочла бы остаться одной, чем жить в лживой атмосфере серой семьи".

Советская власть прибавила к эмансипации женщин физическое изъятие мужей и отцов, а с ним и моральное – требование отказа: либо формального, за подписью, либо фактического, когда об арестованном не упоминалось. Отец же всегда был в запасе, один на всех – отец народов.

Решающий и все еще существующий фактор – прописка. Браки, заключенные только затем, чтобы перебраться в райцентр из деревни, в областной город из района, в столицу из провинции. Союзы, державшиеся лишь на этой основе. Прописка и жилье – побудительные мотивы и категории бытия. Когда российская образованная прослойка возмущалась телепередачей "За стеклом", стоило подивиться краткости памяти о коммуналках, где все и всё были под стеклом и на виду даже не зловещего Большого брата, а просто соседей, что хуже, потому что неусыпно, добровольно и с энтузиазмом.

Весь этот опыт сводит на нет – по крайней мере пока – общемировые лозунги женских свобод. В России стирание граней между М и Ж объявлено давно. То, что для Запада было целью, здесь – скорее отправной точкой. Освобождение – девиз, в который российские и западные женщины вкладывают разное: скажем, уйти с работы – выйти на работу. "Нам не так странно видеть женщину во главе государства, как женщину-каменщика или водопроводчика; женщина – руководитель предприятия удивляет меньше, чем женщина-маляр", – пишет Жиль Липовецкий. "Нам" – это "им". Для начала хорошо бы убрать женщин с дорожных и строительных работ. Чтобы наконец реализовалась столетняя острота О.Генри: “Единственное, в чем женщина превосходит мужчину, — это исполнение женских ролей в водевилях”.

Социальное отставание проявлялось многообразно. Советское общество было целомудренным до изумления, иначе не осознать, например, как могли зрители не насторожиться при виде пылких объяснений в любви, которыми обмениваются Марк Бернес и Борис Андреев в популярнейшей кинокартине военных лет “Два бойца”. Но мужская, да еще фронтовая, дружба ставилась выше женско-мужской любви и пользовалась тем же лексиконом. Так что ничего “такого” ни актерам, ни зрителям в голову не приходило. И вообще, про гомосексуализм если и слыхали, то в него не верили. То-то вся страна распевала чудный романс “Когда простым и нежным взором ласкаешь ты меня, мой друг...”, не подозревая, что исполняет гимн однополой любви (ее автор, Вадим Козин, дважды отсидел по статье за мужеложство).

К изображению любви на страницах и на экране подходили строго. Уже шла послесталинская оттепель, когда ее зачинщик и главный либерал страны Хрущев назвал шлюхой героиню фильма “Летят журавли”, которая пала, не дождавшись с фронта жениха или хотя бы похоронки. Не помогло, что потеря невинности происходила под бомбежку и Бетховена. Тем не менее в первый же год “Журавли” не только собрали по стране тридцать миллионов зрителей, но и получили всесоюзную премию, что, с учетом реакции высшей власти, удивительнее победы на Каннском фестивале.

Попытка взять под контроль любовь – то есть то, что не требовало, в отличие от семьи, контроля и регистрации, – провалилась. Только в безнадежных книжках и фильмах сходились по классовой общности. В хороших – получался “Сорок первый”, с трагедией настоящей любви белого офицера и красноармейки, которых играли голливудски сексапильные Олег Стриженов и Изольда Извицкая.

Тем более вырастала роль любовных отношений в жизни – как единственного, по сути, доступного каждому пути свободного самовыражения. Попросту говоря, в постели только и можно было укрыться от государства и общества. Не вполне, конечно: мне приходилось выбираться через окна из студенческих и рабочих общежитий, когда шел ночной дозор студкома или комсомольского патруля. Но все же постель надолго стала единственным бастионом частной жизни. Дурная метафора "постель – бастион": неудобная, жесткая, увы.

Отсталость обернулась этнографической чертой, которая придает России прелесть в глазах иноземцев. Когда Жванецкий острил: "Нашу прокатишь на трамвае – она твоя", – это было насмешкой над женской непритязательностью, но подспудно – самокритикой мужчины, построившего такое общество. Однако иностранец этого не знает и не должен, его стандартная реакция: "Здесь женщины не отводят глаза!"

Округлая мягкость – тоже заслуга "железного занавеса", из-за которого долго было не разглядеть Твигги и других подвижниц молодежно-сексуальной революции. Хотя худоба должна была бы восприниматься в русле общего отвержения излишеств, вроде пышности сталинской архитектуры.

Режим словно законсервировал любовь. Сюда вкладываются все смыслы, как в случае с изделием народного творчества, помещенным в музей: с одной стороны, изъятие из общемирового процесса, с другой – сохранение, спасение. "Женственность станет видна насквозь", – печалится Бодрийяр. Да нет, не так просто уйдет блоковская Незнакомка, иррациональность с духами и туманами, древними поверьями и траурными перьями. Не так просто и не так скоро даже там, где изменения столь наглядны, а тем более в местах, где масштаб перемен не 1:1 к европейско-американскому, а, к счастью, пока 4:5.

Вот из языка музейных консервов не получилось. Идеология, захватывая хорошие слова, присвоила и любовную лексику. Как в советском анекдоте об уроке полового воспитания: есть любовь мужчины к женщине – об этом вам знать еще рано, есть любовь мужчины к мужчине – об этом говорить стыдно, поговорим о любви к партии. Надолго стало трудно произнести: "Я тебя люблю". Скорее всего, это прозвучит длиннее: "На самом деле я тебя как бы типа того что люблю".

Гибель Помпея

Николай Гумилев

1886–1921

Капитаны

На полярных морях и на южных,
По изгибам зеленых зыбей,
Меж базальтовых скал и жемчужных
Шелестят паруса кораблей.

Быстрокрылых ведут капитаны,
Открыватели новых земель,
Для кого не страшны ураганы,
Кто изведал мальстремы и мель,

Чья не пылью затерянных хартий –
Солью моря пропитана грудь,
Кто иглой на разорванной карте
Отмечает свой дерзостный путь

И, взойдя на трепещущий мостик,
Вспоминает покинутый порт,
Отряхая ударами трости
Клочья пены с высоких ботфорт,

Или, бунт на борту обнаружив,
Из-за пояса рвет пистолет,
Так что сыпется золото с кружев,
С розоватых брабантских манжет.

Пусть безумствует море и хлещет,
Гребни волн поднялись в небеса, –
Ни один пред грозой не трепещет,
Ни один не свернет паруса.

Разве трусам даны эти руки,
Этот острый, уверенный взгляд,
Что умеет на вражьи фелуки
Неожиданно бросить фрегат,

Меткой пулей, острогой железной
Настигать исполинских китов
И приметить в ночи многозвездной
Охранительный свет маяков?

[1908]

Наш ответ "Пьяному кораблю", к чему прямо подталкивала концовка Рембо: "Надоели торговые чванные флаги / И на каторжных страшных понтонах огни". (Перевод Павла Антокольского; позже я прочел полдюжины других, не хуже, а может, и лучше, но баллада Рембо так и осталась для меня в этой версии: козыри юношеского чтения, врезающегося навсегда.)

Конечно, в "Капитанах" — ни философичности, ни размаха "Пьяного корабля", но помещались они все-таки в этот ряд. Не в геологическую же, таежно-дорожную бардовскую романтику — в сущности, единственную тогда, в 70-е, кроме предписанной комсомольско-революционной. Гумилев делался противовесом и вызовом гитарному запаху тайги и солнышку лесному. Господи, все же очень серьезно: "Помпей у пиратов", полундра!

Абиссиния, Мадагаскар, Египет, Китай, Лаос, Византия, Исландия викингов, Флоренция Кватроченто, Древний Рим… Чем дальше вдаль и вглубь — тем эффектнее. Неслыханные имена, неведомые земли. "Агра" рифмуется с "онагром" —

это кто такие? В прозе Гумилев другой. "Африканская охота" — деловита, суховата, точна. А та же Африка в стихах — чужая абстракция, прихотливая и непонятная, как пятна на леопардовой шкуре: "Абиссинец поет, и рыдает багана, / Воскрешая минувшее, полное чар; / Было время, когда перед озером Тана / Королевской столицей взносился Гондар". Сгущение экзотики — бешеное, почти пародийное.

Пародии и возникали. Только любителям известна африканская поэма Гумилева "Мик", написанная размером "Мцыри" ("Ты слушать исповедь мою / Сюда пришел, благодарю") и невольно юмористически перепевающая Лермонтова: "Угрюмо слушал павиан / О мальчике из дальних стран, / Что хочет, свой покинув дом, / Стать обезьяньим королем". Но все знают "Крокодила" Чуковского, который уже впрямую насмешничал над Гумилевым: "И встал печальный Крокодил / И медленно заговорил: / "Узнайте, милые друзья, / Потрясена душа моя. / Я столько горя видел там, / Что даже ты, Гиппопотам, / И то завыл бы, как щенок, / Когда б его увидеть мог".

Меня в молодости экзотический перебор не смущал ничуть, только радовал: этого и не хватало. Позже я научился различать за аграми-онаграми другой голос, но уж очень редко он слышен. Орнаментальность и легковесность ощущалась и тогда, в период молодого захлеба Помпеем у пиратов, но гумилевский орнамент был ослепительно ярок, не чета худосочному монохрому бардов. И еще: окружающие романтики, так или иначе, хранили верность завету "возьмемся за руки, друзья". У Гумилева ничего вместе со всеми, у него романтизм настоящий — то есть сугубо индивидуалистический. Иглой по карте, тростью по ботфортам, брабантской манжетой по трепещущей душе — взявшись за руки, не получится.

Последний раз в своей жизни он намечал дерзостный путь по карте разорванной России в 1921 году. По свидетельству С.Познера, отца младшего из "серапионовых братьев" и двоюродного деда телезвезды, Гумилев говорил: "Вот наступит лето, возьму в руки палку, мешок за плечи и уйду за границу, как-нибудь проберусь". Лето пришло и почти уже кончилось, когда 25 августа Николая Гумилева расстреляли.

Набоков под конец жизни написал: “Как любил я стихи Гумилева! / Перечитывать их не могу”. Сказано точно и справедливо, но первая набоковская строчка важнее второй.

В заводском клубе

Игорь Северянин
1887–1941

Кэнзели

В шумном платье муаровом, в шумном платье муаровом
По аллее олуненной Вы проходите морево…
Ваше платье изысканно, Ваша тальма лазорева,
А дорожка песочная от листвы разузорена –
Точно лапы паучные, точно мех ягуаровый.

Для утонченной женщины ночь всегда новобрачная…
Упоенье любовное Вам судьбой предназначено…
В шумном платье муаровом, в шумном платье муаровом –
Вы такая эстетная, Вы такая изящная…
Но кого же в любовники! и найдется ли пара Вам?

Ножки плэдом укутайте дорогим, ягуаровым,
И, садясь комфортабельно в ландолете бензиновом,
Жизнь доверьте Вы мальчику в макинтоше резиновом,
И закройте глаза ему Вашим платьем жасминовым –
Шумным платьем муаровым,шумнымплатьеммуаровым!..

1911

Очередной культурный десант нашего полкового ансамбля самодеятельности высадился в клубе пригородного завода "Ригахиммаш". После того как ударникам вручили грамоты, солист Рафик Галимов исполнил нужный набор комсомольских песен, я прочел неизменного Симонова, Юрка Подниекс сфотографировал передовиков, заводское начальство с политотдельским капитаном Гартунгом ушло в буфет, а наш оркестр заиграл танцевальную музыку – зал до последнего уголка заполнила привычная смесь дыма, мата, пьяни, ожидания драки. Тут на сцену вышел Слава Сакраманта. Пары остановились. На Славе был приталенный пиджак из лилового плюша, кремовая рубашка с воротником-жабо, крупная розовая брошь, белые туфли. Слава кивнул пианисту Олегу Молокоедову и начал: "В шумном платье муаровом, в шумном платье муаровом..."

Музыка играла, Слава пел, пары стояли. На тихом проигрыше после "меха ягуарового" кто-то громко и отчетливо выразил настроение коллектива: "Ну, бля!" И сразу несколько человек полезли на сцену убивать певца. Наши оркестранты, все с доармейским кабацким опытом, уже стояли у рампы с намотанными на руки солдатскими ремнями с бляхой. Абордаж отхлынул. Мы с Подниексом, бросив новые мимолетные привязанности, пробивались к сцене, снимая ремни на ходу. Из зала примирительно кричали: “Ребята, мы ж не к вам, вы нормально... Этого гнать! Чего этот?” Сакраманта не произносил ни слова, потел и крупно дрожал. Мы вывели его черным ходом на улицу, поймали машину, усадили. Рафик Галимов на ходу утешал как мог: “Не расстраивайся, Слава, в Казани тебя бы тоже обязательно побили”.

Слава Сакраманта создан был не для военного поприща, а для звуков сладких. В армию он попал неизвестно почему, в строю отвечал вместо “я” — “я вас слушаю”, миску в столовой брал двумя пальцами, оживлялся только в бане. Прослужив так два месяца, был комиссован вчистую. Мы стояли в курилке, когда туда зашли несколько человек из хозроты. Серега Ерычев из Альметьевска громко сплюнул, огляделся и сказал: “Ну, всё, осень ушла в пизду”. Сакраманта ойкнул, упал, был отнесен в медчасть, потом отправлен в госпиталь и ряды Советской армии покинул с белым билетом. Однако мы успели подружиться, он уже начинал петь милым тенорком в полковом оркестре бывшего вильнюсского джазмена Олега Молокоедова и после дембеля иногда приезжал на КПП, приносил конфеты, а как-то вызвался с нами выступить – это и оказался "Ригахиммаш".

После я его видал всего однажды. Слава, в широких белых джинсах и желтой рубахе, бежал в Дзинтари по улице Иомас, крича высокому мужчине: "Скорее же, Мальвина, мы опаздываем!"

Для нас с Подниексом Северянин был не чужой, а "В шумном платье" мы знали наизусть. "Мы" – это значит, что Подниекс хотел научиться говорить по-русски без акцента, видимо, тогда уже предполагая, что сделает всесоюзную кинокарьеру и снимет суперхит перестройки "Легко ли быть молодым?". С этой целью я наговаривал на пленку в радиорубке километры стихов, а Юрка их зазубривал на слух. Северянин у нас проходил по высшей категории сложности, уже после проработки Есенина и Пушкина. И с родным-то русским непросто освоить “По аллее олуненной вы проходите морево”. Одни названия сборников чего стоят: “Качалка грёзэрки”, “Поэзоантракт”, “Вервэна”, “Миррэлия”. Знание русского не обязательно.

Редко бывает так точно известна дата начала писательской славы. 12 января 1910 года Лев Толстой случайно прочел стихотворение “Хабанера II”. Безобидные, в сущности, строчки “Вонзите штопор в упругость пробки, — / И взоры женщин не будут робки!..” показались Толстому квинтэссенцией новой поэзии и привели в бешенство. Бешенство такого ньюсмейкера — общественное событие, российские СМИ широко откликнулись. Литературный процесс Северянина пошел.

Интеллигентные современники его презирали — как Чарскую, как потом Асадова. Современники со вкусом растерянно недоумевали. С одной стороны, “неразвитость, безвкусица и пошлые словоновшества”, с другой — “завидно чистая, свободно лившаяся поэтическая дикция” (Пастернак). Рядом: “Чудовищные неологизмы... Не чувствуя законов русского языка... Видит красоту в образе “галантерейности”...” — и “Стих его отличается сильной мускулатурой кузнечика. Безнадежно перепутав все культуры, поэт умеет иногда дать очаровательные формы хаосу, царящему в его представлении" (Мандельштам). В общем, получается по его, по-северянински, как он и обещает: "Я — соловей, и, кроме песен, / Нет пользы от меня иной. / Я так бессмысленно чудесен, / Что Смысл склонился предо мной!"

Меня с самого первого чтения Северянина занимал вопрос: он это всерьез? Про фетэрку и резервэрку, чтоб ошедеврить и оперлить? И только однажды прочел о том, что все-таки не очень. Конечно, нельзя принимать за свидетельство его собственную декларацию "Ирония — вот мой канон": мало ли было у него деклараций, да и канонов. Но вот близкий друг Северянина переводчик Георгий Шенгели (именно ему тот слал стихи из Эстонии в 30-е, все надеясь опубликоваться в советской России; Шенгели хлопотал, но тщетно) говорил: "Игорь обладал самым демоническим умом, какой я только встречал, — это был Александр Раевский, ставший стихотворцем; и все его стихи — сплошное издевательство над всеми, и всем, и над собой... Игорь каждого видел насквозь... и всегда чувствовал себя умнее собеседника — но это ощущение неуклонно сопрягалось в нем с чувством презрения". Тем больше литературной чести Северянину: не Пиросмани салонной разновидности, а сознательный умелец-виртуоз.

Но эстетом он был настоящим, природным. Таких не собьешь. Князь Феликс Юсупов рассказывает в мемуарах, как великая княгиня Елизавета Федоровна (вдова убитого террористом Каляевым великого князя Сергея Александровича), основавшая в Москве Марфо-Мариинскую обитель, заказала художнику Нестерову эскиз рясы для монахинь: жемчужно-серое суконное платье, льняной апостольник и покрывало из тонкой белой шерсти. Совершенно северянинские монашки-грёзэрки.

Его эстетство — преимущественно городское. На природе же он, при всей фанатичной страсти к рыбалке — все-таки дачник. Если в стихах "бестинный пруд", то над ним "гамак камышовый", в котором качается "властелина планеты голубых антилоп". Город он освоил вполне и любил городские радости жизни. Для Северянина "ландолет бензиновый" — прекрасен: потому уже, что это прогрессивное, модное, еще непонятное. В те же годы Мандельштам пишет: "Чудак Евгений — бедности стыдится, / Бензин вдыхает и судьбу клянет!" — совершенно современное экологическое сознание. Северянина завораживает не просто красота, но — новизна красоты: резиновый макинтош и бензиновый ландолет. Перекличка с Хлебниковым и Маяковским, шире — с футуристами, так любившими машины и прогресс. (У меня был знакомый программист из Нью-Джерси, который собирался сменить свою привезенную из Кишинева анекдотически банальную фамилию на динамичную, соответствующую духу Нового Света. Он вдохновенно говорил: "Ты вслушайся, как звучит — Григорий Дизель!") С футуристами эгофутурист Северянин одно время дружил и даже ездил в совместное турне по югу России. Но довольно быстро рассорился, выдав на прощание лозунг: "Не Лермонтова с парохода, а Бурлюков — на Сахалин!" Он выстраивал свою, отличную от их, генеалогию: "Во времена Северянина / Следует знать, что за Пушкиным были и Блок, и Бальмонт!"

Его слава кончилась, как слава многих – с новой властью. Двадцать три последних года из своих пятидесяти четырех Северянин прожил в Эстонии. Еще в 20-м он просил Брюсова похлопотать о въездной визе в советскую Россию. Брюсов не ответил, а их общей знакомой сказал: “Он лучше сделает, если постарается уехать в Париж или Нью-Йорк. Какие уж тут у нас “Ананасы в шампанском”. А в 30-м, когда Северянин встретился с советским послом в Эстонии Раскольниковым, на стандартный вопрос ответил: “Я слишком привык к здешним лесам и озерам… Да и что я стал бы читать теперь в России? Там, кажется, лирика не в чести, а политикой я не занимаюсь”.

Как положено поэту, Северянин писал о своей смерти. Самое известное: “Как хороши, как свежи будут розы, моей страной мне брошенные в гроб”. На таллинское кладбище Северянина везли на телеге. В декабре 41-го шел снег, роз не было. Страна была не та, и даже не совсем та, в которой он поселился: Эстония, оккупированная Германией.

В той стране, которую он имел в виду, его стали издавать только в 70-е, до того я брал тонкие сборнички в Государственной библиотеке, по-юношески сразу запоминая целыми страницами. Тогда, после танцев на “Ригахиммаше”, мы с Юркой Подниексом декламировали Северянина, провожая новых подруг из сборочного цеха. До прихода полковой машины оставался еще час, стояла теплая ночь, мы наперебой острили и нараспев читали дуэтом: “Вы такая эстетная, Вы такая изящная...” Сборщицы довольно хохотали, а одна махала рукой и кричала: “Ни хуя себе струя!”

Кастрат экстаза

Игорь Северянин
1887–1941

Хабанера III

От грез кларета – в глазах рубины,
Рубины страсти, фиалки нег.
В хрустальных вазах коралл рябины
И белопудрый и сладкий снег.

Струятся взоры… Лукавят серьги…
Кострят экстазы… Струнят глаза…
"Как он возможен, миражный берег…" –
В бокал шепнула сеньора Za.

О, бездна тайны! О, тайна бездны!
Забвенье глуби… Гамак волны…
Как мы подземны! Как мы надзвездны!
Как мы бездонны! Как мы полны!

Шуршат истомно муары влаги,
Вино сверкает, как стих поэм…
И закружились от чар малаги
Головки женщин и кризантем…

1911

Не читать, а слушать. Почти чистая абстракция. Как в живописи Миро, когда всё по отдельности – бессмысленные и бесформенные пятна, а вместе – гармония и наслаждение. Мелодический дар – как у Беллини или Шуберта. Сами по себе слова – не слишком важны, на уровне многоточий, которых до неприличия много, как в любовном письме старшеклассницы: восемь на шестнадцать строк.

Сотни тысяч – без преувеличения и без телевидения – старшеклассниц и старшеклассников любого возраста составляли в начале XX века фан-клуб Северянина: популярность его достигала блоковской славы и превосходила любую другую. Когда в 40-м в Эстонию вошли советские войска, Северянина потрясло, что даже офицеры не знают его стихов и имени: в первую германскую таких русских офицеров не было.

Мои офицеры на Северянина реагировали. В разгар того вечера, когда Слава Сакраманта в лиловом пиджаке пел о шумном платье в клубе "Ригахиммаша", капитан Гартунг из политотдела подозвал меня к столику в буфете. Армейское начальство отдыхало с заводским за третьей уже бутылкой “Зверобоя”. Я понял, что понадобился на симпосионе в качестве флейтистки.

— Вайль, ты это, стихи вот такие знаешь, как этот поет? Должен знать, человек ты интеллигентный.

— Так точно, товарищ капитан, это Игорь Северянин, знаю.

— Да брось ты, “товарищ капитан”, сегодня “Саша”. Почитай, а?

Люди за столиком оцепенели с первых слов. “Зверобой” ударил в “Хабанеру”. Ничего непристойнее на “Ригахиммаше” не слыхали. Лиловый главбух налил по полстакана, мне тоже. Выпили, помолчали, как на поминках. Капитан Гартунг, вспомнив о высшем образовании, сказал:

— Самовыражение, значит. Смотри ты, как он признается, что сам ничего не может, потому и туману напускает. Он ведь про себя так и говорит — кастрат экстаза.

— Чего-чего? — спросил замдиректора.

— Кончить не может, всё в стихи, — пояснил капитан.

— А-а, — отозвался замдиректора. — То-то я смотрю.

Весь этот джаз

Владимир Маяковский

1893–1930

Порт

Простыни вод под брюхом были.
Их рвал на волны белый зуб.
Был вой трубы — как будто лили
любовь и похоть медью труб.
Прижались лодки в люльках входов
к сосцам железных матерей.
В ушах оглохших пароходов
горели серьги якорей.

[1912]

Кто-то сказал, что если бы Сталин назначил лучшим и талантливейшим поэтом эпохи не Маяковского, а Пастернака, основное русло советской поэзии пролегло бы иначе. Но вышло так, как вышло, и ведущая тройка 60-х ориентировалась на Маяковского, особенно Вознесенский, которым увлекались мои прогрессивные старшие приятели. Поскольку по школьной программе никто не читал ничего, а то, что доносилось из "Владимира Ильича Ленина" и "Хорошо!", скорее отпугивало, впервые Маяковского я по-настоящему прочел после Вознесенского. Чтение оказалось оздоровительным: многое встало на места. Выстроилась хронологическая цепочка, а то ведь по юному недоразумению могло показаться, что такая поэзия начинается с "Озы".

Восемь строчек "Порта" я запомнил мгновенно, как проглотил. Ассоциации здесь, разумеется, не гастрономические, а алкогольные. От напора бросало в жар. От "ш-х-х-ш-х-х-ре-ерь-ре" последних строчек шумело в голове. От живой яркости картинки делалось весело.

Через много лет мне припомнился "Порт" в совсем, кажется, неподходящем месте. В правом, у самого входа, приделе церкви Санта-Феличита во Флоренции — удивительная картина Понтормо. Что имели и имеют в виду тогдашние заказчики и нынешний клир, помещая в храме такую детскую раскраску на трагический сюжет? "Положение во гроб" оставляет ощущение безудержного оптимизма и радости. Да вот это и имеется в виду, догадался я. Художник нарядил всю группу в празднично красочные одежды. Яркие пятна несмешанных цветов, как у фовистов или в мультфильмах, не то что заслоняют страшную евангельскую коллизию, но перебрасывают ее в будущее. По истинной свой сути, это не "Положение во гроб", а "Воскресение", предвосхищение его.

Броская живописность молодого Маяковского, его ранняя агрессивная мощь отчетливо ощущалась современниками. "Я привык видеть в нем первого поэта поколения..." — говорит Пастернак о 21-летнем юноше и откровенно рассказывает, как выбирался из-под его воздействия: "Время и общность влияний роднили меня с Маяковским. У нас имелись совпаденья. Я их заметил. Я понимал, что если не сделать чего-то с собою, они в будущем участятся... Не умея назвать этого, я решил отказаться от того, что к ним приводило. Я отказался от романтической манеры". Это пишет Пастернак, который на три года старше, что в молодости много, который сам умеет все.

Позже, уже в Штатах, "Порт" для меня возник заново: я понял и прочувствовал, как точно сказал Маяковский о звучании медных. В Нью-Йорке странно было бы не увлечься джазом, и я стал ходить в легендарные клубы "Blue Note", "Fat Tuesday", "Sweet Basil". Успел застать, увидеть и послушать многих великих: Эллу Фицджеральд, Диззи Гиллеспи, Майлса Дэвиса, Декстера Гордона, Оскара Питерсона, Джерри Маллигана. Рядом оказался и увлеченный собеседник по теме: в Довлатове литература заполняла почти всё, а то немногое, что оставалось, принадлежало джазу. Как-то мы с Сергеем пересекали Вашингтон-сквер и увидели идущего навстречу низенького темнокожего старика, в руках он держал кожаный футляр. Довлатов застыл прямо перед ним и забормотал: "Смотри, это же, это же..." Невзрачный старичок усмехнулся, подмигнул и слегка надул щеки, в мгновение превратившиеся в огромные шары: Диззи Гиллеспи! Шары исчезли, Гиллеспи обогнул нас и вышел на Пятую авеню. Довлатов сказал: "В Ленинград напишу – никто не поверит". Помню, мы где-то вычитали и обсуждали теорию о том, что трубачи, саксофонисты и вообще духовики самовыражаются в музыке наиболее полно, потому что способ звукоизвлечения у них самый непосредственный, физиологичный, идущий буквально из нутра. Об этом строки Маяковского: "Был вой трубы – как будто лили / Любовь и похоть медью труб". Записи Бенни Картера, Чарли Паркера, Клиффорда Брауна, Джона Колтрейна, Стена Гетца сомнений не оставляют. Этимология слова jazz туманна, но наиболее вероятно его происхождение из новоорлеанского жаргона, где jazz – грубый нецензурный глагол, как раз тот самый, *про это*.

Поэтический драйв тоже часто эротичен. О Маяковском времен "Порта" вспоминает Ходасевич: "Огромный юноша, лет девятнадцати, в дырявых штиблетах, в люстриновой черной рубахе, раскрытой почти до пояса, с лошадиными челюстями и голодными глазами, в которых попеременно играли то крайняя робость, то злобная дерзость... На женщин он смотрел с дикой жадностью". У Ходасевича брутальность Маяковского вызывает эстетическое и идейное отталкивание: "Грубость и низость могут быть сюжетами поэзии, но не ее внутренним двигателем, не ее истинным содержанием. Поэт может изображать пошлость, грубость, глупость, но не может становиться их глашатаем". Идя дальше, он отказывает Маяковскому даже в том, что, казалось бы, общепризнанно, в звании "поэта революции": "Ложь! Его истинный пафос – пафос погрома, то есть насилия и надругательства над всем, что слабо и беззащитно, будь то немецкая колбасная в Москве или схваченный за горло буржуй. Он пристал к Октябрю именно потому, что расслышал в нем рев погрома".

Не стоит распространяться об эротической подоплеке погромов и вообще всякой жестокости и насилия: русский уголовный и бытовой термин эту связь устанавливает. Такой стихийной, стиховой эротикой и силен был молодой Маяковский. Выхолащивание (временем, идейным разочарованием) революционного порыва соединилось в нем с собственным – человеческим и поэтическим – ощущением бессилия. Маяковский кончился, когда перестал звучать весь этот джаз.

Рыцарский роман

Марина Цветаева
1892–1941

Генералам 12 года

Сергею

Вы, чьи широкие шинели
Напоминали паруса,
Чьи шпоры весело звенели
И голоса.

И чьи глаза, как бриллианты,
На сердце вырезали след –
Очаровательные франты
Минувших лет.

Одним ожесточеньем воли
Вы брали сердце и скалу, –
Цари на каждом бранном поле
И на балу.

Вас охраняла длань Господня
И сердце матери. Вчера –
Малютки-мальчики, сегодня –
Офицера.

Вам все вершины были малы
И мягок – самый черствый хлеб,
О молодые генералы
Своих судеб!

Ах, на гравюре полустертой,
В один великолепный миг,
Я встретила, Тучков-четвертый,
Ваш нежный лик.

И вашу хрупкую фигуру,
И золотые ордена…
И я, поцеловав гравюру,
Не знала сна.

О, как — мне кажется — могли вы
Рукою, полною перстней,
И кудри дев ласкать — и гривы
Своих коней.

В одной невероятной скачке
Вы прожили свой краткий век…
И ваши кудри, ваши бачки
Засыпал снег.

Три сотни побеждало — трое!
Лишь мертвый не вставал с земли.
Вы были дети и герои,
Вы все могли.

Что так же трогательно-юно,
Как ваша бешеная рать?..
Вас златокудрая Фортуна
Вела, как мать.

Вы побеждали и любили
Любовь и сабли острие —
И весело переходили
В небытие.

26 декабря 1913, Феодосия

Первое для меня стихотворение Цветаевой. К счастью. Потому что следующие напугали надрывом ("невозвратно, неостановимо, невосстановимо хлещет стих") и оттолкнули. Понадобилось время, чтобы привыкнуть (хотя и сейчас – не вполне). В "Генералах" завораживало сочетание меланхолической интонации со стремительной легкостью. В первых двух строках не сразу опознается самый привычный в русской поэзии ("Евгений Онегин" и тысячи других) четырехстопный ямб: на семнадцать слогов – всего четыре ударения. От этого – ощущение полета. Действительно – паруса.

Потом приложил руку Окуджава с его гусарской романтикой ("Господа юнкера, где вы были вчера? А сегодня вы все – офицеры" – очевидный парафраз цветаевского: "Малютки-мальчики, сегодня – офицера"). И разумеется, золотопогонники первой Отечественной сливались с белопогонниками из тогда же прочитанного (не на книжных страницах, а на папиросных листочках самиздата) "Лебединого стана".

С крахом первой оттепели, словно мстя кому-то там наверху за разрушенные надежды и поруганную честь, страна истово полюбила белогвардейцев. В том самом 68-м, когда в Прагу вошли танки, на экраны вышли "Служили два товарища" с трагическим поручиком в исполнении кумира эпохи Высоцкого. Там же – волнующий эпизод: оттесненные красными к берегу, офицеры сами уходят на смерть в воды Черного моря – в полный рост, не оборачиваясь. В том же 68-м другой поручик, в исполнении Владимира Ивашова (недавнего трогательного красноармейца из "Баллады о солдате"), пел задушевное и горестное "Русское поле" во второй серии о неуловимых мстителях. Белые офицеры оттянули на себя неказенный патриотизм.

Одним из эпиграфов к поэме "Перекоп", продолжающей мотивы "Лебединого стана", Цветаева поставила: "– Через десять лет забудут! – Через двести – вспомнят! (Живой разговор летом 1928 г. Второй – я.)". Вспомнили раньше.

Вспоминали – по сути так же, хотя по-иному – и до. Сергей Михалков рассказывал, что в первом варианте сочиненный им гимн начинался не с “Союз нерушимый республик свободных...”, а с внутренней рифмы: “Союз благородный республик свободных...”. Сталин против этой строки написал на полях: “Ваше благородие?” Михалков оборот заменил. Понятие “благородство” было намертво связано с *тем* офицерством.

Свои офицеры о чести не напоминали, брались чужие – из собственного прошлого, даже и объявленного вражеским, даже прямо из вражеского – лишь бы изящно и именно благородно. Очаровательные франты-белогвардейцы из “Адъютанта его превосходительства”, первые красавцы-нацисты из тетралогии “Щит и меч” (все тот же 68-й). В “Щите” все-таки еще настойчиво напоминали, что среди немцев лучше всех русские, один симпатичный гитлеровский офицер говорит другому: “Сейчас бы щей, сто грамм и поспать”. Но уже через пять лет и всего через двадцать восемь после войны страна без памяти и оговорок влюбилась в элегантных эсэсовцев “Семнадцати мгновений весны”.

Своего человека в погонах тоже попытались освободить от идеологии, делая упор на традиции (успешный фильм 71-го года “Офицеры”), чтобы он обходился вовсе без прилагательных и без формы — одними погонами. После того как главное прилагательное сменилось, об офицере запели в полный голос: про сердце под прицелом, про батяню-комбата. Поручик Голицын и корнет Оболенский перешли из советских кухонь и эмигрантских ресторанов на всероссийский экран.

Цветаевские герои заняли почетное место в новой исторической цепочке. В Приднестровье при генерале Лебеде впервые в России вышел отдельной книгой “Лебединый стан”. Как говорил соратник генерала: “Ну это просто знамение свыше! Ведь именно после Приднестровья вокруг Лебедя стали объединяться люди, искренне желающие послужить державе. Стал складываться Лебединый стан”.

В отрогах Ушбы, к юго-востоку от Эльбруса, где в 1942 году в бою с подразделением дивизии “Эдельвейс” погибли двадцать три девушки из горнострелкового корпуса 46-й армии, установили памятник. На нем надпись: “Вы, чьи широкие шинели / Напоминали паруса, / Чьи песни весело звенели — / На голоса, / И чей огонь из автоматов / На скалах обозначил след, / Вы были девушки-солдаты — / В семнадцать лет. / Под знаком смерти и без ласки / Вы прожили свой краткий век, / И ваши лица, ваши каски / Засыпал снег. / Имена погибших неизвестны".

Положенное на музыку Андреем Петровым стихотворение "Генералам 12 года" прозвучало в фильме Рязанова "О бедном гусаре замолвите слово", включено в сборник "Офицерский романс. Песни русского воинства", вошло в репертуар караоке по всей России. "Путеводитель по барам, ресторанам, ночным клабам города Новокузнецка" сообщает, что Цветаева предлагается "каждую среду в Баре-Ресторане MAVERICK DVDоке", стоит на 83-м месте, по соседству с другими генералами — песчаных карьеров. Рядом — "Самогончик", "Жмеринка — Нью-Йорк", "Жиган-лимон", "Выкидуха".

Заметно отличие от того ряда, в котором возникли и пребывали прежде генералы Марины Цветаевой. В 1905 году она восприняла как личную трагедию расстрел лейтенанта Шмидта. В 18-м плакала на фильме Сесиля де Милля "Жанна — женщина". Тогда же написала цикл "Андрей Шенье". Знакомая вспоминала: "Марина почему-то восхищалась титулами, она и в князя Волконского из-за этого влюбилась. Так вот, когда я забеременела, а мой муж был князем, она меня спрашивала: "Что чувствует человек, у которого в животе князь?" Одно из лучших стихотворений чешского периода – "Пражский рыцарь". Цветаева почти плотски была влюблена в каменного мужчину: Брунсвик из известняка с берега Влтавы – родной брат Тучкова из папье-маше с московской толкучки (поэтическая "гравюра полустертая" помещалась на прозаической круглой баночке из числа того сувенирного ширпотреба, который в изобилии был выпущен к столетию победы над Наполеоном).

Целая Добровольческая армия тучковых проходит Ледяным походом по стихам "Лебединого стана", которые Цветаева бесстрашно декламировала на публике. "В Москве 20 г. мне из зала постоянно заказывали стихи "про красного офицера", а именно: "И так мое сердце над Рэ-сэ-фэ-сэром / Скрежещет – корми – не корми! – / Как будто сама я была офицером / В Октябрьские смертные дни". Есть нечто в стихах, что важнее их смысла: их звучание… Когда я однажды читала свой “Лебединый стан” в кругу совсем неподходящем, один из присутствующих сказал: – Все это ничего. Вы все-таки революционный поэт. У вас наш темп”.

Все верно: стихи, к тому же на слух, толком не понятны, слышна лишь просодия. Невнятица во всех случаях: либо монотонная и вялая, либо – как в цветаевском случае – ритмичная и звучная. Интонация важнее содержания. Но все-таки поразительно: военный коммунизм не кончился, НЭП не начался – как же сильна еще была инерция свобод. И с другой стороны: как отчаянно отважна была Цветаева.

Через всю ее жизнь ориентирами проходят рыцари: Наполеон, лейтенант Шмидт, герой Американской и Французской революций герцог Лозен, ростановский Орленок, Тучков 4-й, Андрей Шенье, Кавалер де Грие, Жанна д'Арк, офицеры Добровольческой армии, св. Георгий, “драгуны, декабристы и версальцы”. И один на протяжении трех десятилетий – муж, Сергей Эфрон.

Это о нем: “В его лице я рыцарству верна…” Тут особенно примечательна двойная датировка: "Коктебель, 3 июня 1914 г. – Ванв, 1937 г.". Цветаева, говоря коряво, актуализировала – декларативно, вызывающе – свое давнее стихотворение в те дни, когда французская полиция допрашивала ее о причастности Эфрона к убийству в Швейцарии советского перебежчика Игнатия Рейсса. Эфрон, сам не убивавший, но как давний агент НКВД расставлявший сети на Рейсса, к тому времени уже бежал в СССР. Его советская жизнь оказалась трагична и коротка, но все же длиннее, чем у Цветаевой: мужа расстреляли в октябре 41-го, через полтора месяца после самоубийства жены.

В эмигрантских кругах Эфрона после побега единодушно называли одним из убийц Рейсса. Как всегда в таких случаях, отбрасывая безупречную до сих пор репутацию человека, прошедшего с Добровольческой армией Ледяной поход от Дона до Кубани, находились свидетельства и свидетели его порочной сущности.

"Всю свою жизнь Эфрон отличался врожденным отсутствием чувства морали". Это из анонимной статьи в парижской газете "Возрождение". Дальше там и "отвратительное, темное насекомое”, и “злобный заморыш” (в любом случае никак не заморыш – видный и высокий, хоть и очень худой мужчина). Если бы анониму не заливала глаза и разум злоба, он бы мог развить мысль и дать прорасти брошенному зерну.

Честь – превыше морали. Честь – замена морали. Честь – и есть мораль.

Поведение Пушкина в истории последней его дуэли нелепо с позиции разума и довольно сомнительно с точки зрения этики, но выдержано по правилам чести. Мы вольны к этому относиться как угодно, но не считаться с этим – не можем, нам просто ничего другого не остается, коль скоро сам Пушкин принял такую иерархию принципов. Лермонтов в своем отклике “На смерть поэта” высказался исчерпывающе в двух словах: “невольник чести”. Все дальнейшие рассуждения о гибели Пушкина – так или иначе вариации этого словосочетания. (Отвлекаясь, заметим, как в развитии темы возникает извечное русское клише о враждебном инородце: “Смеясь, он дерзко презирал / Земли чужой язык и нравы, / Не мог щадить он нашей славы, / Не мог понять в тот миг кровавый, / На что он руку поднимал”. Всего через четыре года новая слава России, сам Лермонтов, был точно так же убит вовсе не чужим и вполне понимающим язык и нравы русским человеком Мартыновым.)

Когда Шопенгауэр перебирает виды чести – гражданскую, служебную, половую, рыцарскую, именно рыцарская кажется ему самой нелепой, нарушающей презумпцию невиновности: оскорбление необходимо смывать, не вникая в его суть. Он не жалеет презрения, разоблачая химеру чести: "суетность", "тщеславие", "пустота", "бессодержательность". Ему смешно, что карточный – игровой, игрушечный – долг носит название "долга чести". Чтение этих ругательств – утеха разночинца.

Да и сам здравый смысл, по определению свободный от сословных предрассудков, – разночинское достижение Нового времени. Вообще – достижение демократического сознания. Аристократу, светскому человеку он не нужен, потому что для него жизненные коллизии разрешаются по шахматному принципу: надо знать ходы и помнить наигранные варианты. В любой отдельно взятый момент знающий и/или опытный человек вспоминает, как сыграли Алехин с Капабланкой там-то в таком-то году. Кто уходил в отрыв, был более-менее сумасшедшим (в шахматах — гением): Чацкий, Чаадаев. Демократия потому и победила исторически, что противопоставила мало кому известным правилам игры — общедоступный здравый смысл (не зря он по-английски common sense — совсем не так почетно, как по-русски, зато куда вернее). Его основа — разум и логика: не рыцарское дело.

Все же случай Эфрона кажется — как минимум — пограничным. На дворе XX век, и рассуждения Марка Слонима убедительны: "Как и многие слабые люди, он искал служения: в молодости служил Марине, потом Белой Мечте, затем его захватило евразийство, оно привело его к русскому коммунизму, как к исповеданию веры. Он отдался ему в каком-то фанатическом порыве, в котором соединялись патриотизм и большевизм..."

Еще резче об Эфроне — Иосиф Бродский: "...Как насмотрелся на всех этих защитников отечества в эмиграции, то только в противоположную сторону и можно было податься. Плюс еще все это сменовеховство, евразийство, Бердяев, Устрялов.

Лучшие же умы все-таки, идея огосударствления коммунизма. "Державность"! Не говоря о том, что в шпионах-то легче, чем у конвейера на каком-нибудь "Рено" уродоваться".

Слабый человек – вот ответ: характер всегда важнее убеждений. Очень тонко замечает Константин Родзевич, приятель Эфрона и любовник Цветаевой: "Он в ее жизнь не вмешивался, отчасти из доблести, отчасти по слабости". Афористическая характеристика, примиряющая противоречия в образе Сергея Эфрона: сочетание доблести и слабости.

Цветаева до конца не хотела сомневаться в благородстве мужа, на разные лады на всех уровнях говоря о нем одно и то же – как в письме Сталину зимой 1939/40 года: "Это человек величайшей чистоты, жертвенности и ответственности" – хотя той зимой вполне была ясна степень безответственности Эфрона, увлекшего семью на горе и гибель.

Все два года заключения на Лубянке Сергей Эфрон, судя по всему, держался достойно. Цветаевского рыцаря пытки не сломили, оттого еще труднее понять, как он, считавшийся человеком чести, живя после Франции в Подмосковье, мог доносить на ближайших друзей. И друзья – на него. И дочь Цветаевой и Эфрона – Ариадна – на свое ближайшее окружение (значит ли это, что на мать и отца тоже?). Такие факты приводит в книге "Гибель Марины Цветаевой" Ирма Кудрова, изучавшая архивы НКВД. "Раньше думай о родине, а потом о себе", – пелось в более поздней песне. Подчинение всего – в том числе основ нравственного воспитания – делу великой державы. Вера в безусловную правоту родины. То есть – нечто совершенно противоположное наднациональной, надгосударственной идее рыцарства.

"Отец всегда был с битым меньшинством..." – повторяет уже в 70-е Ариадна Эфрон. Органы госбезопасности Советского Союза трудно увязываются с "битым меньшинством". Становится ясно, что эти слова – не более чем заклинания.

"Часто болел, но у него были рыцарские рефлексы", – ставя рядом несоставимое, говорит дочь об отце. Однако и о сопернике отца Родзевиче: "Безответственность, но рыцарство огромное". И о молодом парижском любовнике Цветаевой Гронском: "Ей нравился его "esprit chevaleresque" (рыцарский дух)".

В этой семье "рыцарь" — установившийся штамп, как постоянный эпитет в фольклоре: "добрый молодец", "красна девица". Оторвавшаяся от исконного смысла высшая похвала. Вроде того, как в разное время расхожими заместителями понятия превосходного становятся вовсе посторонние слова: "мирово", "железно", "клево", "кул". У Цветаевой — инфляция термина. В стихах ради аллитерации: "Голодали — как гидальго!" В письме Волошину: "Луначарский — всем говори! — чудесен. Настоящий рыцарь и человек". Понятно, что нарком должен помочь разыскать мужа, но все же примечательно несуразное применение именно слова "рыцарь" к тому, о ком Цветаева же писала: "Веселый, румяный, равномерно и в меру выпирающий из щеголеватого френча".

Раз посвятив мужа в рыцари, она сохранила за ним это звание навсегда. Соответствовал ли ему Эфрон — вопрос бессмысленный: раз она так считала — да. Пара ли Наталья Николаевна поэту? Раз он на ней женился — да. Это Цветаева могла написать, что Пушкин няню любил больше всех женщин на свете – Цветаева гений, ей все можно: и про чужую жену, и про своего мужа.

Однако стоит отметить ее способность (особенность) беззаветно увлекаться. Когда ей, очень близорукой, предложили носить очки, она ответила: "Не хочу. Потому что я уже сама себе составила представление о людях и хочу их видеть такими, а не такими, каковы они на самом деле". На пике ее романа с Родзевичем все знавший муж пишет другу: "Отдаваться с головой своему урагану – для нее стало необходимостью, воздухом ее жизни. Кто является возбудителем этого урагана сейчас – не важно... Все строится на самообмане. Человек выдумывается, и ураган начался". О том же Слоним: "В своей способности к восторгу и преувеличениям она создавала воображаемые образы и чувства нереальных размеров и огромной силы". Менее литературный пражский знакомый вторит проще: "Выбирала, например, себе в любовники какого-нибудь ничтожного человека и превозносила его. В ней было это мужское начало: "Я тебя люблю и этим тебя создаю"..."

Перевертыш идеи рыцарства, трубадурства: Марина Цветаева сама – рыцарь.

“Единственная женщина, которой я завидую – Богородица: не за то, что такого родила: за то, что ТАК зачала”. Ее заведомо платонические влюбленности в гомосексуалистов (Святополк-Мирский, Волконский, Завадский) – извив одной из основ трубадурской поэтики: недостижимость цели. Эротическое бескорыстие Цветаевой – и есть рыцарская идея служения идеалу любви, которая многое объясняет в ее способности воспламеняться от единого лишь намека на любовь, ею же самой и брошенного. Ее заочные, эпистолярные романы – с Пастернаком, Рильке, Александром Бахрахом, Анатолием Штейгером – пугающе пылки. О таком накале у нас во дворе говорили: “Если он после этого на ней не женится...” Однако Цветаева, как истинный рыцарь-трубадур, жениться и не собиралась. Но определять объект желала сама – комплекс Клеопатры и Жорж Санд. Какова формула: “Не люблю любви. (Сидеть и ждать, что она со мной сделает.)”.

“Есть в стане моем – офицерская прямость...” Мужское отмечают в облике Цветаевой многие –

плечи, рукопожатие, пластику. Она пишет, прося приятельницу заказать ей пальто: "У меня действительно на редкость широкая спина, т.е. плечи, и проймы мне нужны широкие: *мужские*..." Через два месяца снова: "У меня очень широкая спина – и плечи – поэтому и проймы нужны большие: мужские..." Определение повторяется, даже когда речь идет о выборе материала: "Бывает такой густой плюш – под мех, как делают на мужских шофферских пальто". Может, отсюда, от осознания недостатка женственности – пристрастие к избыточным украшениям: "Девять серебряных колец (десятое обручальное), офицерские часы-браслет, огромная кованая цепь с лорнетом, офицерская сумка через плечо, старинная брошь со львами, два огромных браслета (один курганный, другой китайский)..." Такой цыганско-офицерский облик выглядел бы карикатурно, не будь это автопортретом (напоминая при этом – стоит подчеркнуть – идеальный тучковский портрет: "рукою, полною перстней").

За день до "Генералов" написано стихотворение, поразительно похожее не только ритмом и размером, но и настроением и сутью. Только — о себе: “Быть нежной, бешеной и шумной,— / Так жаждать жить! — / Очаровательной и умной, — / Прелестной быть!”

Мемуаристы согласно упоминают стремительную походку Цветаевой, сохранившуюся до последних дней. “Что видят они? — Пальто / На юношеской фигуре. / Никто не узнал, никто, / Что полы его, как буря” — и это, по сути, перепев двух первых строк “Генералов”. И опять-таки — о себе.

Главный рыцарь цветаевской поэзии и жизни — Марина Цветаева.

“Невольник чести” — о ней, в этом одно из вероятных объяснений смерти Цветаевой как невозможности сносить нарастающую череду унижений. Она была порождением и продолжением века, на исходе которого родилась. Весь ее рыцарский набор героев и представлений опрокинут в то прошлое, где пощечина — экзистенциальный жест, а дуэль — одновременно человеческое возмездие и суд Божий. При отсутствии гражданского общества в российской истории полагаться можно было только на личную доблесть и шанс ответного удара. Что было делать со всем этим в советской России, в Елабуге 41-го?

В той, переставшей существовать, России к началу XX века постепенно начала складываться система отношений между людьми – не только зафиксированная в законах и уложениях, но и куда более важная и основательная, возникающая как негласный договор на традиции взаимоуважения. Это уже не хрупкий баланс между безоглядной силой карающей власти и истеричным ответным выпадом оскорбленной личности – что проходит скорее по части социальной психиатрии. Помимо гражданских институтов, прежде всего – судебного, необходимо то, что скучно называется общественным мнением. Развитое общественное мнение порождает общественный этикет – он и заменяет героические самоубийственные поступки одиночек. Честь становится не личным делом каждого, а социальным обиходом. Собственно, это и называется – цивилизация. То, что начало складываться в России. Не успело. Не сложилось до сих пор.

По предреволюционной прозе и мемуарам разбросаны свидетельства. Высокопоставленному мошеннику ставят условием уход добровольцем на фронт, иначе публичное разоблачение – и он подчиняется. Более бытовой, оттого более убедительный пример. Офицеры-гвардейцы обязаны были знать жен однополчан в лицо, потому что, встретив в обществе сослуживца с женщиной, обязательно было подойти, если это жена, и ни в коем случае – если нет. Важнее всего здесь, что речь не о деликатности, а о железном правиле, тем более нерушимом, что неписаном.

Даже не смешно – настолько немыслимо – пробовать перенести эти ситуации в дальнейшую Россию, вплоть до нынешнего дня. Цветаевские "Генералы" на почетном 83-м месте в караоке, но "Выкидуха" выше, не говоря уж – "Жиган-лимон".

Заросли тубероз

Борис Пастернак

1890–1960

Пиры

Пью горечь тубероз, небес осенних горечь
И в них твоих измен горящую струю.
Пью горечь вечеров, ночей и людных сборищ,
Рыдающей строфы сырую горечь пью.

Исчадья мастерских, мы трезвости не терпим.
Надежному куску объявлена вражда.
Тревожный ветр ночей – тех здравиц виночерпьем,
Которым, может быть, не сбыться никогда.

Наследственность и смерть – застольцы наших трапез.
И тихою зарей, – верхи дерев горят –
В сухарнице, как мышь, копается анапест,
И Золушка, спеша, меняет свой наряд.

Полы подметены, на скатерти – ни крошки,
Как детский поцелуй, спокойно дышит стих,
И Золушка бежит – во дни удач на дрожках,
А сдан последний грош – и на своих двоих.

1913, 1928

Даже цветы у них особенные – какие-то романтически, ремарковски туберкулезные розы. Сидят, бледные от поэтической чахотки, поддатые, на работу не ходят. Рядом, конечно, Мими с Мюзеттой. Хотелось так жить, хотя и в ту пору закрадывалось подозрение, что никогда не хватит смелости стать исчадьем мастерских, что сколько ни пей – обречен трезвости, по крайней мере метафизической, что за надежным куском побредешь на службу с любого похмелья.

В другой жизни, уже ближе к пенсии, чем к Пастернаку, я оказался в ресторанном застолье напротив русского бизнесмена моих лет. Он легко подхватывал любые темы, установилась быстрая необременительная близость, как вдруг я к чему-то произнес слово "зарплата" – он споткнулся, стал расспрашивать и отказывался верить. Он растерялся: "И что, вот всю жизнь?" Он даже перегнулся через стол, чтоб рассмотреть меня получше: нет ли явных физических изъянов.

Вроде все было: и людные сборища, и Мюзетты, и туберозы разных цистерны – пиры, одним словом. Но не судьба стать свободным художником — будь то словесности или нефтедобычи. Может, как раз оттого, что недоставало амбиций и самомнения, что так любил чужие слова. С каким наслаждением перекатывал эти "ор" и "ро" — прекрасный рокот первого катрена, отзвук которого доносится из третьей строки второго четверостишия: гроза прошла, вдали слышны остаточные раскаты шестистопного ямба. Мои Мими живее реагировали на концовку: "Гро́ши еще есть, наливай!"

От ранних пастернаковских стихов — первые восторги перед звукописью (Северянин был позже). Как в шуршащем, жужжащем, шепчущем отрывке из поэмы: "...Зажжется над жизнью, как зарево, сжалившись, / Над чащей, над глупостью луж, изнывающих / По-жабьи от жажды. Над заячьей дрожью / Лужаек, с ушами ушитых в рогожу / Листвы прошлогодней. Над шумом, похожим / На ложный прибой прожитого. Я тоже / Любил и знаю: как мокрые пожни / От века положены году в подножье..."

Словесный поток нерасчлененных слов. "У нас в деревне тоже был один такой. Говорит-говорит, а половина — негоже", — сказала домработница Ахматовой о дикции Пастернака. Ровный гул. Многие мемуаристы упоминают гудение его голоса. У Лосева об этом: "Голос гудящий, как почерк летящий, / голос гудящий, день ледяной..." Обволакивающее, почти наркотическое действие пастернаковской мелодии и оркестровки знали современники-поэты: "Я, знаете, не читаю Пастернака. Боюсь, еще начнешь подражать", — говорил Заболоцкий. Надежда Мандельштам подтверждает: "Пастернак много лет безраздельно владел всеми поэтами, и никто не мог выбиться из-под его влияния".

В конце жизни Пастернак от себя того почти отрекся: "Я не люблю своего стиля до 1940 года... Я забывал, что слова сами по себе могут что-то заключать и значить, помимо побрякушек, которыми их увешали... Музыка слова — явление совсем не акустическое и состоит не в благозвучии гласных и согласных, отдельно взятых, а в соотношении значения речи и ее звучания".

Утверждение универсальное — для любых видов литературы: музыка слова как явление акустическое еще диковиннее звучит в не защищенной ритмом и рифмой прозе. Еще смешнее там метафорический переизбыток. В набоковской "Лолите" пошлость и манерность метафор ("Чаша моих чувств наполнилась до краев", "Лань, дрожащая в чаще моего собственного беззакония", "Мне негде было приклонить голову (чуть не написал: головку)", "Я выкрал мед оргазма") демонстрирует герой, от чьего лица ведется повествование. Но каламбурную звукопись, ее навязчивое обилие вряд ли можно отнести к изыскам стиля Гумберта Гумберта: это сам Набоков. В мемуарной книге "Память, говори" – второй, помимо "Лолиты", переведенной на русский самим автором – много точно такой же фонетической игры. В "Лолите" Набоков просто не может остановиться: "поразительный паразит", "мячиковые мальчики", "в Эльфинстоне (не дай бог никому услышать этот стон)", "паспорт и спорт". Иногда с явным ущербом для смысла: "предварительный протез" (имеется в виду временный протез). "Миллионы мотельных мотылей" – забвение или незнание русского: речь о мотыльках, тогда как мотыль – не бабочка, а личинка комара, белый червячок, который служит наживкой при ужении рыбы.

Слова Пастернака о “неслыханной простоте” справедливы и применимы не только к поэтам и писателям – это явление общее и возрастное. С годами начинаешь бояться метафор и стилистических красот, в литературе и в жизни, даже преувеличенно – усматривая в них если не ложь, то жеманную ужимку.

Мало что сказано о музыке эффектнее, чем у Пастернака: “Шопена траурная фраза / Вплывает, как больной орел”. Но ничего не поделать, воображение включается: является царственная птица в компрессах, с градусником под мышкой, укутанная, как в замечательном попурри: “Однажды в студеную зимнюю пору / Сижу за решеткой в темнице сырой. / Гляжу, поднимается медленно в гору / Вскормленный в неволе орел молодой. / И шествуя важно, в спокойствии чинном, / Мой грустный товарищ, махая крылом, / В больших сапогах, в полушубке овчинном / Кровавую пищу клюет под окном”.

Ни Шопен тут ни при чем, ни игравший третью часть его Второй сонаты Нейгауз, ни слушавший и об этом написавший Пастернак – дело в вековом опыте гладкописи и красоты, которые неизбежно делаются гладкими и красивыми пародийно, если сознательно не ломать успешно текущий стих, как безжалостно ломали его на определенных своих этапах русские поэты от Пушкина и Лермонтова до Бродского и Гандлевского. Бросить взгляд на позднего Пастернака — ни одной туберозы.

У ахейского моря

Осип Мандельштам
1891–1938

Бессонница. Гомер. Тугие паруса.
Я список кораблей прочел до середины:
Сей длинный выводок, сей поезд журавлиный,
Что над Элладою когда-то поднялся.

Как журавлиный клин в чужие рубежи, –
На головах царей божественная пена, –
Куда плывете вы? Когда бы не Елена,
Что Троя вам одна, ахейские мужи?

И море, и Гомер — всё движется любовью.
Кого же слушать мне? И вот Гомер молчит,
И море черное, витийствуя, шумит
И с тяжким грохотом подходит к изголовью.

1915

Редкий случай: точно помню время и место, когда впервые услышал эти стихи. Апрель 74-го, Пумпури. На Рижском взморье, которое тогда еще не называли Юрмалой, пусто. В Дзинтари и Майори еще кто-то приезжает в рестораны, где-то в Дубулты вдохновляются писатели, а чуть дальше по побережью – укутанные фигуры из профсоюзных домов отдыха: не повезло с путевкой, на лето не достали. Девушка, рядом с которой я вчера заснул в филармонии на "Хорошо темперированном клавире" (ничто так не усыпляет, как клавесин после портвейна), видно, не потеряв окончательно веры, предложила: "Хочешь, стихи прочту". Я приготовился к какому-нибудь Евтушенко и рассеянно кивнул.

Она читала так, как будто написала сама. Точнее, как будто это я написал. Мы стояли на самой кромке берега, аккомпанемент был не только слышен, но и виден. Строчки ударялись в меня и возвращались в море. Я заставил девушку прочесть еще раз, чтобы запомнить, убедился, что запомнил, и устремился в прибрежный шалман. Брезгливо приподняв стакан розового вермута, она спросила: “Можешь объяснить, как в тебе все это сочетается?” В самом деле не понимала. “Классику надо знать, – нахально упрекнул я. – *Всё* движется любовью”. Месяца на три она поняла.

Движение морской массы передано ощутимее, “физичнее” в пастернаковском “Морском мятеже”, который я уже знал к тому времени – рваный ритм бьющейся воды: “Приедается все. / Лишь тебе не дано примелькаться. / Дни проходят, / И годы проходят, / И тысячи, тысячи лет. / В белой рьяности волн, / Прячась / В белую пряность акаций, / Может, ты-то их, / Море, / И сводишь, и сводишь на нет”.

Но это про Черное море, неприятно меня удивившее в юности величиной волн и еще больше острой горечью воды. После школы я работал в конструкторском бюро, наш корпусный отдел занимался, в частности, расчетами остойчивости судов, в которые включался коэффициент морской солености. Тогда я узнал, что Рижский залив – чуть ли не самый пресный в мире. То-то у нас можно было спокойно сделать несколько глотков в редкие знойные дни. В Балтике вообще спокойно – никакой рьяности. Наше море с ума не сходит, а тихонько накатывает и накатывает, долбя и долбя, постепенно сводя с ума.

Балтийскому мандельштамовские строки подходят больше, чем пастернаковские. Хотя "Бессонница" написана в Крыму, "море черное" — не название, а цвет. Мандельштам, с его рижскими корнями, сказал и о собственно нашем море — позже, в прозе. Точнее, как раз о взморье — "двадцативерстной дачной Сахаре", с ее "удивительно мелким и чистым желтым песком". Все точно: такой тонкости и мягкости песок я встречал еще только на Гавайях. "В Майоренгофе, у немцев, играла музыка — симфонический оркестр в садовой раковине — "Смерть и просветление" Штрауса... В Дуббельне, у евреев, оркестр захлебывался Патетической симфонией Чайковского..." В общем, похоже, только этническая стратификация с тех пор менялась не раз.

Что до балтийского ритма, его с безошибочной узнаваемостью передал затяжным пятнадцатисложником Бродский: "Я родился и вырос в балтийских болотах, подле / серых цинковых волн, всегда набегавших по две, / и отсюда — все рифмы, отсюда тот блеклый голос..."

Все, что окружает в моем переживании мандельштамовскую "Бессонницу", во многом сопряглось с Бродским. Его "Приехать к морю в несезон" о Черноморье — для меня то апрельское Пумпури, в череде других приездов, выводящих "за скобки года". И неспешный ровный шум несезонного моря. И литургическое звучание стихов: что пишут мемуаристы о Мандельштаме и что я услышал из уст Бродского. И сама речь: "Говорит он шепеляво, запинается и после двухтрех коротких фраз мычит" (Л.Гинзбург), "После всяких трех-четырех слов произносит *ммм, ммм,* — и даже *эм, эм, эм,* — но его слова так находчивы, так своеобразны, так глубоки..." (К.Чуковский) — это зарисовки о Мандельштаме, но то же с Бродским.

А главное — "Гомер". Острое завистливое ощущение причастности к культуре, свободы обращения с нею, когда море, море вообще — есть то, откуда всё вышло: жизнь, с которой вместе с морем Мандельштам прощался в феврале 37-го в Воронеже: "Разрывы круглых бухт, и хрящ, и синева, / И парус медленный, что облаком продолжен, — / Я с вами разлучен, вас оценив едва..."

Когда море составлено из тех же букв, что Гомер.

Без непринужденного пребывания в античности немыслимы ни Мандельштам ("Серебряная труба Катулла... мучит и тревожит сильнее, чем любая футуристическая загадка"), ни Бродский ("В определенном смысле, сами того не сознавая, мы пишем не по-русски или там по-английски, как мы думаем, но по-гречески и на латыни, ибо... новое время не дало человеку ни единой качественно новой концепции... С точки зрения сознания, чем человек современнее, тем он древнее").

В мандельштамовском собрании сочинений античность со всех сторон обступает "Бессонницу": в том же году написанное про Рим и Авентин, Мельпомену и Федру, Капитолий и Форум, Цезаря и Цицерона.

Может, тогда на берегу Рижского залива и возникло, еще самому неясное, желание прочесть список кораблей до конца, не проходящее вот уже столько лет. Среди любимейших мировых авторов — Аристофан, Ксенофонт, Платон, Катулл, Овидий, Петроний. Может, тогда подспудно началась особая любовь к "Илиаде" — понятно, что “Одиссея” богаче и тоньше, но как же захватывает гомеровский киносценарий о Троянской войне, с подробной росписью эпизодов и кадров, с этим корабельным перечнем, долгим, как титры голливудских блокбастеров.

Многим и разным окуталось стихотворение Мандельштама с годами. Тогда в Пумпури на берегу ахейского моря я сразу и безусловно воспринял то, с чем согласен и теперь: “всё движется любовью”. Нам всем было по двадцать четыре года: Мандельштаму, когда он писал; девушке, когда она читала; мне, когда слушал.

Возвращение в город

Борис Пастернак

1890–1960

Марбург

Я вздрагивал. Я загорался и гас.
Я трясся. Я сделал сейчас предложенье, –
Но поздно, я сдрейфил, и вот мне – отказ.
Как жаль ее слез! Я святого блаженней!

Я вышел на площадь. Я мог быть сочтен
Вторично родившимся. Каждая малость
Жила и, не ставя меня ни во что,
В прощальном значеньи своем подымалась.

Плитняк раскалялся, и улицы лоб
Был смугл, и на небо глядел исподлобья
Булыжник, и ветер, как лодочник, греб
По липам. И все это были подобья.

Но как бы то ни было, я избегал
Их взглядов. Я не замечал их приветствий.
Я знать ничего не хотел из богатств.
Я вон вырывался, чтоб не разреветься.

Инстинкт прирожденный, старик-подхалим,
Был невыносим мне. Он крался бок о бок
И думал: "Ребячья зазноба. За ним,
К несчастью, придется присматривать в оба".

"Шагни, и еще раз", – твердил мне инстинкт,
И вел меня мудро, как старый схоластик,
Чрез девственный непроходимый тростник
Нагретых деревьев, сирени и страсти.

"Научишься шагом, а после хоть в бег", –
Твердил он, и новое солнце с зенита
Смотрело, как сызнова учат ходьбе
Туземца планеты на новой планиде.

Одних это все ослепляло. Другим –
Той тьмою казалось, что глаз хоть выколи.
Копались цыплята в кустах георгин.
Сверчки и стрекозы, как часики, тикали.

Плыла черепица, и полдень смотрел,
Не смаргивая, на кровли. А в Марбурге
Кто, громко свища, мастерил самострел,
Кто молча готовился к Троицкой ярмарке.

Желтел, облака пожирая, песок,
Предгрозье играло бровями кустарника.
И небо спекалось, упав на кусок
Кровоостанавливающей арники.

В тот день всю тебя, от гребенок до ног,
Как трагик в провинции драму Шекспирову,
Носил я с собою и знал назубок,
Шатался по городу и репетировал.

Когда я упал пред тобой, охватив
Туман этот, лед этот, эту поверхность
(Как ты хороша!) – этот вихрь духоты –
О чем ты? Опомнись! Пропало. Отвергнут.

Тут жил Мартин Лютер. Там — братья Гримм.
Когтистые крыши. Деревья. Надгробья.
И все это помнит и тянется к ним.
Всё — живо. И всё это тоже — подобья.

Нет, я не пойду туда завтра. Отказ —
Полнее прощанья. Все ясно. Мы квиты.
Вокзальная сутолока не про нас.
Что будет со мною, старинные плиты?

Повсюду портпледы разложит туман
И в обе оконницы вставят по месяцу.
Тоска пассажиркой скользнет по томам
И с книжкою на оттоманке поместится.

Чего же я трушу? Ведь я, как грамматику,
Бессонницу знаю. У нас с ней союз.
Зачем же, словно прихода лунатика,
Явления мыслей привычных боюсь?

Ведь ночи играть садятся в шахматы
Со мной на лунном паркетном полу,
Акацией пахнет, и окна распахнуты,
И страсть, как свидетель, седеет в углу.

И тополь – король. Я играю с бессонницей.
И ферзь – соловей. Я тянусь к соловью.
Ночь побеждает, фигуры сторонятся,
Я белое утро в лицо узнаю.

1916, 1928

Только взявшись сочинять эту книжку, понял, что неосознанный глубинный импульс к написанию одной из книг предыдущих – "Гений места" – был, возможно, дан еще тогда, много лет назад, "Марбургом". Как наглядно и убедительно вписывает Пастернак тончайшие чувства в марбургскую ведуту! Они не детали декорации, а драматические исполнители – все эти остроконечные черепичные крыши, булыжные мостовые, дома здешних "гениев места": Лютера, Гриммов. Не просто одушевление города, но и его соучастие в твоих интимных делах, его переживания вместе с тобой – совпадающие даже по внешним признакам. "По приезде я не узнал Марбурга. Гора выросла и втянулась, город исхудал и почернел", – через двенадцать лет после стихов Пастернак в прозе рассказывает о том, как Марбург перенес его любовный крах: он отсутствовал всего сутки, уезжал в Берлин, но город успел отреагировать.

Когда лет в восемнадцать я прочел стихотворение впервые, больше всего поразило совпадение: был уверен, что один на свете так влюбляюсь – так, что заветный образ неудержимо проступает повсюду, все превращая в своих двойников: прохожих, дома, деревья, облака, цветы. А тут найдено точное слово, до которого не додумался сам: *подобья*.

Восхитило дерзкое внедрение, пусть и в некороткую строку четырехстопного амфибрахия, небывало длинного, из двадцати букв, слова: "кровоостанавливающей". Я так навсегда и запомнил это свойство арники, ничуть не интересуясь самим предметом: наверное, растение. А когда через тридцать пять лет после того, как прочел "Марбург", мне арнику прописали, обрадовался ей, как давней подруге. Все правильно, каждому времени свое: то подобья, то снадобья.

"Марбург" написан под впечатлением отказа Иды Высоцкой, которая приехала сюда летом 1912 года повидаться с Пастернаком, учившимся в здешнем университете. Накануне объяснения он выглядел так, что кельнер за ужином сказал с английским, пожалуй, а не с немецким юмором: "Покушайте напоследок, ведь завтра вам на виселицу, не правда ли?" Через четыре года Пастернак писал отцу об Иде: "Как проворонил эту минуту (как известно, она в жизни уже больше не повторяется) глупый и незрелый инстинкт той, которая могла стать обладательницей не только личного счастья, но и счастья всей живой природы...” – самодовольно и смутно. Стихотворение тоже написано через четыре года, в 1916-м – проникновенно и покаянно. Да еще основательно переделано в 28-м, когда и возникло это безошибочное, так поразившее меня слово – “подобья”. Как организует эмоцию временное отстранение, какова имитация сию минуту пережитого чувства! Насколько поэтический самозавод плодотворнее непосредственного переживания.

Вскоре после Марбурга Ида Высоцкая, из известной семьи чаеторговцев, вышла замуж за банкира. В последний раз Пастернак встретился с ней в 1935 году в Париже: он – делегат антифашистского конгресса, она – давняя эмигрантка, уже француженка. Судя по всему, и говорить было особенно не о чем, тем более писать.

А тогда, в 12-м, кельнер оказался прав, и виселица обернулась “Марбургом”.

В результате “гением места” города стал Пастернак. Улицу Гиссельбергштрассе, где он снимал комнату, назвали его именем. Правда, мало кто видит эту улицу: дом вдовы Орт стоял на окраине, за Ланом, узким здесь притоком Рейна, далеко добираться до университета. Окраина это и сегодня: при Пастернаке в Марбурге было тридцать тысяч жителей, сейчас – семьдесят пять, сопоставимо. Тогда Пастернак обнаружил, что город почти не изменился со времен учившегося здесь Ломоносова, таков же Марбург и теперь.

Если б не достижение прогресса – автонавигация, плутали бы мы с приятелями в поисках нужной улицы. А так мы во Франкфурте набрали на табло, встроенном в переднюю панель машины, "Marburg Pasternakstrasse", получили в ответ обещание, что, если не будет пробок, расчетное время прибытия 10:03, последовали всем дальнейшим указаниям и в 10:03 въехали на короткую наклонную улочку, уставленную похожими друг на друга двух-трехэтажными домами. В пустоте воскресного утра обнаружился один туземец с лопатой, который не знал ничего о Пастернаке и объяснил, что все дома тут построены после войны, кроме того с краю. Возле него мы постояли, сфотографировали и уехали утешаться в центр, неизменный при Пастернаке, Ломоносове, Гриммах, Лютере и даже Елизавете Венгерской, во имя которой здесь построен первый в Германии готический собор. В него заходил Пастернак, как и в маленькую прелестную Кугелькирхе, и в Мариинскую церковь на утесе, с которого открывается вид на сотни острых черепичных – "когтистых" – крыш. На месте и замок ландграфов Гессенских, и ратуша, и те же дома на Обермаркте, и улица Босоногих, по которой шли к мощам св. Елизаветы пилигримы.

В центре все как описано: "Надо мной высился головокружительный откос, на котором тремя ярусами стояли каменные макеты университета, ратуши и восьмисотлетнего замка". Но так обстоятельно у Пастернака в прозе, а в стихах – беглость, эскизность, штрих-пунктир.

Колоссальная насыщенность мыслей и чувств на словесную единицу. Отчего современники в один голос говорят о завораживающем влиянии Пастернака: он резко увеличил скорость русского стиха.

Иное дыхание поэзии.

О нем Мандельштам сказал: “Такие стихи должны быть целебны от туберкулеза”. Цветаева: “Пастернак не говорит, ему некогда договаривать, он весь разрывается, – точно грудь не вмещает: а-ах!” Никакого снисхождения к читателю: “Сестра моя – жизнь и сегодня в разливе / Расшиблась весенним дождем обо всех, / Но люди в брелоках высоко брюзгливы / И вежливо жалят, как змеи в овсе”. Ребусы с благодарной радостью разгадки. Это же он сформулировал: “Чем случайней, тем вернее слагаются стихи навзрыд”. Он, гений, сказал и сказал, а какая авторитетная отмазка для графоманов.

Но в “Марбурге” ребуса нет и при всей импрессионистичности – ясность. Именно благодаря городу, можно догадываться. Это он, город, сопереживая, соучаствуя, организует стих, размещает эмоцию. Антонио Гауди сказал, что архитектура – искусство распределения света. Тем и занимается вместе с Марбургом Пастернак.

Чувство солидарности, слитности – не только с конкретным городом, а с городом вообще, городом как местом душевного потрясения. В “Разрыве” (теперь это разрыв с Еленой Виноград)

Пастернак говорит о том же и так же: “Пощадят ли площади меня? / Ах, когда б вы знали, как тоскуется, / Когда вас раз сто в теченье дня / На ходу на сходствах ловит улица!” Конечно, “подобья” точнее и красивее, чем “сходства”, но эмоция и мысль — те же самые.

“Художников этого типа окружала новая городская действительность, иная, чем Пушкина, Мериме и Стендаля… Улицы только что замостили асфальтом и осветили газом. На них наседали фабрики, которые росли как грибы… На эту по-новому освещенную улицу тени ложились не так, как при Бальзаке, по ней ходили по-новому… Однако главной новинкой улицы были не фонари и телеграфные провода, а вихрь эгоистической стихии… Его дыхание совсем особенно сложило угол зрения новых художников”. Пастернак пишет эссе о Верлене, но все это — о себе.

Освоение города литературой требовало исторического усилия. Библейский строитель городов, основоположник городской цивилизации — Каин, первый убийца (Быт. 4:17). Первое на Земле убийство произошло из-за того, что Бог предпочел дары Авеля, то есть высказался в пользу пастушеского, природного образа жизни. (Кстати, отсюда: вегетарианство от лукавого. Ведь это Каин предлагал овощи и злаки, а Авель – мясо и молоко.) Бог явно против городов, потому и не дает людям строить мегаполис – Вавилонскую башню. Здесь, пожалуй, и обнаруживаются истоки Руссо и его последователей, вплоть до сегодняшних "зеленых".

Русская литература со времен разночинцев перестала быть усадебной, но окончательно городской только становилась. Тогда же, когда Пастернак писал "Марбург", Хлебников объяснял, что "город – точка узла лучей общей силы", и словно давал теоретическую основу пастернаковскому стихотворению: "Слитные улицы так же трудно смотрятся, как трудно читаются слова без промежутков и выговариваются слова без ударений. Нужна разорванная улица с ударением в высоте зданий, этим колебанием в дыхании камня".

Таков Марбург – как всякий естественный город в рельефе, а не придуманный на плоскости, вроде Петербурга, который приказано было строить "единой фасадою": то есть здание существует само по себе, а фасад – вместе с улицей. (Не отсюда ли этот и сегодня пугающий в российских городах перепад, когда во двор, да и в подъезд и на лестницу шикарного на вид дома страшно войти?) Городская умышленность улавливается взглядом сразу. Петербург просто самый известный образец, а так-то их много на пространстве от Карпат до Камчатки, разных эпох: Пермь, Новосибирск, Комсомольск-на-Амуре, Минск, Астана.

Градостроение как ваяние. Из города можно лепить то, что нужно государству, или обществу, или тому и другому. Так во второй половине XIX века за семнадцать лет перестроил Париж в имперском духе городской префект барон Осман. Так изменил облик и атмосферу Барселоны Антонио Гауди. И уж конечно, бездумно и безнаказанно перекраивались города тоталитарных стран.

В 30-е годы XX века резко сменился градостроительный стиль советской России: от недолгого буйного увлечения революционным конструктивизмом – к неоклассицизму, к тому, что потом называли "сталинским классицизмом", "сталинским ампиром" и просто "сталинским стилем". Дома с колоннами, башенками и лепниной строили солидно, так что жить в них престижно по сей день. Самые заметные – московские высотки, все восемь штук. Москва столично строилась только с тех пор (отчасти – с конца XIX века), оттого она естественнее Петербурга, столичного изначально.

Шестидесятые принесли новый перелом: ампир провозгласили не просто крамолой, но и преступлением, приравняв едва ли не к лагерям. Тогда и покрыли территорию страны коробчатые города – неотличимые друг от друга бетонные ящики в пять или девять этажей. Какие уж там "замкоулицы", "дворцеулы" и "улочертоги", о которых мечтал Хлебников.

При всех нелепых выкрутасах постсоветского российского градостроительства нынешний произвол властей выгодно отличается от прежнего тем, что не централизован, а ограничен административными границами области или города. Капризы московского мэра и фантазии его любимого скульптора – участь столицы России. Нижний Новгород тоже преображен в 80–90-е и тоже раздражает местное образованное сословие, но преображен по-другому. Единого ГОСТа для всей огромной страны, к счастью, нет.

В Европе и Америке после Второй мировой войны происходил сходный с более поздним советским процесс, только без советских крайностей. У всех главных диктаторов отмечены одинаково буржуазные вкусы. И если Хрущев и шестидесятники боролись со сталинизмом, то на Западе неоклассицизм связывался в сознании с итальянским фашизмом и германским нацизмом. Коробчатая архитектура изрядно исказила облик городов. Многоэтажные функциональные параллелепипеды здесь стали жильем для малоимущих. Люди среднего класса и выше потянулись в пригороды. Богатые – еще дальше. При этом – сохраняя в городе свой главный жизненный интерес.

Бодрийяр в эссе с характерным названием “Город и ненависть” пишет, что нынешние градостроительные монстры “не подчиняются ритму города, его взаимосвязям, а накладываются на него как нечто пришедшее со стороны, нечто alien. Даже городские ансамбли, наделяемые символической значимостью (Бобур, Форум, Ля-

Дефанс, Ля-Вильет), представляют собой всего лишь псевдоцентры, вокруг которых образуется ложное движение".

Француз Бодрийяр оперирует парижскими явлениями, действительно впечатляющими. Когда я впервые попал на Дефанс, мне пришел в голову сюжет для рассказа, который и сочинить бы, если б писал беллетристику. О человеке, безнадежно мечтавшем попасть в неясно брезжущую мечту – Париж – и благодаря удаче попадающем туда всего на день. Его мчат на метро из аэропорта в район Дефанс, он проводит там все отпущенное время, возвращается счастливый в свою далекую страну и до конца жизни не может понять, о каком это Нотр-Даме и Сен-Жермене говорят и пишут, какая Сена и какие Бульвары.

По масштабам, фантазии и концентрации современной архитектуры Дефанс превосходит, пожалуй, и манхэттенский Даунтаун, и токийскую Гиндзу, и новые берлинские небоскребы на месте Стены (диковинно предвосхищенные в декорациях фильма Фрица Ланга "Метрополис" 1926 года). И вправду – самостоятельный отдельный город, alien, создание пришельцев. Но можно – и нужно! – взглянуть по-другому: это всего лишь выплеск способностей и возможностей, поигрывание архитектурно-финансовыми мускулами. По сути же такие дефансы – повтор на новом витке средневекового принципа автономного квартала, что осталось в наши дни в виде рудиментарных quartiere в Италии или вполне жизнеспособных махалля в Средней Азии.

То есть – все-таки не создание искусственных спутников, а дробление основы. Торгово-развлекательные центры – доведенная до масштабных пределов идея швейцарского шале или избы русского Севера: все под одной крышей. Расхожая банальность о том, что новое – хорошо забытое старое, потому и такая расхожая, что верная. Современный горожанин, не сумевший или не захотевший перебраться в пригород, ведет жизнь древнего афинянина. В небольшой – а другая не по средствам – квартире он спит и смотрит телевизор, тогда как жизнь проходит на людях, среди общества – на агоре, функции которой берет на себя многоцелевой комплекс с магазинами, киношным мультиплексом, детскими забавами, ресторанами, кафе, бассейном, спортзалом и пр.

С пастернаковских времен утвердившийся тогда принцип города не изменился: только все многократно разнообразилось, увеличилось в размерах, сильно ускорилось. "Главной новинкой улицы" остается "вихрь эгоистической стихии".

По неуклюжей хлебниковской формуле, даже при колоссальных достижениях коммуникаций, все еще "город – точка узла лучей общей силы". В прежние века душевные переживания неразрывно связывались с природным миром, проецировались на леса и моря. Мы же – и Верлен, и Хлебников, и Пастернак, и дальше – знаем, что заветный облик проступает сквозь дома и улицы, удивляемся, что не замечали этого прежде, встречаем *подобья* на соседних перекрестках, делим смуту и восторг с городом: "В тот день всю тебя, от гребенок до ног, / Как трагик в провинции драму Шекспирову, / Носил я с собою и знал назубок, / Шатался по городу и репетировал".

Нестрашные стихи

Велимир Хлебников

1885–1922

Сегодня строгою боярыней Бориса Годунова
Явились вы, как лебедь в озере.
Я не ожидал от вас иного
И не сумел прочесть письмо зари.
А помните? Туземною богиней
Смотрели вы умно и горячо,
И косы падали вечерней голубиней
На ваше смуглое плечо.
Ведь это вы скрывались в ниве
Играть русалкою на гуслях кос.

Ведь это вы, чтоб сделаться красивей,
Блестели медом – радость ос.
Их бусы золотые
Одели ожерельем
Лицо, глаза и волос.
Укусов запятые
Учили препинанью голос,
Не зная ссор с весельем.
Здесь Божия мать, ступая по колосьям,
Шагала по нивам ночным.
Здесь думою медленной рос я
И становился иным.
Здесь не было "да",
Но не будет и "но".
Что было – забыли, что будет – не знаем.
Здесь Божия матерь мыла рядно,
И голубь садится на темя за чаем.

1916, 1922

С поэзией Хлебникова мне очень повезло.

Задолго до того, как впервые прочел, много слышал: "Сложность, заумь, поэт для поэтов". Но вначале попалась проза. Раньше всего — "Ряв о железных дорогах", страничка такого же свойства, как те, которые в изобилии приносили и присылали в редакцию газеты "Советская молодежь". Через годы в Нью-Йорке, в газете "Новое русское слово", редакционная почта мало отличалась от рижской. В "Молодежке" я отбился от множества ученых и изобретателей, одних только вечных двигателей было три. В Штатах выдержал полугодовую осаду открывателя непотопляемости. Везде требовали связать с Центром (с прописной): в одном случае с Политбюро, в другом — с Белым домом. "Ряв" Хлебникова — о том, что железные дороги разумны только тогда, когда идут вдоль моря или реки. В доказательство приводятся Италия и Америка. "Североамериканский железнодорожный "крюк" заключается в том, что чугунный путь переплетается с руслами Великих рек этой страны и вьется рядом с ними, причем близость обоих путей так велика, что величавый чугунный дед всегда может подать руку водяному, и поезд и пароход на больших протяжениях не теряют друг друга из вида". На карту Хлебников когда-нибудь смотрел?

Как писал о нем Мандельштам, "какой-то идиотический Эйнштейн, не умеющий различить, что ближе – железнодорожный мост или "Слово о полку Игореве". Почти так же высказался Ходасевич: "Хлебникова... кто-то прозвал гениальным кретином, ибо черты гениальности в нем действительно были, хотя кретинических было больше". Из хлебниковских математических формул всемирной истории, с судьбоносным значением интервалов в 413, 951 и 1383 года, выходило, что к 11 октября 1962 года советская власть должна распространиться на весь мир. Я огляделся – не получалось. Следующая, запасная, дата – 2007-й. Вряд ли.

Понятно, что после "Рява" и пророчеств подступаться к стихам Хлебникова стало еще страшнее. Но повезло: первым из его стихотворений прочел это, "Строгую боярыню", внятную, легкую, звонкую, живописную, с особой, сразу запоминающейся проникновенной простотой последних пяти строк – и навсегда перестал бояться стихов.

Фантомная боль

Максимилиан Волошин

1877–1932

Мир

С Россией кончено… На последях
Ее мы прогалдели, проболтали,
Пролузгали, пропили, проплевали,
Замызгали на грязных площадях,
Распродали на улицах: не надо ль
Кому земли, республик да свобод,
Гражданских прав? И родину народ
Сам выволок на гноище, как падаль.
О Господи, разверзни, расточи,

Пошли на нас огнь, язвы и бичи,
Германцев с запада, монгол с востока,
Отдай нас в рабство вновь и навсегда,
Чтоб искупить смиренно и глубоко
Иудин грех до Страшного суда!

23 ноября 1917, Коктебель

Редкостная поэтическая публицистика. То есть ее полно, конечно, и у демократов-разночинцев XIX века, и видимо-невидимо после той даты, которая проставлена под стихотворением "Мир". Но у Волошина достоинства поэзии перед задачами публицистики не отступают (как отступает перед ними качество прозы у Бунина в "Окаянных днях").

Позже нечто подобное по напору, свирепости, прямой художественной доходчивости писал Георгий Иванов: "Россия тридцать лет живет в тюрьме, / На Соловках или на Колыме. / И лишь на Колыме и Соловках / Россия та, что будет жить в веках. / Все остальное – планетарный ад, / Проклятый Кремль, злосчастный Сталинград – / Заслуживает только одного: / Огня, испепеляющего его".

Но Иванов писал много позже, много дальше – в 40-е во Франции. Но как осмелился на *такие* проклятия *такой* своей стране Волошин, эстет-галломан, акварельный пейзажист, сочинитель мифической поэтессы Черубины де Габриак, слегка теоретический и снобистски практический буддист, антропософ и платоник, пугавший коктебельских жителей венком на рыжих кудрях и тогой на восьмипудовом теле? Поразительна вот эта самая дата под стихами: сумел рассмотреть, не увлекся, как положено поэту, не закружился в вихре, как Блок. (У Волошина Россия не разделяет германцев и монголов, как в "Скифах", а объединяет их в общей борьбе против России.)

Раньше мне больше нравились другие волошинские стихи о революции – написанные с позиции "над схваткой", как в его "Гражданской войне": "А я стою один меж них / В ревущем пламени и дыме / И всеми силами своими / Молюсь за тех и за других". Это начало 20-х, Крым уже прошел через террор Белы Куна и Розалии Землячки, жуткий даже по меркам тех лет. Власть в киммерийском краю Волошина менялась постоянно: "Были мы и под немцами, и под французами, и под англичанами, и под татарским правительством, и под караимским". В коктебельском Доме поэта спасались и от белых, и от красных. (Как странно видеть под одним из самых жутких и безнадежных русских стихотворений название места, ставшего привилегированной идиллией для будущих коллег Волошина, которые если и молились вообще, то только за себя.)

Волошин в самом деле был “над схваткой” и писал другу: “Мои стихи одинаково нравятся и большевикам, и добровольцам. Моя первая книга “Демоны глухонемые” вышла в январе 1919 г., в Харькове, и была немедленно распространена большевистским Центрагом. А второе ее издание готовится издавать добровольческий Осваг”.

Бела Кун, правда, собирался Волошина расстрелять, но того защищало покровительство Каменева и Луначарского, а еще надежнее – тога, венок и прочие атрибуты существа не от мира сего, местной достопримечательности, городского сумасшедшего.

Годы войны Волошина изменили. Редкий случай: сделали наглядно мудрее. Но подлинная безжалостная пристальность поэтического взгляда, не подчиненная ни возрасту, ни стереотипам, – все-таки там, тогда, в ноябре 17-го, когда он внезапно и сразу все понял и сказал.

Взгляд в упор – вернее и точнее, как часто бывает с первым впечатлением о человеке. Над схваткой – не получается.

Безусловная честность и простодушное бесстрашие Волошина, прошедшего через Гражданскую войну, позволяли ему молиться за тех и за других. Позиция чрезвычайно привлекательная, но человеку обычному, лишенному качеств истинного подвижника, — недоступная. Еще важнее то, что она имеет отношение к самой фигуре подвижника, а не к окружающим обстоятельствам. "Все правы", как и "все неправы", "все виноваты", как и "все невиновны" — неправда.

Это осознать и понять очень нужно.

Нет истины в спасительной формуле "чума на оба ваши дома" — какой-то из домов всегда заслуживает больше чумы. Виноватых поровну — не бывает.

Попытка понять и простить всех — дело праведное, но не правдивое. Собственно, и самому Волошину такое полное равновесие не удалось: при всей аполитичности в жизни, при отважных хлопотах "за тех и за других" его стихи о терроре — все-таки стихи о красном терроре.

Невозможен такой нейтралитет и для его потомков. Каким "Расёмоном" ни представала бы сложная политическая или общественная коллизия, как бы правомерны и объяснимы ни были разные точки зрения, расёмоновский источник зла существует, вполне определенный, с именем и судьбой. Можно попробовать отстраниться, но тога на нас не сидит и венок не держится на голове.

Волошин, к революции зрелый сорокалетний человек, поднимал тему искупления и покаяния. Эпиграфом к своему “Северовостоку” он взял слова св. Лу, архиепископа Турского, с которыми тот обратился к Аттиле: “Да будет благословен приход твой – Бич Бога, которому я служу, и не мне останавливать тебя”.

Сам Волошин мог с основаниями писать: “И наш великий покаянный дар, / Оплавивший Толстых и Достоевских / И Иоанна Грозного...”: он хронологически и этически был близок к этим Толстым и Достоевским. Но именно такими, как у Волошина, отсылками к великим моральным авторитетам создан миф, с наглой несправедливостью существующий и пропагандирующийся поныне: мол, мы, русские, грешим и каемся, грешим и каемся. И вроде всё – индульгенция подписана, вон даже Грозный попал в приличную компанию.

С какой-то дивной легкостью забывается, что современные русские не каются никогда ни в чем.

Мы говорим и пишем на том же языке, что Толстой и Достоевский, но в самосознании так же далеки от них, как сегодняшний афинянин от Сократа или нынешняя египтянка от Клеопатры.

Просит прощения за инквизицию и попустительство в уничтожении евреев Католическая церковь. Штаты оправдываются за прошлое перед индейцами и неграми. Подлинный смысл политкорректности – в покаянии за века унижения меньшинств. Германия и Япония делают, по сути, идею покаяния одной из основ национального самосознания – и, как результат, основ экономического процветания.

Когда речь идет о невинных жертвах, подсчет неуместен: там убили столько-то миллионов, а там всего лишь столько-то тысяч. Но все же стоит сказать, что российский рекорд в уничтожении собственных граждан не превзойден.

Тем не менее в современной России никто никогда ни в чем не покаялся. При этом – считая своими Пьера Безухова и Родиона Раскольникова и прячась за них: знаете, мы, русские, такие — грешим и каемся, грешим и каемся. Все-таки те — они — совсем другие. То есть, конечно, мы — совсем другие.

Есть в медицине такое понятие — фантомная боль. Человеку отрезали ногу, а ему еще долго кажется, что болит коленка, которой давно нет. Нравственность Толстого, Достоевского, Волошина — наша фантомная боль.

По дороге из деревни

Сергей Есенин
1895–1925

Монолог Хлопуши из поэмы "Пугачев"

Сумасшедшая, бешеная кровавая муть!
Что ты? Смерть? Иль исцеленье калекам?
Проведите, проведите меня к нему,
Я хочу видеть этого человека.
Я три дня и три ночи искал ваш умёт,
Тучи с севера сыпались каменной грудой.
Слава ему! Пусть он даже не Петр!
Чернь его любит за буйство и удаль.

Я три дня и три ночи блуждал по тропам,
В солонце рыл глазами удачу,
Ветер волосы мои, как солому, трепал
И цепами дождя обмолачивал.
Но озлобленное сердце никогда не заблудится,
Эту голову с шеи сшибить нелегко.
Оренбургская заря красношерстной верблюдицей
Рассветное роняла мне в рот молоко.
И холодное корявое вымя сквозь тьму
Прижимал я, как хлеб, к истощенным векам.
Проведите, проведите меня к нему,
Я хочу видеть этого человека.

[1921]

С каким восторгом такое читается, слушается, произносится в молодости! Откуда я знал, что эти красочные пятна прихотливой формы называются "имажинизм", какое мне было до этого дело. Да и Есенину, в сущности, дела не было. В 1919 году он, Рюрик Ивнев, Вадим Шершеневич и Анатолий Мариенгоф объединились в группу имажинистов, собирались в кафе "Домино" на Тверской, потом в "Стойле Пегаса" у Никитских ворот, вели стиховедческие беседы, соревновались в подыскивании корневых рифм. Как резонно пишет Мариенгоф, "формальная школа для Есенина была необходима... При нашем бедственном состоянии умов поучиться никогда не мешает".

Но еще до провозглашения своих имажинистских предпочтений Есенин так и писал. Четверостишие 15-летнего поэта: "Там, где капустные грядки / Красной водой поливает восход, / Кленочек маленький матке / Зеленое вымя сосет". И вымя есть в монологе Хлопуши, цвет не указан, а во второй части — и то же действие, что у клена: "Кандалы я сосал голубыми руками..."

Когда увлеченный самоцельностью образа поэт пользуется словарем не первого порядка, несуразица неизбежна, а в поисках своеобразия непременно появляются излюбленные слова. Если они броские, а имажинист – стихийный или рафинированный – к тому и стремится, лексические любимцы становятся назойливы и конфузны. Впрочем, как говорили во времена моей юности на танцплощадке, каждый понимает в меру своей испорченности. Утешаешься тем, что испорчен не ты один. Все-таки сейчас вряд ли кто рискнет на голубом глазу написать: "И всыпают нам в толстые задницы / Окровавленный веник зари".

С есенинской живописностью мало кто сравнится в русской поэзии. В прозе был в то же время его ровесник Бабель, чья яркость восходит к французской художественной традиции, в противовес русской оттеночности, приглушенности (первые в жизни рассказы Бабель написал по-французски, позже провозглашал: "Если вдуматься, то не окажется ли, что в русской литературе еще не было настоящего радостного, ясного описания солнца?").

Есенинские истоки – русские книжные. Известно, что еще в школе он прочел "Слово о полку Игореве", внимательно изучал поэзию Кольцова, Сурикова, Никитина, позже увлекся "Поэтическими воззрениями славян на природу" Афанасьева. Есенин, как Чапаев, языков не знал и не хотел знать: "Кроме русского, никакого другого не признаю, и держу себя так, что ежели кому-нибудь любопытно со мной говорить, то пусть учится по-русски". Это письмо из поездки по Соединенным Штатам с Айседорой Дункан, где, обнаружив, что его никто не знает, пил в отелях и бил по головам фоторепортеров, не сочинив за четыре месяца ни одного американского стихотворения. Европа тоже осталась без поэзии.

Кусиков рассказывал, как в 23-м году неделю уговаривал Есенина съездить из Парижа в Версаль. Тот нехотя согласился, приехали, но: "Тут Есенин заявил, что проголодался… сели завтракать, Есенин стал пить, злиться, злиться и пить… до ночи… а ночью уехали обратно в Париж, не взглянув на Версаль; наутро, трезвым, он радовался своей хитрости и увертке… так проехал

Сергей по всей Европе и Америке, будто слепой, ничего не желая знать и видеть".

Видеть не желал, а знать — знал и так. В драматической поэме "Страна негодяев", произведении справедливо забытом, но самом большом у Есенина, в полтора раза длиннее "Пугачева" и вдвое — "Анны Снегиной", об Америке говорится подробно. Там на фоне заблудшего коммуниста Чекистова (он же Лейбман) и сочувствующего Замарашкина выделяется настоящий большевик Никандр Рассветов, который побывал в Штатах и рассказывает: "От еврея и до китайца, / Проходимец и джентельмен, / Все в единой графе считаются / Одинаково — business men... / Если хочешь здесь душу выржать, / То сочтут: или глуп, или пьян. / Вот она — мировая биржа! / Вот они — подлецы всех стран". Обида на невозможность "выржать" душу — неизбывна у российского человека по сей день, что в Новом Свете, что в Старом.

Мариенгофу из Остенде: "Так хочется мне отсюда, из этой кошмарной Европы, обратно в Россию, к прежнему молодому нашему хулиганству и всему нашему задору. Здесь такая тоска, такая бездарнейшая северянинщина жизни... Свиные тупые морды европейцев".

Сахарову из Дюссельдорфа в том же 1922 году: "Конечно, кой-где нас знают, кой-где есть стихи, переведенные мои и Толькины, но на кой все это, когда их никто не читает? Сейчас у меня на столе английский журнал со стихами Анатолия, который мне даже и посылать ему не хочется. Очень хорошее издание, а на обложке пометка: в колич. 500 экземпляров. Это здесь самый большой тираж".

С чего бы такая спесь? У меня на столе изданный в Москве сборник 1920 года "Плавильня слов", авторы – Сергей Есенин, Анатолий Мариенгоф, Вадим Шершеневич. Издание неописуемого убожества, на толстой оберточной бумаге, объем – 40 страниц. Тираж – 1500 экземпляров, то есть на родине всего лишь втрое больше, а ведь это с участием суперзвезды, Есенина.

Ему не нравилось решительно все, что было хоть сколько-нибудь незнакомо. О знакомом же лучше никто не сказал: "Радуясь, свирепствуя и мучась, / Хорошо живется на Руси". Каковы деепричастия!

Русскость в нем жила природная, естественная, но крестьянином он себя назначил по литературной профессии. Мариенгоф в “Романе без вранья” сообщает: “Денег в деревню посылал мало, скупо, и всегда при этом злясь и ворча. Никогда по своему почину, а только — после настойчивых писем, жалоб и уговоров… За четыре года, которые мы прожили вместе, всего один раз он выбрался в свое Константиново. Собирался прожить там недельки полторы, а прискакал через три дня обратно, отплевываясь, отбрыкиваясь и рассказывая, смеясь, как на другой же день поутру не знал, куда там себя девать от зеленой тоски”. При этом: “Мужика в себе он любил и нес гордо”. Противоречия тут нет. До семнадцати лет жил в деревне, хватит, потом в большом городе, Москве. И вообще, писатель и человек — люди разные.

Есенин настаивал на себе-самородке и, видимо, был прав. Хотя его культурность нельзя недооценивать — ту быстроту реакции, с которой он впитывал все, что считал полезным: достижения Клюева, Городецкого, Маяковского, более образованных друзей-имажинистов. Результат, достигнутый по дороге из деревни — ошеломляющий. Ни до, ни после ничего более натурального в русских стихах не найти.

Простота его обманчива. Это родовое свойство простоты, но подражатели не устают ловиться на старую наживку. Время от времени кто-нибудь назначается новым Есениным: Павел Васильев, Рубцов, Высоцкий, не говоря о мелочи. Высоцкий – разумеется, по кабацкой линии и, главное, по драйву. Мне рассказывал приятель-пианист, как они, музыкальная молодежь, привели Высоцкого к Рихтеру, перед которым он благоговел. Поговорили, потом Высоцкий ударил по струнам, запел, захрипел, побагровел, на шее вздулись жилы. Рихтер все несколько песен просидел не шелохнувшись на краешке стула, не отрывая глаз от певца. Высоцкий быстро ушел, молодежь кинулась в восторге: "Ну, Святослав Теофилович? Мы же видели, вы так слушали!" Рихтер облегченно вздохнул: "Господи, как я боялся, что он умрет".

Зря, что ли, Высоцкий играл Хлопушу в любимовском спектакле на Таганке? Вот в чем основная привлекательность Есенина – непрерывное ощущение внутренней силы, даже в поздних меланхолических стихах. А в таких вещах, как монолог Хлопуши, – бешеный напор, заставляющий усматривать в авторе разрушительные и саморазрушительные силы. Мы вместе с ним на краю.

Бог знает, страшно догадываться, но, может, он ходил не только по своему, но и по чужому краю? По крайней мере заглядывал туда, подходил близко? Знаменитый стих "Не расстреливал несчастных по темницам" – и современниками (Мандельштам говорил, "можно простить Есенину что угодно за эту строчку"), и потомками расценивается как горделивое свидетельство непричастности. Но ведь тут скорее заклинание: странно и дико гордиться тем, что ты не убийца, не палач – если и помыслы чисты, если не было позывов или обстоятельств, в силу которых всетаки подходил близко, стоял рядом, очень-очень рядом, не делал, но мог. Ходасевич в очерке "Есенин" откровенно намекает на это. (Пушкин, со ссылкой на Дмитриева, сообщает, что Державин при подавлении пугачевского бунта повесил двух мятежников "более из поэтического любопытства, нежели из настоящей необходимости".)

Что до саморазрушения, о Есенине-самоубийце знали даже те, кто ни строчки его не прочел. В открывшемся в 1928 году Литературном музее при Всероссийском союзе писателей экспонировалась веревка, на которой он повесился: культ так культ. После его смерти прошла маленькая эпидемия, вызванная гибельным соблазном, о чем писал Маяковский в стихотворении на смерть поэта: "Над собою чуть не взвод расправу учинил".

Соблазн этот мне никогда не был внятен, при всей преданной юной любви к Есенину, с годами перешедшей в спокойное восхищение. Естественные для юноши мысли о самоубийстве клубились, но по-настоящему не посещали — так, легкие романтические мечты. Позже я понял, почему. На самой последней грани остановит мысль: сейчас погорячишься — потом пожалеешь.

Про смерть поэта

Осип Мандельштам

1891–1938

Кому зима – арак и пунш голубоглазый,
Кому душистое с корицею вино,
Кому жестоких звезд соленые приказы
В избушку дымную перенести дано.

Немного теплого куриного помета
И бестолкового овечьего тепла;
Я всё отдам за жизнь – мне так нужна забота, –
И спичка серная меня б согреть могла.

Взгляни: в моей руке лишь глиняная крынка,
И верещанье звезд щекочет слабый слух,
Но желтизну травы и теплоту суглинка
Нельзя не полюбить сквозь этот жалкий пух.

Тихонько гладить шерсть и ворошить солому,
Как яблоня зимой в рогоже голодать,
Тянуться с нежностью бессмысленно к чужому,
И шарить в пустоте, и терпеливо ждать.

Пусть заговорщики торопятся по снегу
Отарою овец и хрупкий наст скрипит,
Кому зима – полынь и горький дым к ночлегу,
Кому – крутая соль торжественных обид.

О, если бы поднять фонарь на длинной палке,
С собакой впереди идти под солью звезд
И с петухом в горшке прийти на двор к гадалке.
А белый, белый снег до боли очи ест.

1922

Две строчки сколько бы ни читал – сердце сжимается: "Я всё отдам за жизнь – мне так нужна забота, – / И спичка серная меня б согреть могла". Прочел стихотворение довольно поздно, а строки знал давно, вроде даже всегда. Острое чувство жалости, вызванное знанием дальнейшей судьбы поэта. Такое – с последними днями Пушкина: как больно было ему. Как больно и унизительно было Мандельштаму в пересыльном лагере на Второй речке под Владивостоком. Как страшно и холодно. Со школьных лет в голове засело – субтропики, Сихотэ-Алиньский заповедник, тигры: почти Индия. Я был там поздней осенью с желтой травой и мокрым суглинком, во Владивостоке и вокруг, в Партизанске и прочих лагерных местах: Сибирь и Сибирь, что и значится на карте – тем более в декабре, когда умирал Мандельштам. Хотя бы физическая география – вне идеологии. В отличие от географии политической: то, что теперь Партизанск, всегда называлось – Сучан.

В статье о Франсуа Вийоне Мандельштам прозрачно пишет о себе: "Через всю свою беспутную жизнь он пронес непоколебимую уверенность, что кто-то о нем должен заботиться, ведать его дела и выручать его из затруднительных положений". Рядом с ним был "кто-то": изредка – друзья и почитатели, иногда – Ахматова, почти всегда – жена. В сучанские холода он остался один, некому оказалось поднести серную спичку, предсказанную за шестнадцать лет до того. Мандельштам ощутимо предчувствовал смерть: когда писал о чужой, имел в виду свою.

Вдова вспоминает, как "говорила ему: "Что ты себя сам хоронишь?", а он отвечал, что надо самому себя похоронить, пока не поздно, потому что неизвестно, что еще предстоит". Это было в воронежской ссылке, когда уже стало по-настоящему опасно. Когда сочинялись строки: "У чужих людей мне плохо спится, / И своя-то жизнь мне не близка". Когда, сходя с ума, в периоды жестокого прояснения Мандельштам говорил жене, "что уничтожают у нас людей в основном правильно – по чутью, за то, что они не совсем обезумели...".

Поэтов надо читать не выборочно, а подряд, целиком. Настоящий поэт творит не штуку, а процесс – это уж потом, все узнав, можно выбирать поштучно, на вкус, время и место. Последовательно считываются стихи, проза, письма. В январе 37-го Мандельштам пишет из Воронежа Тынянову: "Пожалуйста, не считайте меня тенью. Я еще отбрасываю тень..." В апреле Чуковскому: "Я – тень. Меня нет. У меня есть только одно право – умереть..." Три месяца всего прошло – и плоть осознала себя тенью, до окончательного перехода оставалось двадцать месяцев.

Когда читаешь подряд, неясностей не остается или почти не остается. Непонятность, в которой упрекали Мандельштама (а также Пастернака, Маяковского, Цветаеву, Заболоцкого, Бродского и т.д. и т.д.), – от выхватывания из целого, из контекста. Контекст – жизнь поэта, который догадывается: "Быть может, прежде губ уже родился шепот..." Мандельштам был обычный великий пророк – профессия, которая всегда сопровождается толкованиями.

Каким зреньем он был вооружен в марте 37-го, когда писал: "Миллионы убитых задешево / Протоптали тропу в пустоте"?

Тогдашнее "небо крупных оптовых смертей" – иное, чем то, которое прорицатель увидел раньше: “О небо, небо, ты мне будешь сниться! / Не может быть, чтоб ты совсем ослепло / И день сгорел, как белая страница: / Немного дыма и немного пепла!” Это о чем? О сожженной рукописи или о ядерном взрыве? А ведь написано в 1911-м, до Первой мировой, даже до “Титаника”, который первым просигналил о том, что по разуму и логике устроить жизнь и мир не получится. Всегда доступно только это — “Тянуться с нежностью бессмысленно к чужому, / И шарить в пустоте, и терпеливо ждать”. Мандельштамовская непонятность с гадалкой и петухом оборачивается такой ясностью, что перехватывает горло. Что есть поэтическая невнятица? “Для меня в бублике ценна дырка… Бублик можно слопать, а дырка останется… Настоящий труд — это брюссельское кружево, в нем главное — то, на чем держится узор: воздух, проколы, прогулы”.

Среди воронежских стихов есть шуточный: “Это какая улица? / Улица Мандельштама. / Что за фамилия чертова — / Как ее ни вывертывай, / Криво звучит, а не прямо. / Мало в нем было линейного, / Нрава он был не лилейного, / И потому эта улица / Или, верней, эта яма / Так и зовется по имени / Этого Мандельштама...” В примечаниях объясняется, что улица, на которой Мандельштамы поселились в Воронеже, называлась 2-я Линейная, что дом стоял в низине. Комментарии точны, но мы-то знаем, о чем это: мандельштамовская яма – на Второй речке под Владивостоком, неизвестно где, но он о ней написал за три года до того, как его туда бросили.

...Включаю телевизор, где благообразная литературная женщина рассказывает о русском кладбище под Парижем: “Дорогие могилы, великие имена, как страшно, что они тут, что над ними не березки, а кипарисы”. Текст привычный, на разные лады слышанный не раз. На экране – чистые дорожки, подстриженная трава, цветы, надгробья: от скромных, как у Георгия Иванова, до солидных, как у Галича. Голос дрожит, слеза набухает. Искренность – вне сомнений: “Как страшно...”

Один вопрос, один всего: “Мандельштам умер на родине, где его могила?” Без долгого перечня и ботанических подробностей – один вопрос и одно имя человека, который написал за четырнадцать лет до смерти: “Народ, который не умеет чтить своих поэтов, заслуживает... Да ничего он не заслуживает...”

Водка

Сергей Есенин

1895—1925

Снова пьют здесь, дерутся и плачут
Под гармоники желтую грусть.
Проклинают свои неудачи,
Вспоминают московскую Русь.

И я сам, опустясь головою,
Заливаю глаза вином,
Чтоб не видеть в лицо роковое,
Чтоб подумать хоть миг об ином.

Что-то всеми навек утрачено.
Май мой синий! Июнь голубой!
Не с того ль так чадит мертвячиной
Над пропащею этой гульбой.

Ах, сегодня так весело россам,
Самогонного спирта — река.
Гармонист с провалившимся носом
Им про Волгу поет и про Чека.

Что-то злое во взорах безумных,
Непокорное в громких речах.
Жалко им тех дурашливых, юных,
Что сгубили свою жизнь сгоряча.

Где ж вы те, что ушли далече?
Ярко ль светят вам наши лучи?
Гармонист спиртом сифилис лечит,
Что в киргизских степях получил.

Нет, таких не подмять, не рассеять.
Бесшабашность им гнилью дана.
Ты, Расея моя… Рас…сея…
Азиатская сторона!

[1923]

Попав в армию, я немедленно записался в самодеятельность. Никакими дарованиями не обладал, но, как знает каждый прошедший срочную службу, любая возможность устроиться придурком должна быть использована: штабным писарем, агитатором, почтальоном, артистом. Я пошел в артисты. Когда нас, новобранцев, выстроили на плацу и спросили, кто что умеет, нахально вышел вперед и сказал: "Художественное чтение". Два года примерно раз в месяц талдычил одно и то же: "Ты помнишь, Алёша, дороги Смоленщины...", но в заводских клубах, куда на танцевальные вечера выезжал наш полковой ансамбль, "Алёша" шел в разделе официоза со сцены, а потом, за столиками в буфете, в бормотушном чаду, требовали Есенина, "Москву кабацкую". Случался Блок, даже Северянин, но безусловным лидером клубных хит-парадов был Есенин.

Первым делом заказывали "про сисястую", и я заводил: "Сыпь, гармоника. Скука... Скука..." Мариенгоф в мемуарах рассказывает об отношениях Есенина с Айседорой – "Изадорой" – Дункан, которую тот приучал к своему образу жизни, о том, как “его обычная фраза: “Пей со мной, паршивая сука”, — так и вошла неизмененной в знаменитое стихотворение”. Попавшие в поэзию напрямую из жизни, слова в жизнь и возвращались. Вернее, не уходили из нее.

Есенинское творчество и через полвека после смерти поэта вызывало живые жаркие споры.

— Ну, не могу это слышать! Каждый раз все прям подступает. Какой спирт поможет от сифона? Какой спирт?

— А я читал про Миклухо-Маклая, там эти папуасы, он их лечил.

— Сам ты папуас. Ничего с сифоном не сделаешь — ложись и помирай, и все.

— Трипак можно, это да. Мы в Капустином Яре на пусках только и спасались. Ректификату при ракетах залейся, а то там трипак едкий, азиатский-то.

— Го-но-рре-я!

— Да ладно, грамотный, мужики же одни.

— Это он для рифмы про сифон.

Стихотворение “Снова пьют здесь, дерутся и плачут” в 90-е читал по телевизору президенту

России президент Киргизии. Он тоже споткнулся о строчку про киргизский сифилис, только не стал ее обсуждать, а как-то стеснительно зажевал. Отцензурировал мычанием, как и "гниль" в последней строфе.

В цикл "Москва кабацкая" Есенин собирался включить не то семь, не то восемь стихотворений, но поначалу в сборнике "Стихи скандалиста" вышли лишь четыре. В наборном экземпляре было вычеркнуто четверостишие, шедшее после Волги и Чека – политическое: "Жалко им, что Октябрь суровый / Обманул их в своей пурге. / И уж удалью точится новой / Крепко спрятанный нож в сапоге". Удачно вычеркнули, а то глупо выглядел бы Есенин со своим пророчеством: нож так в сапоге и упрятался.

Потом вариантов "Москвы кабацкой" было много, различаясь от сборника к сборнику. Есть стихи надрывнее – "Пой же, пой. На проклятой гитаре..." или то, которое первым просили в клубах, со свирепыми строчками: "Сыпь, гармоника. Сыпь, моя частая. / Пей, выдра, пей. / Мне бы лучше вон ту, сисястую, – / Она глупей". Но именно "Снова пьют здесь, дерутся и плачут", про мертвечину и погубленную жизнь, – самое обобщающее из есенинских кабацких стихов.

Не зря дипломатически вдохновился президент Киргизии: в последних строчках здесь народная трактовка евразийской идеи, потрафляющая и русскому патриоту, поборнику "своего пути", отличного от дорог западной цивилизации, и склонному к просвещению азиату. Есенин, как раз вернувшийся из унизительной для авторского самолюбия поездки по Америке и Европе, переживавший разрыв с выдрой иностранного происхождения, эту тему в кабацком цикле с удовольствием варьировал.

У него деревенская печь видит во снах "Золотые пески Афганистана / И стеклянную хмарь Бухары". В другом сне "Золотая дремотная Азия опочила на куполах". Это о Москве, перекликается с бунинским пунктиром из "Чистого понедельника": "Москва, Астрахань, Персия, Индия". С Розановым: "От колен до пупка – Азия, от ребер до верхушки головы... Аполлон Бельведерский, Эллин, Рим и Франция. "А Русь лежит на боку". Оттого и "на боку", что являет Азию и Европу. Разберите-ка, где тут верх и низ, перед и зад. Это — не страна, а чепуха. Это наше отечество. Тут "ничего не разберешь". И я его люблю".

Словесной прекрасной пестротой евразийская идея, по сути, и исчерпалась. Лишь водка стала точкой схода, точнее, тем имперским ершом, в котором слились ни в чем другом не схожие уклады — русских и покоренных ими народов Сибири, Дальнего Востока, Средней Азии. Покоренных в первую очередь именно водкой: огненная вода оказалась куда более действенным оружием, чем огнестрельное. Водочное евразийство в жизни — прошлой и настоящей — закрепилось.

"Снова пьют здесь, дерутся и плачут" — обобщение не только евразийское, шире: попытка расписаться за народ и страну. В отличие от других стихотворений "Москвы кабацкой", здесь не только личная судьба. Застольная историософия ведет от "московской Руси" первой строфы через революцию и Гражданскую войну четвертой и пятой к "азиатской стороне" заключительной. Судьба человека и нации объяснена и, поскольку рассмотрена и исследована через очищающую оптику наполненного стакана — оправдана.

Зря, что ли, возникли пословицы: “Пьян да умен – два угодья в нем” или “Пьяница проспится – дурак никогда”. Да мало ли кто хорошо и красиво говорил о пьянстве и водке. У Чехова: “Выпьешь ты рюмку, а у тебя в животе делается, словно ты от радости помер”. Светлов: “Водка бывает двух сортов – хорошая и очень хорошая”. Жванецкий: “Алкоголь в малых дозах безвреден в любых количествах”.

Невыдуманная народность явления ведет к его поэтизации. Как одухотворенно пишет Андрей Синявский: “Не с нужды и не с горя пьет русский народ, а по извечной потребности в чудесном и чрезвычайном, пьет, если угодно, мистически, стремясь вывести душу из земного равновесия и вернуть ее в блаженное бестелесное состояние. Водка – белая магия русского мужика; ее он решительно предпочитает черной магии – женскому полу”.

Это утешительное и лестное для русского человека стихотворение в прозе заканчивается несомненной грустной истиной. Сколько раз мне доводилось менять черную магию на белую, горько жалеть об этом потом – и снова менять.

Сколько телесных радостей растворилось в застольях. Сколько романов осталось в стаканах. Сколько любовных угаров завершилось банальным похмельем. Сколько рассветов прошло в беседах не о соловье и жаворонке, а о портвейне и пиве.

Попадались изредка и иные человеческие экземпляры, как мой рижский напарник по подсобным работам Коля Палёный — потаскун, всю жизнь изображавший горького пьяницу. Ненавидевший водку Коля белой магией маскировал черную, понимая, что алкоголизм гораздо более приемлемый порок в глазах коллег, начальства и жены, если вообще порок, а не национальное своеобразие. Почему кабацкие стихи Есенина любимы по сей день — в них пойман важный мотив: водка больше, чем напиток, это — идея.

В поговорке "Что у трезвого на уме, то у пьяного на языке" улавливается одобрительный оттенок: что думает человек, то и говорит. Открытый, прямой, простой. Наш. В этом — суть психоаналитического свойства водки. На том стоит институт собутыльничества, алкогольной дружбы. Водка — русский психоанализ.

Отсюда – серьезное к ней отношение. Вячеслав Всеволодович Иванов в застольной компании рассказывал со слов отца, как в начале 20-х тот пришел на банкет, устроенный для писателей каким-то меценатом (их называли "фармацевтами"). Случилось так, что в тот же вечер прием закатывал и другой фармацевт, так что к первому явились только Всеволод Иванов и Есенин. Они оглядели обильно накрытый стол, мысленно пересчитали бутылки и печально переглянулись: не одолеть. Тут Есенин без улыбки, спокойно и твердо сказал: "Не беспокойся. Между водкой будем пить коньяк. Коньяк сушит и трезвит".

Высокая поэзия российского алкоголя тесно связана с трудностями его добывания и поглощения. На этом построены самые пронзительные драматические страницы поэмы "Москва–Петушки". Если б мне пришлось участвовать в дурацкой игре, описанной в романе "Идиот" – когда надо признаться в самом постыдном своем поступке, – я бы рассказал, как мы рижской январской ночью собрали трясущимися руками гроши, как полчаса шли по морозу к заветной подворотне ресторана "Даугава", как приобрели у отделившейся от стенки тени бутылку и как я эту бутылку тут же уронил на асфальт. То, что я пишу эти строки, – свидетельство либо христианского милосердия моих товарищей, либо их алкогольного бессилия. Что часто трудноразличимо.

Корчагинское преодоление питьевых трудностей наблюдалось даже в безвоздушном пространстве. Через двадцать лет после своих полетов космонавт Гречко рассказал, как проносили коньяк на корабли "Союз", как прятали бутылки на орбитальных станциях "Салют", как в вакууме содержимое не хотело выливаться до конца, но законы физики были посрамлены знанием и смекалкой. На велосипедном заводе "Саркана Звайгзне" меня, ученика токаря, первым делом натаскали готовить клей "БФ-2". Его следовало налить в специально выточенный для этого цилиндр из нержавейки, зажать цилиндр в станок, включить 1200 оборотов, через полторы минуты развинтить, сгусток выбросить, а остальное процедить через чистую ветошь. И мне, и доктору физико-математических наук, дважды Герою Советского Союза Гречко было непросто, но мы справились. В народе накоплен большой опыт в умении загнать себя в катастрофу, чтобы потом героически из нее выбираться.

Мариенгоф рассказывает: “В последние месяцы своего страшного существования Есенин бывал человеком не больше одного часа в сутки. А порой и меньше”. Мы понимаем, *как* он пил, но — *что?* “Он пил свой есенинский коктейль: половина стакана водки, половина — пива. Это был любимый напиток наших нижегородских семинаристов. Они называли его “ершом”.

Через тридцать лет после алкогольного самоубийства Есенина друг все еще потрясен вульгарностью его вкуса. Интересно, кому это в середине 50-х нужно было пояснять, что такое ерш, ставя его в кавычки? Характеристика не только дворянского воспитания Мариенгофа, но и питьевого обихода Есенина, который вообще-то предпочитал шампанское, но любил поразить Изадору, того же близкого приятеля и прочую благородную публику простотой нравов.

Ерш шел разве что по праздникам на “Саркана Звайгзне”, где после клея “БФ-2” лиловый денатурат, украшенный черепом с костями и надписью "Пить нельзя – яд!", вполне оправдывал свое название – рабочий коньяк "Три косточки". Не говоря уж об истинных амброзиях, которые я потом смаковал в армии: туалетная вода "Свежесть", "Огуречный" лосьон ("выпил – закусил"). В пожарной охране мои коллеги-хуторяне приносили денатуратного цвета самогон, одного запаха которого не вынесла бы никакая Изадора.

По закону противодействия (некоторые законы физики в России все-таки действуют) бедности и алкогольным запретам, "самогонный спирт" тек уже не рекой, как у Есенина, а разливался океанами. В горбачевские минеральные времена в дело вовлеклись и городские гуманитарии, а до того – всесоюзная деревня. Хотя в десятом классе и мы с Толей Поликановым успешно экспериментировали с яблочной брагой Толиного отца. Я придумал конструкцию из кастрюли на газовой конфорке, глубокой тарелки и тазика с холодной водой: не зря, стало быть, в девятом выиграл городскую олимпиаду по физике. От Толи был исходный продукт, ноу-хау – от меня.

На бедности развилась разветвленная культура бормотухи. В пьесе Николая Вильямса "Алкоголики с высшим образованием” персонаж по имени Сашок в поисках наивысшего алкогольного КПД вывел систему “грамм-градус-копейка”. В 80-е я познакомился с прототипом героя в Нью-Джерси, он оказался московским инженером по имени Саша, к тому времени систему усложнившим: “грамм-градус-копейка-секунда”. В обоих вариантах эффективнее всего работала бормотуха, портвешок. А то мы не знали эмпирически! Яблоки падали и до Ньютона, он только записал.

Когда появился “Солнцедар”, который, укрепляя до 19 градусов, делали из алжирского вина, пригоняемого в тех же танкерах, в каких в Алжир доставляли нефть (о чем мне рассказал директор Рижского завода шампанских вин) — наступил золотой век российского алкаша. Нынешние реплики: “О, портвейн “Три семерки”!” — не более чем бездумное словесное упражнение, просто название приметное. “Три семерки” стоил рубль восемьдесят семь — такое покупалось для девушек и только в первый вечер. Дальше они пили, как все мы, то, что запахом и вкусом напоминало пищевые отходы, но славно шло под плавленый сырок за одиннадцать копеек и сильно сближало. Хорошо, что российский человек редко бывает в Португалии. Какой удар для миллионов соотечественников: столица портвейна – Порту, а не Агдам. Очень бы удивились и португальцы, узнав, что их дорогой изысканный напиток так причудливо деформирован. Да, невкусно, полюбите нас черненькими!

Есенин пишет из Европы: “От изобилия вин в сих краях я бросил пить и тяну только сельтер”. То, что звучит парадоксом, очень понятно русскому человеку: пить должно быть трудно, противно, горько, стыдно, опасно, греховно. А когда доступно много вкусного, хорошего, полезного – то уже и не стоит. Едва ли не главное в русском национальном напитке – мазохизм. Во всем мире основным достоинством водки считается ее вкусовая нейтральность: шведские, финские, датские сорта проглатываются безболезненно. Даже лучшая русская водка имеет сознательный сивушный оттенок: страдай, пока пьешь. Алкогольная достоевщина.

Выдающийся современник Достоевского эту водку и создал. Та, которую знаем мы и весь мир, рассчитана и выведена в исследованиях и опытах Менделеева. А нас столько лет учили ценить Менделеева совсем за другое – неживое и умозрительное. Запатентованная в 1894 году, лишь тогда водка стала канонически сорокаградусной. Тогда же началась реформа, положившая конец кабакам, в которых подавался только алкоголь без закуски и только на разлив. Навынос можно было взять не меньше ведра, то есть двенадцати литров. Есенин вырос уже в эпоху бутылочной торговли, а кабаки у него – метафора: их сменили трактиры, где к выпивке подавали еду. Реформа вступила в силу в 1902 году, никак не успев надломить главный стержень российской алкогольной культуры, прямо противоположный культуре европейской, – принципиальное разделение еды и питья.

Да и кто им так уж следовал, этим правилам. "Сухой закон" в России сопоставим по срокам со всем известным американским: в Штатах – четырнадцать лет (1919 – 1933), в России – девять (1914 – 1923). Но о российском никто, по сути, не знает: не для того приказано, чтобы выполнять. Есенин, судя по всему, и вовсе ничего не заметил: “Москва кабацкая” написана во времена “сухого закона”. Литературный – но и социальный – памятник эпохе.

У меня дома на книжной полке в рамочке – облигация 1930 года “Книга вместо водки”. Выдуманное противопоставление. Неуместный предлог “вместо” там, где должен стоять союз “и”, соединяющий две главные российские страсти. Непьющий интеллигент – оксюморон. Пьющий интеллигент – тавтология. Десятилетиями вскормленная алкогольная философия, пьяный образ жизни – достойный уже потому, что частный, выведенный из-под государства.

Поэма Венедикта Ерофеева стала пособием по противостоянию личности обществу – в том сильнейший пафос книги и причина ее феноменального успеха. По книге “Москва–Петушки” можно жить, много ли таких книг на свете. Она разлеталась на цитаты, заучивалась наизусть, словно и вправду поэма. Помню одного знакомого, человек был серьезный, у него над столом вместо папы с мамой висел Шопенгауэр. Опрокинув рюмку, степенно произносил: “Хорошо! Был поленом – стал мальчишкой”. Годами читал только ерофеевскую книжку и говорил, с неприязнью поглядывая на портрет немца: "Не, даже не думай, исключено, им не врубиться, забудь". Доморощенный Тютчев, с заменой горечи на торжество.

Водка как идея – может быть, нагляднее всего это явлено в мифологии русского превосходства над Западом: бесчисленные рассказы о том, где, как, когда и кто кого перепил. У Костомарова слышна интонация недоумения: "Русские придавали пьянству какое-то героическое значение. Доблесть богатыря измерялась способностью перепить невероятное количество вина". Через столетие эпизод в фильме "Судьба человека" в одночасье сделал Сергея Бондарчука народным героем. Когда пленный русский солдат, залпом выпив стакан водки, говорит нацистскому офицеру: "После первой не закусываю" – ясно, что война уже выиграна, без танков и самолетов, одной питейной доблестью.

Розанов попенял Костомарову и прочим летописцам: "История России" – это вовсе не Карамзин, а история водки и недопетой песни". Он, сказавший: "Хороши делают чемоданы англичане, а у нас хороши народные пословицы", беспомощно и беспроигрышно крыл западное рациональное лидерство бестелесными козырями: даже не просто словами, но словами недоговоренными и словами непроизнесенными, шумел-камышами от всей души.

Не забыть фантасмагорической картины первых перестроечных лет. В очереди к колодцу со святой водой в Троице-Сергиевой лавре богомольные старушки в косынках сжимают в руках разноцветные бутылки из-под джина, виски, вермута – в те времена единственная подходящая в стране посуда с надежной пробкой на винте. Как прихотливо воплотилась евангельская метафора о новом вине в старых мехах!

Недалеко уйдя от этих бабушек, Евтушенко писал в 60-е о французских буржуа: "Приятно, выпив джина с джусом / и предвкушая крепкий сон..." Мало того что джин мешают с тоником, а не с соком, его не пьют на ночь, это аперитив, и уж точно так не станут поступать французы. Какая разница: главное – нарядно.

Красивой экзотикой были – за неимением далекого неведомого джуса – и прибалтийские изделия. Рижский черный бальзам считался отличным подарком в Москве или Питере, а керамические бутылки из-под него не приходило в голову выбрасывать: получались цветочные вазочки. Мы же в Ригу везли из Эстонии парный ликер – женский "Агнесс" и мужской "Габриэль", приторный "Вана Таллин" в виде крепостной башни. Из Литвы – водку с разнузданным именем "Dar pa vienu" ("Еще по одной") и натуральные фруктово-ягодные вина, о которых говорили, что английская королева заказывает их ящиками. Королева была алкоголичкой широкого диапазона: она выписывала и наш бальзам, и армянский коньяк, и массандровский портвейн, и московскую водку, разумеется – расхлебывая всю советскую винно-водочную отрасль.

Соцлагерь поставлял румынский ром "Супериор", ром кубинский с высоким черным человеком в лодке, югославский виньяк, болгарскую "Мастику" вкуса и запаха мастики, польскую "Вудку выборову". В 71-м году в Нарве я впервые в жизни попробовал в местном баре джин-тоник, чувствуя себя персонажем американского кино. Джин был венгерский, тоник – эстонский: тооник. За неимением английских чемоданов обходились своими пословицами.

Когда появился алкоголь с настоящего Запада, отношение к нему прошло все положенные этапы, начиная с восторженной некритичности: здоровенные мужики под рыбца принимали "Амаретто". Потом увлеклись ритуальной стороной дела: поджиганием сахара для абсента, облизыванием лайма с солью под текилу, забрасыванием кофейных зерен в самбуку. Усложненность питьевого обряда для не пьющего запойно американца или европейца (пожалуй, только ирландцы и шотландцы робко приближаются к российскому уровню) восполняет содержание формой. Взять хоть десятки рюмок и бокалов для разных напитков в любом приличном баре: никто не ошибется, налив джин-тоник в сосуд для мартини. Не зря толстая книга-пособие называется "Библия бармена".

Русскому человеку ритуальные новшества потрафили уважительным отношением к выпивке, подтверждая краеугольную мысль: алкоголь – это идея.

Сам-то русский обряд сводился к всегда достоверным и у каждого своим правилам питья: что “не мешать”, как “повышать градус” или “понижать градус”, после чего “никакого похмелья”. Все рассуждения, иногда даже разумные, разбиваются о количество – как в той довлатовской истории о нью-йоркском враче, который так и не поверил, что это скромная правда: литр за присест. Градус менять можно и нужно в течение застолья, но на уровне третьей бутылки перестает действовать не только арифметика, но и дифференциальное исчисление. Мешать очень допустимо, даже водку с пивом, но не в одном стакане.

И – не разделять еду и питье. Суть европейского подхода в том, что крепкий алкоголь обычно пьется до или после еды, а вино – часть трапезы. Понятно, что выпивка как идея на этом пути исчезает. Войдя в состав чего-то утилитарного и повседневного, выводится из закромов белой или любой другой магии, переходит из категории бытия в категорию быта. Ни “Москву–Петушки”, ни “Москву кабацкую” не написать.

...Уже в третий раз выполняя заказ по “Москве кабацкой”, я констатировал, оглядывая зал клубного буфета: “Снова пьют здесь, дерутся и плачут”, как из угла окликнули:

— Слышь, военный, иди выпей, хорош читать.

— Сами же хотели.

— Хотели-перехотели. Иди выпей.

Чувствуя себя непонятым поэтом, сел под огромной картиной в блестящей, недавно посеребренной раме — не разобрать, Айвазовский или Шишкин, какая-то природа. Мне налили, на высоких тонах продолжая свой прерванный разговор.

— Так я захожу, а у него там всё — горюче-смазанные материалы, карасин, масло импортное, ну всё…

Выпил, бормоча про себя: "Шум и гам в этом логове жутком…"

— Чего ты? Чего не нравится?

— Да нет, это строчка, из Есенина.

— Хорош с Есениным. Заманал уже.

Шум в самом деле такой, что и музыки не слышно, не то что стихов. За соседним столиком истошные вопли:

— Я тебе, бля, авиатор, а не какой-нибудь пиджачок!

— Давай-давай, рассказывай!

— Нет, Рома, ты понял?

– Я, конечно, Рома, но не с парома!

– Нет, ты понял?

В первые годы XX века Ремизов еще сомневался: “Жизнь человека красна не одним только пьянством”. Итог столетию подвел Жванецкий: “Кто я такой, чтоб не пить?”

Слово “Я”

Владислав Ходасевич
1886–1939

Перед зеркалом

Nel mezzo del cammin di nostra vita.

Я, я, я. Что за дикое слово!
Неужели вон тот – это я?
Разве мама любила такого,
Желто-серого, полуседого
И всезнающего, как змея?

Разве мальчик, в Останкине летом
Танцевавший на дачных балах, –

Это я, тот, кто каждым ответом
Желторотым внушает поэтам
Отвращение, злобу и страх?

Разве тот, кто в полночные споры
Всю мальчишечью вкладывал прыть, –
Это я, тот же самый, который
На трагические разговоры
Научился молчать и шутить?

Впрочем – так и всегда на средине
Рокового земного пути:
От ничтожной причины – к причине,
А глядишь – заплутался в пустыне,
И своих же следов не найти.

Да, меня не пантера прыжками
На парижский чердак загнала.
И Виргилия нет за плечами —
Только есть одиночество — в раме
Говорящего правду стекла.

1924

"Я – всегда ненавистно", – сказал Паскаль. Им ли вдохновлялся Ходасевич, только он эту тему варьировал всю жизнь: "И вот живу, чудесный образ мой / Скрыв под личиной низкой и ехидной…"; "Смотрю в окно – и презираю. / Смотрю в себя – презрен я сам".

По-настоящему я прочел Ходасевича очень поздно, уже сам умея относиться к себе без всякого почтения; истребляя личное местоимение первого лица в своих писаниях, за ним гоняясь и изгоняя даже в ущерб стилю и грамматике, оставляя лишь тогда, когда без него не обойтись; зная, что даже скромный оборот "я думаю" всегда лишний, потому что если говоришь или пишешь не то, что думаешь, – лучше не надо, а напоминать, что так думаешь именно ты, – все-таки нескромно. Убедительно безжалостный к себе Ходасевич в этом – пример и поддержка. Да и современные мне литературные образцы тому учили, прежде всего – что важно! – те поэты, кого близко знал и знаю.

Бродский, которого нельзя представить произносящим "мое творчество" или "моя поэзия", только – “мои стишки”, который в разговоре мог с усмешкой именовать себя “моя милость”, чтобы лишний раз не употреблять “я”. Не стоит и говорить о его автопортретах: “глуховат”, “слеповат”, “во рту развалины почище Парфенона” и т. д.

По-ходасевически нелицеприятный взгляд на себя – у Лосева: “А это что там, покидая бар, / вдруг загляделось в зеркало, икая, / что за змея жидовская такая? / Ах, это я. Ну, это я .бал”. Или более сдержанно: “А это – зеркало, такое стеклецо, / чтоб увидать со щеткой за щекою / судьбы перемещенное лицо”.

Мотив Ходасевича сильно звучит у Гандлевского, с его мужественным снижением авторского образа “недобитка” до откровенно выраженной неприязни к себе: “Пусть я в общем и целом – мешок дерьма...” или “а я живу себе покуда / художником от слова “худо”. Гандлевский через три четверти века словно воскрешает того – почти пугающего и едва знакомого взрослому поэту – мальчика, танцевавшего на дачных балах: “и уже не поверят мне на слово добрые люди / что когда-то я был каждой малости рад / в тюбетейке со ртом до ушей это я на верблюде / рубль всего а вокруг обольстительный ленинабад”. Критик в 1922 году, отметив “странную, старческую молодость” Ходасевича, будто знал, что спустя восемьдесят лет Гандлевский откликнется: “Мою старую молодость, старость мою молодую...”

Всего тридцать исполнилось Ходасевичу, когда он написал: “Милые девушки, верьте или не верьте: / Сердце мое поет только вас и весну. / Но вот, уж давно меня клонит к смерти, / Как вас под вечер клонит ко сну”.

Помимо прочего, замечателен тут повествовательный ритм и размер: по звучанию – проза, но по плотности текста – безусловная поэзия. Сухость и прозаичность стиха всегда отличали Ходасевича, и лучший критик русского зарубежья Георгий Адамович сетовал, что “стилистическая отчетливость куплена Ходасевичем ценой утраты звукового очарования... Он реалист – очень зоркий и правдивый. Но внешность нашей жизни в его передаче теряет краски и движение”.

Интересно, сознательно или случайно Адамович повторил тютчевские слова, приложенные к России: “Ни звуков здесь, ни красок, ни движенья — / Жизнь отошла — и, покорясь судьбе, / В каком-то забытьи изнеможенья, / Здесь человек лишь снится сам себе". Тютчеву было пятьдесят шесть, когда он вынес на бумагу эту отчаянную горечь. Ходасевич с такого начинал: "В моей стране — ни зим, ни лет, ни весен. / Ни дней, ни зорь, ни голубых ночей. / Там круглый год владычествует осень, / Там — серый свет бессолнечных лучей". Ему двадцать один год, это его первая книга, называется "Молодость", как ни странно; "В моей стране" — первое в первой книге стихотворение: знакомьтесь.

Юбилей на Тверском бульваре

Сергей Есенин

1895–1925

Письмо матери

Ты жива еще, моя старушка?
Жив и я. Привет тебе, привет!
Пусть струится над твоей избушкой
Тот вечерний несказанный свет.

Пишут мне, что ты, тая тревогу,
Загрустила шибко обо мне,
Что ты часто ходишь на дорогу
В старомодном ветхом шушуне.

И тебе в вечернем синем мраке
Часто видится одно и то ж:
Будто кто-то мне в кабацкой драке
Саданул под сердце финский нож.

Ничего, родная! Успокойся.
Это только тягостная бредь.
Не такой уж горький я пропойца,
Чтоб, тебя не видя, умереть.

Я по-прежнему такой же нежный
И мечтаю только лишь о том,
Чтоб скорее от тоски мятежной
Воротиться в низенький наш дом.

Я вернусь, когда раскинет ветви
По-весеннему наш белый сад.
Только ты меня уж на рассвете
Не буди, как восемь лет назад.

Не буди того, что отмечталось,
Не волнуй того, что не сбылось, —
Слишком раннюю утрату и усталость
Испытать мне в жизни привелось.

И молиться не учи меня. Не надо!
К старому возврата больше нет.
Ты одна мне помощь и отрада,
Ты одна мне несказанный свет.

Так забудь же про свою тревогу,
Не грусти так шибко обо мне.
Не ходи так часто на дорогу
В старомодном ветхом шушуне.

1924

Осень 95-го. К столетию Есенина на Тверском бульваре открывают памятник. Тепло, солнечно. Официальные речи уже отговорили, начальство уехало, народ стихийно разбивается по кучкам, расходиться не хочется, хочется поговорить. Главная тема: как убили Есенина.

— Они, значит, позвонили в номер, он открыл, они на него…

— Ну, сразу не вышло, он сопротивлялся.

— Еще как! Он же невысокий был, но так крепкий, сильный.

Рассказчик показывает, как Есенин бил с правой, затем с левой, как потом закрывал лицо согнутыми в локтях руками.

— Он так в угол отошел, к окну, они его там свалили. Добивали. Веревку уже после закрутили на шею.

— Вы так рассказываете интересно, как будто все видишь. Я вот тоже специально в гостиницу эту пошла посмотреть, когда прошлый год в Петербург ездила. У меня племянник в училище там военном.

— В Макаровском?

– Не, то морское, он в пешеходном.

– Да, их не так много было, но все ж таки на него одного человека три-четыре пришло.

– Скажете тоже – “человека”. Нелюди!

– Это точно, звери.

– Я все-таки не понимаю, кому такое нужно было, кому он мешал.

Общий горький хохот.

– Ну, вы, женщина, как вчера родились. Вы посмотрите, там фамилии какие – одни “маны”.

– “Штейны” еще попадаются.

Смех.

– Это да, я не подумала.

– Он-то истинный был русак, как говорится, до мозга, до костей.

– Да-да, конечно, конечно.

От кружка к кружку ходит человек, продает свою книжку. Анатолий Русский, “Писал Есенин искренно... Стихи 1965 – 1995”, бумага газетная, формат карманный, тридцать две страницы. На обложке, она же титульный лист, значится: “Издание осуществлено за счет скудных средств автора”. Книжку покупают, листают, просят автора почитать.

— Писал Есенин искренно / И искренно любил. / Повесившись — невыспренно / Висел среди гардин…

— Вот это у вас хорошо — вот что висел невыспренно, он ведь скромный был, не то что эти.

— Я читал, в Америке исследование провели про разные страны. Есенина почти больше всех любят и читают. Таких поэтов в мире всего около четырех.

— Он этой Америке показал, когда туда ездил с этой сукой.

— Ладно, все-таки жена, а не чтобы. Надо уважать. Про твою бы так.

— А ты что мне тыкаешь?

— Ну всё-всё-всё, кончили, мы зачем здесь собрались, по какому поводу?

Анатолий Русский хочет почитать еще. Неожиданно, ко всеобщему неудовольствию, декламирует не про Есенина, а публицистическое.

— Мы — ни во что теперь не верим! / К Кремлю не ходим на поклон. / Кто нам ответит за потери, / За бесхозяйственный урон?!

— Что вы, в самом деле, как по телевизору. Идите туда и там говорите. А мы тут к великому поэту пришли.

— А я думаю, правильно он говорит, про бесхозяйственность правильно. Есенин — поэт деревни. Засрали страну, я вчера два часа домой добирался, а дочка вообще утром пришла, гуляет и гуляет, шестнадцать лет, отец ей уже не указ. Это как?

Стихотворец спасает положение эффектной концовкой:

— Когда-то верили мы в Бога, / Ходили на поклон к Царю! / Наш хлеб едала вся Европа / И осетровую икру.

— Сейчас уже химия одна. Жена принесла курицу, так у всех сыпь, прямо прыщи такие, и у соседей.

— А мне брат из Астрахани привозит, чистенькую, сам рыбку ловит, сам икорку солит.

— Сергей Александрович это дело любил, под икорочку.

— Это вы о чем?

— Известно о чем.

— Нет, это вы о чем?

— Что вы пристали? Выпить любил, по-нашему сказать, пьяница был, вот что.

Высокий пожилой мужчина смутно начинает тревожиться, но пока держится уверенно под напором худой женщины с ромашками.

– Это кто пьяница?

– Есенин, кто. Всем известно.

– А мне вот, позволю вам заметить, не известно. Я, между прочим, сплетен не собираю, а читаю стихи. А вы вот стихов Есенина не знаете.

– Знаю.

– Нет, не знаете. Вы “Письмо матери” не читали.

Мужчина драматически хохочет, озираясь вокруг, но никто не подхватывает, взгляды неприязненные.

– Да я “Письмо матери”… Да это мое любимое… Наизусть…

– Читайте!

Окончательно сломленный, мужчина начинает. Все вокруг пытливо следят, шевеля губами, звука не исказить. Одно четверостишие, второе, третье, четвертое.

– …Не такой уж горький я пропойца…

– Стоп!

Высокий послушно умолкает. Худая торжествующе обводит взглядом круг.

– Сам сказал! "Не такой уж горький я пропойца".

По кругу шелестит: "сам сказал", "сам сказал". Мужчина с глупой улыбкой разводит руками, он бы убежал, но уже не пробиться сквозь уплотнившиеся ряды. Все группки на бульваре переместились сюда, сзади спрашивают на новенького: "Чего сказал? Кто?" Из передних рядов досадливо отвечают: "Да Есенин! Не мешайте, тут одного прижучили". Прижученного добивают:

– Дальше читайте!

– ...Чтоб, тебя не видя, умереть. / Я по-прежнему такой же нежный...

– Стоп!

– А что такое, что я сказал, не так разве?

– Так, еще как так! Разве пьяница может быть нежным?!

В переживании общего триумфа все поворачиваются друг к другу с добрыми улыбками. Уже и высокий прощен, и сам уже все понял, почтительно о чем-то спрашивает худую, та отвечает, не держит зла. В толпе говорят: "Здорово вывела! А ты говоришь. Что есть, то есть. Разве пьяница может быть нежным?”

Круглолицая молодуха в пуховом берете, пламенно покраснев, вдруг говорит негромко и твердо:

— Может.

Закрытие Америки

Владимир Маяковский
1893–1930

Бруклинский мост

Издай, Кулидж,
радостный клич!
На хорошее
          и мне не жалко слов.
От похвал
          красней,
                    как флага нашего материйка,
хоть вы
          и разъюнайтед стетс
                              оф

Америка.
Как в церковь
идет
помешавшийся верующий,
как в скит
удаляется,
строг и прост, –
так я
в вечерней
сереющей мерещи
вхожу,
смиренный, на Бруклинский мост.
Как в город
в сломанный
прет победитель
на пушках – жерлом
жирафу под рост –
так, пьяный славой,
так жить в аппетите,
влезаю,
гордый,
на Бруклинский мост.
Как глупый художник
в мадонну музея

вонзает глаз свой,
влюблен и остр,
так я,
с поднебесья,
в звезды усеян,
смотрю
на Нью-Йорк
сквозь Бруклинский мост.
Нью-Йорк
до вечера тяжек
и душен,
забыл,
что тяжко ему
и высоко,
и только одни
домовьи души
встают
в прозрачном свечении окон.
Здесь
еле зудит
элевейтеров зуд.
И только
по этому
тихому зуду

поймешь —
поезда
с дребезжаньем ползут,
как будто
в буфет убирают посуду.
Когда ж,
казалось, с-под речки начатой
развозит
с фабрики
сахар лавочник, —
то
под мостом проходящие мачты
размером
не больше размеров булавочных.
Я горд
вот этой
стальною милей,
живьем в ней
мои видения встали —
борьба
за конструкции
вместо стилей,
расчет суровый
гаек
и стали.

Если
придет
окончание света —
планету
хаос
разделает вдоск,
и только
один останется
этот
над пылью гибели вздыбленный мост,
то,
как из косточек,
тоньше иголок,
тучнеют
в музеях стоящие
ящеры,
так
с этим мостом
столетий геолог
сумел
воссоздать бы
дни настоящие.
Он скажет:
— Вот эта
стальная лапа

соединяла
моря и прерии,
отсюда
Европа
рвалась на Запад,
пустив
по ветру
индейские перья.
Напомнит
машину
ребро вот это —
сообразите,
хватит рук ли,
чтоб, став
стальной ногой
на Мангетен,
к себе
за губу
притягивать Бруклин?
По проводам
электрической пряди —
я знаю —
эпоха
после пара —

здесь
люди
уже
орали по радио,
здесь
люди
уже
взлетали по аэро.
Здесь
жизнь
была
одним – беззаботная,
другим –
голодный
протяжный вой.
Отсюда
безработные
в Гудзон
кидались
вниз головой.
И дальше
картина моя
без загвоздки,
по струнам-канатам,
аж звездам к ногам.

Я вижу —
здесь
стоял Маяковский,
стоял
и стихи слагал по слогам. —
Смотрю,
как в поезд глядит эскимос,
впиваюсь,
как в ухо впивается клещ.
Бруклинский мост —
да...
Это вещь!

[1925]

Практически непременное открытие всякого новичка в Нью-Йорке: небоскребы не подавляют. Это совершенно логично, потому что ощущение неуюта возникает тогда, когда взгляду не во что упереться. В Нью-Йорке горизонталь – соотнесенная с человеком, здесь нет широких улиц, Бродвей или Пятая авеню – очень средние по московским масштабам, да не только по московским, а по минским, киевским, магаданским. В Нью-Йорке нет подземных переходов – стоит вдуматься в эту выразительную деталь. А вертикаль – что-то такое творится у тебя над головой, но ты этого без специальных усилий и желаний не видишь.

Тур Хейердал показывал полинезийцам фотографии манхэттенских небоскребов, с удивлением отмечая, что никакого впечатления они не производят. Зато снимок семьи на фоне двухэтажного дома аборигенов потряс. Соотнесение здания с человеком убеждало, тогда как небоскребы проходили для полинезийцев, очевидно, по разряду природных явлений. Тем они, небоскребы, и впечатляют, да и вся нью-йоркская эстетика: она принципиально нова для горожанина Старого Света. Даже для такого подготовленного, как Маяковский. Пастернак, противопоставляя его другим (поэтам и не только поэтам), писал: "Остальные боролись, жертвовали жизнью и созидали или же терпели и недоумевали, но все равно были туземцами истекшей эпохи... И только у этого новизна времен была климатически в крови". При всей готовности к новизне, Маяковский был восхищенно подавлен Нью-Йорком, в чем признавался с простодушной откровенностью: "Смотрю, как в поезд глядит эскимос", "Я в восторге от Нью-Йорка города", и даже совсем по-детски: "Налево посмотришь — мамочка мать! / Направо — мать моя мамочка!" Через несколько лет после своей американской поездки (лето — осень 1925 года) он написал: "Я в долгу перед Бродвейской лампионией", по сути расписываясь в том, что Нью-Йорк оказался ему не по силам. Два десятка стихотворений, составивших цикл "Стихи об Америке" — плоская публицистика с единственным вкраплением поэзии. Единственным — но каким!

"Бруклинский мост" — шедевр поэтической ведуты. Город вообще описывать сложнее, чем природу. Не накоплена традиция, городские "леса второго порядка" (выражение Хлебникова) выросли куда позже, чем леса Гесиодовых "Трудов и дней", Вергилиевых эклог и всего того, что за столетия сказано о природе.

Маяковский в "Бруклинском мосте" дает необыкновенной красоты и силы образы: "И только одни домовьи души / встают в прозрачном свечении окон" или "Поезда с дребезжаньем ползут, / как будто в буфет убирают посуду". Метафоры точны. Мне известно это достоверно, не только потому, что в городе прожито семнадцать с лишним лет, но и мое первое потрясение было вполне маяковское: впервые я увидел Манхэттен вечером 5 января 1978 года сквозь Бруклинский мост.

Остальные "Стихи об Америке" — насквозь идеологически предвзяты (даже советский Сельвинский назвал их "рифмованной лапшой кумачовой халтуры"). Слышен революционный поэт, который еще в 20-м году написал: "Красный флаг на крыши нью-йоркских зданий". И в единственном выдающемся стихотворении цикла есть характернейшая ошибка: "Отсюда безработные /

в Гудзон кидались вниз головой". Бруклинский мост перекинут через Ист-Ривер, до Гудзона полтора километра по прямой. История ошибки поучительна.

Строфа про безработных в черновике вписана отдельно и другими чернилами – скорее всего, после отъезда из Штатов, когда издали было не разобрать, где какая река. Первый, свежесочиненный вариант поэт читал в Нью-Йорке; как сообщала эмигрантская газета "Русский голос", из публики сказали: "Не забудьте, товарищ Маяковский, что с этого же моста часто безработные бросаются в воду, разочарованные и измученные жизнью". Сказали по-русски – на языке маяковской Америки. Иных языков он не знал, как и побывавший тут тремя годами раньше Есенин. Но тот объехал Штаты в качестве экзотического мужа Айседоры Дункан – оттого столкнулся с американской Америкой, взбесившей его снисходительным вниманием к брачной прихоти звезды, и жаловался Мариенгофу: "Знают больше по имени, и то не американцы, а приехавшие в Америку евреи". Они-то составили все Соединенные Штаты и для Маяковского.

В своем поэтическом хвастовстве – "Мы целуем – беззаконно! – над Гудзоном / ваших длинноногих жен" – Маяковский несколько преувеличил. Длинноногий объект был единичным и конкретным. Звали ее Элли Джонс, в оригинале – Елизавета Зиберт, эмигрантка из России. В 93-м я познакомился с их дочерью Патришей Томпсон (через десять лет она выпустила книгу "Маяковский на Манхэттене") – рослой, с крупными чертами лица, низким голосом, удивительно похожей на отца. Вот она уже несомненная американка, знающая по-русски десяток фраз. С подобной женщиной Маяковский вряд ли смог бы вступить в отношения, хоть бы и беззаконные. Он ведь посетил не столько Соединенные Штаты, сколько тогдашние Брайтон-Бичи. Как сам писал: "Я мог ездить только туда, где большие русские колонии". Эмигрантской Америкой обычно ограничивается общение со Штатами и для сегодняшнего человека из России.

Что до Нового Света, его Маяковский и не собирался открывать. Итоговое заключение он сделал *до* прибытия: "Я б Америку закрыл, слегка почистил, / а потом опять открыл – вторично". Этот манифест, это американское завещание поэта написано по дороге *туда* – стихотворение "Христофор Коломб" датировано точно: "7.VII. Атлантич. океан". То есть как поступить с Соединенными Штатами, Маяковский решил за двадцать дней *до* первого шага по территории страны.

Он все уже знал об Америке заранее. Во всяком случае – все, что ему было нужно. Отсюда – стереотипы, которыми оперирует не только Маяковский, но и тысячи российских людей, попадающих или так никогда и не попадающих в Америку. "Асфальт и стекло. Иду и звеню. / Леса и травинки – сбриты". Эти лихие строчки – из стереотипа "каменных джунглей" Нью-Йорка. Пятая авеню и Бродвей не каменнее Тверской и Садового кольца, а уникальный зеленый гигант в центре города – Центральный парк – в три раза больше московского Парка Горького.

В том месте, где к Сентрал-Парку выходит 72-я стрит – растительный мемориал Джону Леннону "Земляничные поляны". Леннон был убит здесь, возле "Дакоты", дома, в котором он жил. Когда на рассвете 9 декабря 80-го года я приехал сюда, у "Дакоты" уже стояли сотни людей, потом их стали тысячи. Жгли свечи, тихо играли на гитарах, потом парень в вязаной шапочке выступил вперед и поставил на асфальт маленький магнитофон. Раздались первые аккорды, и вся огромная толпа разом запела, громко и слаженно, будто репетировала долгими неделями: "Close your eyes and I kiss you, tomorrow I miss you" – "Закрой глаза, я тебя поцелую, а завтра затоскую по тебе".

Центральный парк очень хорош, но мой любимый – в сотне кварталов к северу: парк Форт-Трайон в Верхнем Манхэттене, где находится средневековый монастырь. Это не оговорка и не путаница, сюда Рокфеллер привез из Испании и Франции фрагменты разрушенных монастырей, после реставрации составленные в единое целое, сейчас здесь филиал музея Метрополитен – "Cloisters". Здание вместе с гектарами земли Рокфеллер подарил городу.

Несколькими кварталами южнее я прожил все свои нью-йоркские годы, возле станции метро 181 St., точно следуя завету Дюка Эллингтона "Take the A train" – "Садись в поезд А". Тот маршрут, который идет вдоль Манхэттена – самого живого и интересного места на земле.

Знание разрушает стереотипы. Стереотипы же вовсе не сокращают знание, как может показаться, – они его сводят на нет, делают ненужным, предлагая готовые образы и формулы, имеющие тенденцию и свойство отрываться от реальности.

Память подсовывает сценку. Москва середины 70-х, без пяти девять утра. У закрытых еще дверей гастронома в высотке на площади Восстания человек пятьдесят: старушки в поисках хоть какого-нибудь утреннего дефицита, похмельные мужчины – известно, что в отделе соков вчера был молдавский портвейн. На дверях – свежее объявление от руки: "В продаже имеется беттерфиш". Никто не знает, что такое беттерфиш, толпа строит догадки. На минуту очнувшийся молодой алкаш говорит: "Это, бабушки, рыба такая, наверно, американская, в переводе означает "лучшая рыба". Подавленные новостью, все молчат, потом одна женщина произносит: "Они там в Америке с утра водки напьются, любое говно сожрут".

Десяток диссертаций можно сочинить, анализируя эту загадочную фразу, взращенную в сумеречных закромах российского сознания. Основанная на незнании боязнь Запада – с XVII века, когда начинает проникать в том или ином виде непонятная и враждебная иноземщина. Лжедимитрия погубила вилка: когда он сел на Москве, с ним уже почти примирилось боярство, но Гришка Отрепьев нахватался за границей новомодных застольных манер и, вместо общепринятой ложки, брал еду вилкой – этого уж не простили. Патриарх Никон жег иконы "нового письма", европейского. С петровских времен – разгул иностранцев. Нанятые за границей или приехавшие сами, они учат воевать, строить, торговать. Их подозревают и боятся, от них ждут подвоха. Их слушаются, но не любят. От них – нарушение привычного порядка и обычая. Бритье бород на западный манер – едва ли не главное преступление Петра в глазах народа и Церкви. В России начала XXI столетия больше половины россиян считают себя европейцами. При этом две трети полагают, что западная культура оказывает негативное воздействие на жизнь в России. Очевидное противоречие не смущает. Польза приходит с Запада, но польза не есть добро.

У Соединенных Штатов среди россиян – минимальный "рейтинг дружественности": "они нас не любят". Стандартная реакция на критический отзыв о выступлении певицы или фигуристов: "Ну, не любят они нас". Действуют законы бытовой соборности: не важно, что речь о конкретных артистах и спортсменах – они обязаны выступать от имени страны и народа, а не своего собственного, зато и виноваты всегда будут не сами, а зарубежный заговор. Таков негласный общественный договор. В ответах на вопрос, какие образы связаны с той или иной страной, негативные эмоции явны в двух случаях – по отношению к Штатам и Японии. Ну ладно, Япония – с ней воевали, жива память о Цусиме и "Варяге", она зарится на Курильские острова. В случае Америки рациональных причин нет: просто богатая и сильная. При этом большинство считает устройство американского общества более справедливым по сравнению с российским. Никого не беспокоит социологический парадокс: Запад враждебен, но сотрудничать и дружить с ним нужно. Первое – органично, второе – прагматично. И то, и другое – искренне. Более половины полагают, что Россия нужна Западу, потому что стоит между Азией и Европой. Мотив блоковских "Скифов": "Держали щит меж двух враждебных рас – / Монголов и Европы". Все в мире переменилось, а стереотип – работает.

Из явлений, которых больше всего боятся нынешние россияне, впереди – страхи личные и социальные: болезни близких, безработица, бедность, свои болезни. Мировая война – на шестом месте, тогда как в конце советской эпохи была на втором. И примерно каждый шестой считает, что Соединенные Штаты готовы воевать против России. Америка уверенно возглавляет перечень врагов.

Три периода были в новейшей российской истории, когда такое отношение отступало. Конечно, война. Мой отец обнимался с американцами на Эльбе, дома хранился подаренный ему союзниками военный знак отличия – память о тех братских объятиях, но военную дружбу забыли скоро. Уже в 49-м вышел на экраны фильм "Встреча на Эльбе", где американцы выглядели отвратительнее немцев. Их облик надолго определили Кукрыниксы и Борис Ефимов: толстые мужчины, оснащенные тремя обязательными предметами – цилиндром, сигарой и бомбой. Затем – хрущевская оттепель, поколение “штатников”, когда снова начали дружить, когда с Запада потекла всякая новизна: от шариковых ручек, столовых самообслуживания и молочных тетраэдров до Хемингуэя, рока и “Великолепной семерки”. Наконец, первые годы перестройки: самозабвенная любовь к Америке, которая кончилась довольно скоро.

Всего пять дней прошло после террористической атаки на Нью-Йорк и Вашингтон, а 22 процента россиян заявили, что испытали удовлетворение. При всей своей подчиненности политическим и психологическим стереотипам, Маяковский относился к судьбе Нью-Йорка и потрясшего его Бруклинского моста великодушнее: “Если придет окончание света – / планету хаос разделает в лоск, / и только один останется этот / над пылью гибели вздыбленный мост…”

Пожарная тревога

Николай Заболоцкий
1903–1958

Свадьба

Сквозь окна хлещет длинный луч,
Могучий дом стоит во мраке.
Огонь раскинулся, горюч,
Сверкая в каменной рубахе.
Из кухни пышет дивным жаром.
Как золотые битюги,
Сегодня зреют там недаром

Ковриги, бабы, пироги.
Там кулебяка из кокетства
Сияет сердцем бытия.
Над нею проклинает детство
Цыпленок, синий от мытья.
Он глазки детские закрыл,
Наморщил разноцветный лобик
И тельце сонное сложил
В фаянсовый столовый гробик.
Над ним не поп ревел обедню,
Махая по ветру крестом,
Ему кукушка не певала
Коварной песенки своей:
Он был закован в звон капусты,
Он был томатами одет,
Над ним, как крестик, опускался
На тонкой ножке сельдерей.
Так он почил в расцвете дней,
Ничтожный карлик средь людей.

Часы гремят. Настала ночь.
В столовой пир горяч и пылок.
Графину винному невмочь
Расправить огненный затылок.

Мясистых баб большая стая
Сидит вокруг, пером блистая,
И лысый венчик горностая
Венчает груди, ожирев
В поту столетних королев.
Они едят густые сласти,
Хрипят в неутоленной страсти
И, распуская животы,
В тарелки жмутся и цветы.
Прямые лысые мужья
Сидят, как выстрел из ружья,
Едва вытягивая шеи
Сквозь мяса жирные траншеи.
И, пробиваясь сквозь хрусталь
Многообразно однозвучный,
Как сон земли благополучной,
Парит на крылышках мораль.

О пташка божья, где твой стыд?
И что к твоей прибавит чести
Жених, приделанный к невесте
И позабывший звон копыт?
Его лицо передвижное
Еще хранит следы венца,

Кольцо на пальце золотое
Сверкает с видом удальца,
И поп, свидетель всех ночей,
Раскинув бороду забралом,
Сидит, как башня, перед балом
С большой гитарой на плече.

Так бей, гитара! Шире круг!
Ревут бокалы пудовые.
И вздрогнул поп, завыл и вдруг
Ударил в струны золотые.
И под железный гром гитары
Подняв последний свой бокал,
Несутся бешеные пары
В нагие пропасти зеркал.
И вслед за ними по засадам,
Ополоумев от вытья,
Огромный дом, виляя задом,
Летит в пространство бытия.
А там — молчанья грозный сон,
Седые полчища заводов,
И над становьями народов —
Труда и творчества закон.

1928

Таню Маторину я не видел года четыре, так что удивился, когда получил приглашение на ее свадьбу — церемонное, на разлинованной открытке круглым детским почерком. Танька считалась первой красавицей нашей школы, выступала на всех вечерах с репертуаром Эдиты Пьехи, собиралась то ли во ВГИК, то ли в ГИТИС. Мы учились в параллельных классах, сталкивались нечасто, как раз на школьных танцах — но всегда весело и волнующе. Был, правда, еще выпускной вечер, когда все плыло в портвейне, и мы с ней очутились почему-то в раздевалке, застряв там на полчаса, а потом завуч Людмила Ивановна, тоже сильно навеселе, грозила мне пальцем и кричала: “Ты мне скажи, почему у Маториной присосы на шее?” Танька хохотала, а я отвечал: “Засосы, Людмила Ивановна, по-русски называется — засосы”. Ни в какие ВГИКи Татьяну не взяли, что-то она пыталась делать на Рижской киностудии, года через два позвонила и позвала в какой-то клуб на спектакль “Мещанская свадьба” по Брехту, где играла главную роль. Через час топота и воплей я, согнувшись, по стеночке, выбрался из зала. С тех пор мы не виделись.

Еще страннее, чем само приглашение, было указание места — Закюсала, Заячий остров. Сейчас там стоит телецентр с башней, а в те времена этот остров посреди Даугавы был поразительным деревенским анклавом в центре города. Плоский трехкилометровый кусок суши шириной метров в двести-триста с сельскими домиками, почти избами, которые на большой рижской земле сохранялись разве только в дальних уголках Московского форштадта. Большинство рижан, всю жизнь проживя в городе, никогда не бывали на Заячьем, да и незачем. Остров, он и в городе остров. За семнадцать лет в Нью-Йорке я всего однажды оказался на Рузвельт-Айленде, хотя он между Манхэттеном и Квинсом посреди Ист-Ривер: специально поехал стереть белое пятно. Всего однажды до Танькиной свадьбы был и на Зайчике: приятели туда ходили ловить рыбу, я этим не увлекался, но варить уху умел и любил.

Приехал на полчаса раньше, чем предписывалось в открытке, и с букетом и гэдээровским кофейным сервизом пошел прогуляться. Стоял август, за косыми дощатыми заборами гнулись от белого налива яблони, у ворот ходили куры, по пыльным неасфальтированным улицам изредка проезжал колесный трактор, из окон с резными наличниками высовывались головы в платках. Непохоже, что рядом, за речкой, – готика, брусчатка, дома стиля модерн. Непонятно, что делает на Зайчике центровая светская Татьяна.

Она оказалась так же хороша, только пополнела. Белое платье скроили умело, но приглядевшись, я понял, что пополнела она специфически. Что-то, даже очень многое, объяснялось: потому что ни жених, шофёр с киностудии, ни его родители, аборигены Закюсала, ни свадебные гости не имели ничего общего с прежней Танькой. То-то ее мать, доцент из Политехнического, не присутствовала. Знаком мне тут был только ее брат, очкарик в рекордных прыщах. Прыщи не уменьшились со времен Брехта, брат протянул мне мягкую руку и сказал: “Как сам себя чувствуешь, старик? Всё антик-плезир?”

Позже я догадался, что меня позвали как представителя образованного сословия для укрепления статуса невесты: все остальные Татьянины знакомые, бывшие возмущенными свидетелями ее падения и мезальянса, отпали. Меня, надолго выпавшего из жизни по случаю армейской службы, никакое знание не обременяло.

На столах обильно разложились изделия сельской кулинарии – пироги, кулебяки, жирные мяса, горы цыплят. С огородов Зайчика – картошка, помидоры, капуста, пучки сельдерея. В графинах – закрашенная черным бальзамом водка. Понесли подарки. Под общий громовой хохот – детскую коляску. Танька сильно покраснела и быстро взглянула на меня и еще – на высокого парня с рыжей бородкой в переливчатом галстуке, моряка дальнего плавания, как мне его только что представили. От родителей – румынский мебельный гарнитур, его так и вносили предмет за предметом. Места много: свадьбу устроили в гигантском ангаре местной пожарной части.

Обе алые машины отогнали на лужайку за зданием, там же сложили лестницы, рукава, топоры, лопаты, тремя высоченными стопками составили ярко-красные вёдра. Будучи сам уже полгода пожарным Рижского электромашиностроительного завода, я со знанием дела обследовал инвентарь, заглянул в каптерку, где на лавке беспорядочным ворохом лежали куртки, штаны, каски, пояса с огромными тусклыми бляхами. Убедился, что в случае какого-либо возгорания на Зайчике весь остров беспрепятственно сгорит дотла, и пошел знакомиться с коллегами. Караул в составе семи пожарных нес свое суточное дежурство за отдельным столом. Торжественность момента здесь ощущалась слабее, что естественно: я-то понимал, что в точно такой же деятельности проходила каждая смена, только обычно закуски меньше.

Подношение подарков продолжалось. Вазы чешского хрусталя, стриженые ковры, кастрюли. Моряк, выждав паузу, вынул из-под стола красную кофемолку. Все бросились смотреть, из кучи-малы слышались сдавленные крики: "Умеют же, как умеют!", "Вот одну на кухне поставить – и ничего не надо!", "Постой, она ж не на двести двадцать!", "А трансформатор, а трансформатор, у меня дома есть, сейчас принесу".

Бледный молодой человек, не глядя на жениха, протянул Татьяне журнальную репродукцию в самодельной багетной рамке – какая-то вода, мостик, цветы. "Тань, это твоя любимая, помнишь?" Жених нахмурился, невеста зарозовела. Брат снял очки, вгляделся и веско произнес: "Клод Моне. Импрессионизм".

Появился поп. Диковинность нарастала. Оказывается, утром Татьяна со своим шофером венчались в церкви Александра Невского на Ленина. Поп попел немного и сел с родителями. Пир был пущен.

После мяса и овощей стол густо покрыли сласти. К этому времени обстановка сделалась непринужденной. Караул устал, а поскольку на дежурстве, то все семеро привычно и умело заснули, кто где сидел. Моряк открыто перемигивался с невестой, а поймав мой взгляд, отнес его к галстуку и с достоинством сказал: "Ага, "Тревира". Других не ношу".

В открытые ворота ангара было видно, как у пожарной машины надрывно блюет бледный даритель импрессионизма. Брат заводил со мной интеллигентный разговор: "Как дела в мире животных, старик? Ну и что мы думаем о Маркесе? Имею в виду, разумеется, Габриэля Гарсию". Моряк взял гитару, заложил спичкой две струны, оставив четыре под аккорд, вынул изо рта трубку и запел: “У Геркулесовых столбов лежит моя дорога…” Танька смотрела на него во все красивые глаза, приоткрыв красивый рот. Жениха в дальнем углу инструктировали по мебельной сборке. На караульный стол водрузили радиолу “Дзинтарс”, врубили на полную мощность забытое и сиплое, пожарная охрана не шелохнулась. Начались танцы.

Средний возраст свадебной публики приближался к пенсионному: понятно, что пригласили островной истеблишмент, к которому принадлежала семья жениха. Распуская пояса на вздувшихся животах, вихрем закружились потные королевы Зайчика и их лысые мужья в черных костюмах. Сквозь бешено несущиеся пары протолкался, подняв бокал, отец жениха, завопил “Моя Марусечка, попляшем мы с тобой!” и с видом удальца ударился вприсядку, не выпуская бокала. Его Марусечка неожиданно проворно пустилась в пляс, сложив руки под тяжелыми грудями. Бобина докрутилась до конца, большая стая мясистых баб приземлилась на лавке вдоль стены и, вытягивая шеи, запела — “Черные глаза”, “Счастье мое”, “Лунную рапсодию”. Ополоумев от вытья, я побрел наружу.

Ранний августовский вечер был дивно хорош. Перемещение во времени и пространстве происходило ощутимо. Подняв голову, можно было разглядеть на левом берегу Даугавы серые полчища заводов, на правом — шпили Домского собора и церкви Екаба, но если не поднимать и смотреть перед собой — средняя полоса, какой-то Валдай, другая эпоха. Удивление и водка с бальзамом соединились, меня повело, руки ухватились за что-то, это что-то пошатнулось тоже, и вдруг все страшно, раскатами, загремело. Я зажмурился, а когда открыл глаза, увидел картину, за которую дорого бы дал Моне: на широкой зеленой лужайке валялись десятки алых пожарных ведер.

В каптерке кто-то громко ойкнул, я распахнул дверь. Спиной ко мне стоял моряк с закинутой через плечо переливчатой “Тревирой”, а перед ним — Танька Маторина. Фата сбита набок, но длинное подвенечное платье в порядке, только над головой невесты с красного пожарного багра свисали колготки.

Увидев, как на шум рухнувших ведер из ангара выбежали гости и жених, я пошел прочь. Сзади доносилось о Марфуше, которая замуж хочет. На завалинках досиживали вечерок местные жители, под ногами вяло бродили собаки, избы готовились к погружению в благополучный сон, и поскольку все остальное поэт описал совершенно точно, наверное, где-то на крылышках парила мораль.

Упаковка идеи

Владимир Маяковский
1893–1930

Во весь голос

Первое вступление в поэму

Уважаемые
товарищи потомки!
Роясь
в сегодняшнем
окаменевшем говне,
наших дней изучая потемки,
вы,
возможно,
спросите и обо мне.

И, возможно, скажет
ваш ученый,
кроя эрудицией
вопросов рой,
что жил-де такой
певец кипяченой
и ярый враг воды сырой.
Профессор,
снимите очки-велосипед!
Я сам расскажу
о времени
и о себе.
Я, ассенизатор
и водовоз,
революцией
мобилизованный и призванный,
ушел на фронт
из барских садоводств
поэзии –
бабы капризной.
Засадила садик мило,
дочка,
дачка,
водь
и гладь –

сама садик я садила,
сама буду поливать.
Кто стихами льет из лейки,
кто кропит,
набравши в рот –
кудреватые Митрейки,
мудреватые Кудрейки –
кто их, к черту, разберет!
Нет на прорву карантина –
мандолинят из-под стен:
“Тара-тина, тара-тина,
т-эн-н…”
Неважная честь,
чтоб из этаких роз
мои изваяния высились
по скверам,
где харкает туберкулез,
где блядь с хулиганом
да сифилис.
И мне
агитпроп
в зубах навяз,
и мне бы
строчить
романсы на вас –

доходней оно
и прелестней.
Но я
себя
смирял,
становясь
на горло
собственной песне.
Слушайте,
товарищи потомки,
агитатора,
горлана-главаря.
Заглуша
поэзии потоки,
я шагну
через лирические томики,
как живой
с живыми говоря.
Я к вам приду
в коммунистическое далеко
не так,
как песенно-есененный провитязь.
Мой стих дойдет
через хребты веков

и через головы
поэтов и правительств.
Мой стих дойдет,
но он дойдет не так, –
не как стрела
в амурно-лировой охоте,
не как доходит
к нумизмату стершийся пятак
и не как свет умерших звезд доходит.
Мой стих
трудом
громаду лет прорвет
и явится
весомо,
грубо,
зримо,
как в наши дни
вошел водопровод,
сработанный
еще рабами Рима.
В курганах книг,
похоронивших стих,
железки строк случайно обнаруживая,

вы

с уважением

ощупывайте их,

как старое,

но грозное оружие.

Я

ухо

словом

не привык ласкать;

ушку девическому

в завиточках волоска

с полупохабщины

не разалеться тронуту.

Парадом развернув

моих страниц войска,

я прохожу

по строчечному фронту.

Стихи стоят

свинцово-тяжело,

готовые и к смерти,

и к бессмертной славе.

Поэмы замерли,

к жерлу прижав жерло

нацеленных
зияющих заглавий.
Оружия
любимейшего
род,
готовая
рвануться в гике,
застыла
кавалерия острот,
поднявши рифм
отточенные пики.
И все
поверх зубов вооруженные войска,
что двадцать лет в победах
пролетали,
до самого
последнего листка
я отдаю тебе,
планеты пролетарий.
Рабочего
громады класса враг —
он враг и мой,
отъявленный и давний.

Велели нам
идти
под красный флаг
года труда
и дни недоеданий.
Мы открывали
Маркса
каждый том,
как в доме
собственном
мы открываем ставни,
но и без чтения
мы разбирались в том,
в каком идти,
в каком сражаться стане.
Мы
диалектику
учили не по Гегелю.
Бряцанием боев
она врывалась в стих,
когда
под пулями
от нас буржуи бегали,

как мы
когда-то
бегали от них.
Пускай
за гениями
безутешною вдовой
плетется слава
в похоронном марше —
умри, мой стих,
умри, как рядовой,
как безымянные
на штурмах мерли наши!
Мне наплевать
на бронзы многопудье,
мне наплевать
на мраморную слизь.
Сочтемся славою —
ведь мы свои же люди, —
пускай нам
общим памятником будет
построенный
в боях
социализм.

Потомки,
словарей проверьте поплавки:
из Леты
выплывут
остатки слов таких,
как “проституция”,
“туберкулез”,
“блокада”.
Для вас,
которые
здоровы и ловки,
поэт
вылизывал
чахоткины плевки
шершавым языком плаката.
С хвостом годов
я становлюсь подобием
чудовищ
ископаемо-хвостатых.
Товарищ жизнь,
давай
быстрей протопаем,
протопаем
по пятилетке
дней остаток.

Мне
и рубля
не накопили строчки,
краснодеревщики
не слали мебель на дом.
И кроме
свежевымытой сорочки,
скажу по совести,
мне ничего не надо.
Явившись
в Це Ка Ка
идущих
светлых лет,
над бандой
поэтических
рвачей и выжиг
я подыму,
как большевистский партбилет,
все сто томов
моих
партийных книжек.

[1930]

Непревзойденная в русской поэзии афористичность. Подсчитывать как-то глупо, но и на глаз видно, что даже в “Горе от ума” вошедшие в язык словосочетания идут не столь часто и густо. Таков был способ словоизъявления Маяковского.

В романе Достоевского с особо примечательным в данном случае названием “Подросток” есть слова: “Князь был немного ограничен и потому любил в слове точность”. Тяготение к формулам – неумение и боязнь показать работу мысли, желание скрыть процесс, выдав уже готовую продукцию: в конечном счете, свидетельство интеллектуальной неуверенности, слабости, подростковости. Броскость формулировки слишком часто затушевывает невнятицу и сомнительность высказанной идеи, шаткость устоев. Любивший и почитавший Маяковского Пастернак послал ему письмо с безжалостным пожеланием освободиться от “призрачной и полуобморочной роли вождя несуществующего отряда на приснившейся позиции”. Это было в апреле 28-го, за два года до апреля 30-го, когда Маяковский все свои поэтические и человеческие двусмысленности устранил.

При чтении всего Маяковского возникает ощущение, что в последние годы громкими эффектными лозунгами он оглушал не столько читателя и слушателя (выдающийся эстрадник!), сколько себя.

Не помню точно, когда именно проходили "Во весь голос" в школе, но отчетливо вспоминаю свою растерянность: ни о каком социализме не могло быть речи в моем умственном обиходе, но впечатление было сильное, *такие* лозунги завораживали. Презираемые призывы срабатывали только в подаче Маяковского.

Подобных примеров не так уж много, и каждый раз вопрос отношения и оценки сложен. Диего Ривера, Лени Рифеншталь, Сергей Эйзенштейн – великие мастера художественной пропаганды. Какое из двух последних слов значительнее и важнее? Только застывшие кадры остались от уничтоженного эйзенштейновского фильма "Бежин луг", но и по ним видно, как празднично наряден эпизод разорения храма, как евангельски благостен Павлик Морозов, как противоположны тут эстетика и этика, вызывая разом чувство восторга и омерзения.

Все эти образцы узнаешь с возрастом, а Маяковский приходит в ранней юности, и он такой один. Скажем, самый почитаемый советский святой – Павка Корчагин, чью агиографию заставляли не только досконально знать, но и частично заучивать наизусть, как стихи (беспрецедентный случай даже для инквизиторской советской школы), меня очень раздражал. Таких альтруистических невротиков-мазохистов я никогда не видел, о таких в окружающей действительности не слышал, представить мог и могу только умозрительно. Подобные встречались в раннем христианстве: сохранились послания епископов I–II веков, которые обращались к пастве с увещанием не доносить римским властям на самих себя, чтобы отправили на мученическую казнь.

Кроме того, попытки отделить подвижника от идеи его подвига – едва ли состоятельны. Говорят, что нынешнему российскому обществу остро требуются свои павки корчагины, чтобы создать противовес всеобщему засилию потребительства и неверия ни во что. Но где теперь взять идею, на протяжении веков уравнительно-аскетическую, которая бы воодушевила таких новых героев? Помощь слабым и бедным — дело в российском случае если не государства, еще авторитарного и дикого, то частной благотворительности, то есть богатых, а значит, циничных. Есть и просто энтузиасты, но в нормальной стране человек, включающий общественное служение в круг своих личных интересов, — опять-таки частное лицо, частным же образом действующее.

Трудно вообразить себе подвижника либеральных ценностей. Сама либерально-демократическая концепция — рационалистична, предполагает разномыслие и компромисс: то, что у подвижника отсутствует по определению. Если он истово одержим идеей, а только тогда и совершается подвиг, то столь же искренне увлечен тем, чтобы сделать своими единомышленниками окружающих. Завышенные требования к себе рано или поздно с неизбежностью распространяются на других. Аскеза часто сопровождается агрессией и нетерпимостью. Но даже на российской почве не для всех извращенное умение (будь то война, экономика или футбол) — завести себя в беду, чтобы потом самоотверженно из нее выкарабкиваться. Как там у Маяковского: “Работа трудна, работа томит. / За нее никаких копеек. / Но мы работаем, будто мы / делаем величайшую эпопею”. Тем и был мне отвратителен Корчагин, что не только сам ложился на рельсы, а клал рядом других.

Не хотелось на субботник, не хотелось в эпопею без копеек, на рельсы не хотелось, хотелось, как тогда еще не существовавшему Веничке, найти уголок, в котором не всегда есть место подвигам. А Маяковский позволял любоваться всей этой ненужной героикой издали, привлекая блестящей товарной упаковкой. Его остроумные и находчивые образы запомнились и вошли в язык. “Во весь голос” — пример из лучших, с самого начала: “роясь в сегодняшнем окаменевшем говне”, “очки-велосипед”, “о времени и о себе”, “доходней оно и прелестней”, “на горло собственной песне”, “как живой с живыми говоря”, “весомо, грубо, зримо”, “как в наши дни вошел водопровод, сработанный еще рабами Рима”... Стоп, придется снова переписывать подряд.

При этом у Маяковского, особенно взятого на всей его протяженности — от “Ночи”, “Порта”, “А вы могли бы?” до конца — в громыхающих девизах последних стихов очень слышна натужность: вместо поэтической отваги — поэтическая техника, что почти всегда означает пустоту. Как сказала Надежда Мандельштам, “ведь есть же люди, которые пишут стихи не хуже поэтов, но что-то в их стихах не то, и это сразу ясно всем, но объяснить, в чем дело, невозможно”. Она все же поясняет: “Есть люди, у которых каждое суждение связано с общим пониманием вещей. Это люди целостного миропонимания, а поэты принадлежат, по всей вероятности, именно к этой категории, различаясь только широтой и глубиной охвата”. В таком смысле поздний Маяковский, утрачивая целостное миропонимание, вообще понимание того, что творится вокруг, наглядно переставал быть поэтом, хотя продолжал писать стихи гораздо лучше подавляющего большинства занимавшихся этим делом.

Заметный спад энергии — жизненной, что ли, и уж точно поэтической — в конце вступления к ненаписанной поэме, где идет самопредставление, самооправдание. Может, правильнее было бы поставить точку на звучных мощных строках: “Мне наплевать на бронзы многопудье, / мне наплевать на мраморную слизь. / Сочтемся славою — ведь мы свои же люди, — / пускай нам общим памятником будет / построенный в боях социализм”. Лучше этого пятистишия режим не получал ни до, ни после.

Имя собственное

Осип Мандельштам
1891–1938

Ленинград

Я вернулся в мой город, знакомый до слез,
До прожилок, до детских припухлых желез.

Ты вернулся сюда – так глотай же скорей
Рыбий жир ленинградских речных фонарей.

Узнавай же скорее декабрьский денек,
Где к зловещему дегтю подмешан желток.

Петербург! я еще не хочу умирать:
У тебя телефонов моих номера.

Петербург! у меня еще есть адреса,
По которым найду мертвецов голоса.

Я на лестнице черной живу, и в висок
Ударяет мне вырванный с мясом звонок,

И всю ночь напролет жду гостей дорогих,
Шевеля кандалами цепочек дверных.

Декабрь 1930, Ленинград

По радио пела Пугачева. Где не хватало, лишний раз добавляла в своем переводе: “Ленинград! Ленинград! Я еще не хочу умирать!” Где строчки были длиннее музыки, убавляла: “У меня еще есть адреса, по которым найду голоса”. Надрывно, размашисто, безбоязненно, бесстыдно.

Через три десятка лет две девчушки с одним именем “Тату” спели формулу российского стоицизма, выведенную веками горя, мужества, крови, героизма, унижений: “Не верь, не бойся, не проси”. У девочек там добавлено: “Не зажигай и не гаси” – в общем, о заветном девичьем.

Иллюстрация к известному тезису о преобразовании трагедии в фарс. Но пугачевская пародия еще и к тому, что Мандельштам – public figure, общественно заметное лицо. Коль скоро написал и обнародовал, должен быть готов – в том числе и посмертно – ко всякой судьбе того, что написал и обнародовал. В литературе он такая же звезда, как на эстраде Пугачева, которая тоже обязана быть готова к бесцеремонности журналистов и фоторепортеров, коль скоро вышла на сцену.

Один из самых сложных вопросов искусствоведения — что является классикой? Что делает произведение классическим? Среди прочего, несомненно, череда испытаний — от переводов до анекдотов. Во что только ни превращали "Гамлета" — а он все как новенький. Сколько ни пририсовывай Джоконде усы — Леонардо незыблем. Уж как отплясывают вприсядку русские аристократы в американском фильме "Война и мир", а остается от него Одри Хепберн, вознесшая Наташу Ростову еще выше. В "Анне Карениной", превращенной в комикс, героиня в мини-юбке за стойкой бара — все та же Анна, потому что Толстой запрограммировал ее на разные обстоятельства и многие века. На то и классический шедевр, чтобы быть неуязвимым и вечным.

Сопоставление жутковатое, но с точки зрения словесности закономерное: если Мандельштам пережил яму на Второй речке, переживет и эстрадные колдобины.

Такое понимание приходит с годами, а тогда, под радиопесню, я ощутил резкую горечь и обиду. За беззащитного Мандельштама — хотя жива еще была вдова, но куда Надежде Яковлевне против

Аллы Борисовны. И почему-то — за Ленинград. Москва мне была своя — через отца-москвича, родню, свою развеселую учебу в полиграфической богадельне на Садовой-Спасской. Питер же — совсем чужой. Ничего общего, кроме Балтийского моря, у нас с ним не было. Абрис: готика — классицизм. Цвет фасадов: серо-красный — серо-желтый. И так далее. Рига гордилась своим европейским обликом, образом советского Запада, у каждого рижанина водилась в запасе история, как его в Рязани, мол, спросили, а какие там у вас деньги. Кичились брусчаткой, петушками на церковных шпилях, перечным печеньем, черным бальзамом, уютными на фоне всесоюзных стекляшек кофейнями — классический провинциальный комплекс. Это как раз Рига, а не Питер, была тем углом, о котором сказано: "Если выпало в империи родиться, лучше жить в глухой провинции у моря".

Питер провинциальной глушью все-таки не был, даже в позднее советское время. О прежнем же Петербурге принято говорить лишь восторженно. Редко-редко попадется трезвое суждение. Георгий Иванов, всю свою эмигрантскую жизнь тосковавший по этому городу, посвятивший ему проникновенные строки в стихах и прозе, все же признается: "Петербург, конечно, был столицей, но... столицей довольно захудалой, если "равняться по Европе". Не Белград, разумеется, но и не Лондон и, если рассуждать беспристрастно, – скорее, ближе к Белграду".

Весь XX век Питер отставал от Москвы и безнадежно продолжает отставать. Отсвет обреченности на городе и горожанах – от невоплощенной столичности. Через столетия ощутимо и болезненно аукается дикая затея возвести столицу на таких землях и в таком климате. Все держалось железной рукой – порядок, облик и достоинство, а едва поводья ослабли, начался распад, как и должно происходить на болоте под ветрами. Взглянуть на уличную толпу в Москве и Петербурге – те же лица, но на фоне московской бесстильной мешанины они выглядят натуральнее и оттого незаметнее, а из гармоничной ампирной колоннады выпирают, как персонажи "Ревизора". Будто рванула нейтронная бомба, а потом пятитонками с надписью "Люди" ввезли новое народонаселение. Так оно, впрочем, примерно и происходило.

Обитатель – отдельно от оболочки: как ее ни называй "Пальмирой" и "северной столицей". Примечательно выговаривание полного имени, непременно с отчеством – "Санкт-Петербург". Пушкин, Гоголь, Достоевский, Андрей Белый, Мандельштам обходились без "Санкта". Когда больше крыть нечем, хочется удлинить и принарядить титул, добавить важности антуражем.

Точно и жестко об этих именах у Лосева: "Родной мой город безымян, / всегда висит над ним туман / в цвет молока снятого. / Назвать стесняются уста / трижды предавшего Христа / и всетаки святого. / Как называется страна? / Дались вам эти имена! / Я из страны, товарищ, / где нет дорог, ведущих в Рим, / где в небе дым нерастворим / и где снежок нетающ".

Так же обдуманно путался в питерских наименованиях Мандельштам: одно в заглавии, другое в стихах. Надежда Яковлевна пишет: "Родной город Мандельштама – любимый, насквозь знакомый, но из которого нельзя не бежать… Петербург – боль Мандельштама, его стихи и его немота". И дальше, тоже тасуя названия: "Ленинград, уже чуждый Мандельштаму город, где для него оставалась близкой только архитектура, белые ночи и мосты".

Эта триада составляла и составляет то ощущение имперского комплекса, которое испытывает каждый, попадающий в город. В мире безошибочно имперские места есть: Лондон, Вена, Вашингтон, Париж, Берлин (даже нынешний), Буэнос-Айрес. Но для России уникален Петербург-Ленинград, под обаянием которого жил Мандельштам, оставивший о нем самые звучные в XX веке строчки.

Уже осознавая и переживая его чуждость, в стихотворении 1931 года "С миром державным я был лишь ребячески связан..." он, по сути, цитирует свою собственную прозу восьмилетней давности: "Самая архитектура города внушала мне какой-то ребяческий империализм". Но теперь тема детской завороженности подана без оттенка умиления: "Так отчего ж до сих пор этот город довлеет / Мыслям и чувствам моим по старинному праву? / Он от пожаров еще и морозов наглее – / Самолюбивый, проклятый, пустой, моложавый!" Это пушкинское: "Город пышный, город бедный, / Дух неволи, стройный вид, /

Свод небес зелено-бледный, / Скука, холод и гранит”.

В 30-е Ходасевич уже не смог бы, как в 16-м, назвать Мандельштама “петроградским снобом”. Какой уж сноб, если в “Ленинграде” он использует лексику, которой прежде писал – в прозе – о посторонней и нелюбимой Москве: “скромные и жалкие адреса”, “задыхался в черных лестницах”. За десять лет до “Ленинграда” он еще произносил: “Воистину Петербург самый передовой город мира”. Как же надо было измордовать и изуродовать классический облик, чтобы с ним связались “рыбий жир”, “зловещий деготь”, “мертвецы”, “кандалы”. Дикий звериный страх.

Надежда Мандельштам вспоминает: “На Невском, в конторе “Известий”, представитель этой газеты, человек как будто дружественный, прочел “Я вернулся в мой город” и сказал О.М.: “А знаете, что бывает после таких стихов? Трое приходят… в форме”.

И трое потом пришли, и Пугачева переврала с эстрады – вот что бывает после таких стихов.

Московский трамвай

Осип Мандельштам
1891–1938

Нет, не спрятаться мне от великой муры
За извозчичью спину-Москву –
Я трамвайная вишенка страшной поры
И не знаю – зачем я живу.

Мы с тобою поедем на “А” и на “Б”
Посмотреть, кто скорее умрет.
А она то сжимается, как воробей,
То растет, как воздушный пирог.

И едва успевает грозить из дупла —
Ты — как хочешь, а я не рискну,
У кого под перчаткой не хватит тепла,
Чтоб объехать всю курву-Москву.

Апрель 1931

Это были летние каникулы после третьего класса, когда мы объехали Москву, исколесив за полдня весь город. Тогда еще ходили с шашечками открытые ЗИСы, отец сел сзади, мы с братом – рядом с шофером. Я оглядывался: отец был далеко-далеко, таких длинных машин я никогда не видел, словно мы с отцом вошли в трамвай с разных площадок. На трамвае мы ездили на Цветной бульвар – на рынок и в цирк. Мне странно было, как москвич-отец легко называет трамвай "Аннушкой", вообще странно казалось обозначать маршрут буквой, ясно же, что цифрами удобнее.

Цирк мне не понравился – как и тот, в который меня редко, но упорно водили в Риге. У нас звездами были клоуны Антонио и Шлискевич, в пестрых просторных одеждах. Антонио появлялся с диким криком "А-а-и-и!", неся в руках кусок забора с калиткой, через которую и входил на арену. В Москве взрослые сказали, что будет великий клоун Карандаш. В черном костюме и в бесформенной шляпе, как с газетных карикатур, Карандаш падал с кафедры мордой в песок и острил так же глупо, как Шлискевич. Мне в цирке не нравились куплеты под крошечную гармошку, струи слез, притворная ласковость дрессировщиков, неубедительная звериная послушность, потные пыхтящие силачи, несмешные оплеухи. Больше всего я боялся, что, когда клоуны опять обратятся к публике, выберут меня: с такими дураками было противно разговаривать. Помню человека без рук, который тасовал карты, зажигал спички, стрелял из ружья – всё ногами. Через много лет узнал, что это был знаменитый Сандро Додеш. Он вызывал острое чувство жалости и стыда, как и труппа лилипутов: я думал и думаю, что ущербность не для показа и продажи. Хорошо выглядели только акробаты, жонглеры и воздушные гимнасты: за ними ощущалась чистая спортивная идея.

Рынок был интереснее – не такой, как в Риге, гораздо меньше нашего Центрального, который за вокзалом, но веселее и шумнее. У фруктовых пирамид мужчины со сверкающими зубами непонятно и грозно кричали, улыбаясь при этом. Все на рынке называлось подозрительно ласково – "творожок", "капусточка", "ты моя мамочка, иди сюда". Фамильярное обращение резало слух. У нас – на Центральном, на Матвеевском, на маленьких взморских – меня именовали "яункунгс" и даже не на "вы", а в третьем лице: "Если яункунгс хочет пробовать, это очень вкусно". По-латышски я тогда не говорил, но мне объяснили, что jaunkungs значит "молодой барин". К тому времени я уже знал из русской классики, что так обращались в деревне к дворянским детям – было приятно.

Развалившись, как баре, в огромном ЗИСе, мы кружили по Москве, под конец поднявшись к университету. На смотровой площадке все вокруг говорили: "Какая же красота!" И шофер сказал отцу: "Красота-то какая! Скучаете небось?" И отец сказал нам с братом: "Вот красота! Смотрите". Никакой такой красоты я не увидел. Ну, пересчитал высотки. Ну, поглядел на Лужники, куда вчера ходили с дядей Жоржем, который всех из "Спартака" знал лично и ходил париться с самим Бесковым – вот было интересно. Так это же там, внизу, а не отсюда. Меня никогда не захватывали панорамные виды: не человеческий это взгляд, я ведь не воробей, живу в другом измерении, в иных координатах и масштабах. С высоты — сероватая поросль зданий, более или менее одинаковая во всем мире. Дистанция и дымка стирают различия и детали, которые видны только вплотную, в которых только и прелесть — домов, лиц, жизней.

Когда вернулись к себе на Большую Садовую, отец рассказал всем, что я, наверное, еще не дорос, не оценил. Кажется, я промолчал: уже тогда старался не спорить попусту со взрослыми — с ними, как с клоунами, разговаривать было не о чем. А Москву полюбил позже, когда увидел сам и вблизи.

Для Мандельштама родной город, советский Петербург, Ленинград — пусть враждебный и уже чужой, но только он связывает с ушедшим "миром державным". Москва — новая курва.

Новизна вкатилась в мандельштамовскую жизнь с трамвайным лязгом и скрежетом.

В частушке того времени пели: "Синячище во все тело, / На всем боке ссадина. / На трамвае я висела, / Словно виноградина". Простонародный аноним и изысканный акмеист одинаково ощущают себя ягодами, свисающими в человеческих гроздьях с трамвайной подножки. Давка была такая, что возник каламбур "трамватический невроз". В вагонной тесноте шло отчаянное воровство. Каждая поездка превращалась в опасное и для жизни предприятие, буфера смазывали смолой, чтобы за них не цеплялись, но ничего не помогало: слетали и с буферов, и с подножек. Как рассказывает Г.Андреевский в книге "Повседневная жизнь Москвы в сталинскую эпоху (20–30-е годы)", ежедневно не меньше трех человек становились калеками, попав под колеса.

"На большой трамвайной передышке, что на Арбате, – нищие бросаются на неподвижный вагон и собирают свою дань..." Это Мандельштам 1923 года, очерк "Холодное лето". Похоже, тогда трамвайная метафора стала одной из ведущих для нового Мандельштаму города: "Каким железным, скобяным товаром / Ночь зимняя гремит по улицам Москвы..." Целое депо детских стихов – "Клик и Трам", "Мальчик в трамвае", "Все в трамвае", "Сонный трамвай" – появилось в 1925–1926 годах.

Когда в 31-м Мандельштам снова поселился в Москве, все возобновилось: "Разъезды скворчащих трамваев…”, “На трамвае охлестнуть Москву…”. Тем более что маршрутов стало куда больше: вместо тринадцати – сорок девять. Вагоны штурмовали около пяти миллионов человек в день, включая Мандельштама с женой. Надежда Яковлевна по поводу стихотворения о курве-Москве поясняет: “Мы действительно ездили куда-то на “Б” и садились поздно вечером на Смоленской площади среди пьяных и мрачных людей… На “А” ездили к Шуре”.

Линия “А” – “Аннушка” – проходила по бульварному кольцу. “Публика на ней была поинтеллигентнее”, – замечает Андреевский. “Б” – “букашка” – шла по Садовому кольцу, мимо вокзалов, там пассажиры были попроще. В те годы Мандельштам, имея в виду литературную критику, с естественной легкостью пишет: “Еще меня ругают за глаза / На языке трамвайных перебранок…” В поздние советские времена в обиходе было выражение “трамвайный хам”, но еще Блок всяческую грубость обозначал словом “трамвайное”.

Истоки почти навязчивого московского образа у Мандельштама – не только в повседневном, попутном, подножном явлении, но, можно предположить, и в стихотворении старшего друга, Николая Гумилева. В год его гибели, в 21-м, оно было напечатано — “Заблудившийся трамвай”: “Мчался он бурей темной, крылатой, / Он заблудился в бездне времен… / Остановите, вагоновожатый, / Остановите сейчас вагон”. У Гумилева взгляд из трамвая выхватывает образы жутче, чем мандельштамовские воробей и пирог: “Вывеска… кровью налитые буквы / Гласят — зеленная, — знаю, тут / Вместо капусты и вместо брюквы / Мертвые головы продают. / В красной рубашке, с лицом, как вымя, / Голову срезал палач и мне…”

Сводя вместе словесность и быт, Мандельштам делает трамвай наглядной метафорой обреченной судьбы пассажира-попутчика: в тесной толпе посторонних, трясясь и мотаясь, с риском быть оскорбленным, обворованным, затоптанным, раздавленным — с лихим звоном по проложенному не тобой маршруту.

(В те же времена, за два года до мандельштамовского стихотворения, в духоте и давке московского трамвая умер пастернаковский Живаго.)

В первоначальном варианте “трамвайная вишенка страшной поры” была там же, где “мне на плечи кидается век-волкодав”, это потом стихотворение разделилось на две части. Именно тогда, как пишет Надежда Мандельштам, “обольстившись рекой, суетой, шумом жизни, он поверил в грядущее, но понял, что он уже в него не войдет”. Обольщение грядущим, однако, продолжалось. Соответственно, менялась Москва, слова о Москве. После “столицы непотребной” и “разбойного Кремля”, после “московского злого жилья” — появляется “И ты, Москва, сестра моя, легка, / Когда встречаешь в самолете брата / До первого трамвайного звонка…”. Другой трамвай, другой город, другая страна. Это май 1935 года — “Стансы”. Попытка “войти”, вписаться.

В те же годы через такие же искушения проходили и Пастернак, и Заболоцкий, и эмигрантка Цветаева, и другие художники: власть победно утверждалась, еще не начав массово убивать.

Когда читаешь подряд Мандельштама середины 30-х — голова кругом. На теснейшем временном пятачке умещаются полярные суждения, противоречащие друг другу образы и мысли. От антисталинских стихов "Мы живем, под собою не чуя страны..." до "Я должен жить, дыша и большевея..." – полтора года. Михаил Гаспаров пишет: "Воронежский врач ему поставил диагноз: "шизоидная психопатия". "Шизоидная" – значит "с расщеплением личности"; мы видели это раздвоение между приятием и неприятием советской действительности".

Ища себе место в новой жизни, Мандельштам берет в союзники великих: "И Шуберт на воде, и Моцарт в птичьем гаме, / И Гете, свищущий на вьющейся тропе, / И Гамлет, мысливший пугливыми шагами, / Считали пульс толпы и верили толпе". Допустим, художник не может не думать о публике, пусть и тут спрос рождает предложение, но Гамлет-то зачем сюда попал? В ту толпу, которая в "Стихах о Неизвестном солдате" названа "гурьбой и гуртом".

С.Рудаков, который записывал за поэтом в воронежской ссылке, приводит случаи, когда Мандельштам выбрасывал написанное, каялся, признавая, что думал "подслужиться", а на деле "оскандалился". В октябре 1935 года он сделал в Воронеже радиопередачу о книге "Как закалялась сталь". Рудаков заносит в дневник: "Он многое пересказал в своем вольном стиле, приукрасил бедного автора своей манерой... Сегодня он читал свою первую часть на радио. Там испуг. "Книгу, одобренную правительством, признавать негодной стилистически?!!" Передача снята... О. горд: "Опять я не смог принять чужой строй, дал себя, и меня не понимают..."

Позиция неуютная, а в те годы и очень опасная, но в художническом смысле – беспроигрышная: и так хорошо, и этак.

В том же воронежском 35-м Мандельштам написал стихи, вдохновленные фильмом "Чапаев". Там – "трое славных ребят из железных ворот ГПУ" и "в шинелях с наганами племя пушкиноведов", что на современный слух вовсе пародийно, напоминает об "искусствоведах в штатском". Но ясно, насколько не в этом дело, как мощно и стремительно раскручивается поэтическая центрифуга, уже не знающая остановки и предела. А толчок – не "Чапаев" даже (хотя фильм братьев Васильевых и Бабочкин восхитить могли кого угодно), а само явление звукового кино, с которым Мандельштам столкнулся впервые в жизни.

Кино его и прежде захватывало, как теннис или футбол. А тут – еще и звук! "Говорящий Чапаев с картины скакал звуковой", "Надвигалась картина звучащая..." – это главное. Так впервые попавший в синематограф Герберт Уэллс не мог понять, почему его спрашивают о сюжете и актерской игре: при чем тут эта ерунда – ведь там все двигаются!

Мандельштам середины 30-х – голова кругом. Ода о Сталине – высокая поэзия. Бунтарское антисталинское стихотворение, кроме эпической первой строки – прямолинейная публицистика. Конформистские "Стансы", с их "дыша и большевея" – что читается как инструкция по выживанию для трамвайной вишенки страшной поры, – грандиозные стихи. Это там формула, объясняющая многое: "И не ограблен я, и не надломлен, но только что всего переогромлен". А в первой строке других "Стансов", последних мандельштамовских стихов, надобность душевных и умственных перемен выражена еще проще: "Необходимо сердцу биться..."

Но и этим ведь ничего не объяснить, потому что очень скоро сердце все же биться перестало, несмотря на все усилия поладить с эпохой. Пути поэта неисповедимы, рационально выстроить не удается ни художество, ни жизнь, ни посмертную судьбу. Чтобы уж окончательно все запутать, травестировать, перемешать: первая публикация на родине стихотворения “Мы живем, под собою не чуя страны” — в многотиражной газете “За автомобильно-дорожные кадры”, а сталинской оды — в еженедельнике “Советский цирк”.

На самом деле

Николай Олейников

1898–1937 (1942)

Неблагодарный пайщик

Когда ему выдали сахар и мыло,
Он стал домогаться селедок с крупой.
Типичная пошлость царила
В его голове небольшой.

1932

Если может поэзия оказывать воспитательное воздействие, то это – четверостишие Олейникова. Тридцать с лишним лет ношу его строчки как оберег, вспоминая всякий раз, когда ощущаю позыв встать в общую очередь: Олейников не позволяет.

Тогда я только-только сменил работу: из пожарной охраны перешел в редакцию газеты "Советская молодежь". На новом месте народ был попроще, поплоше. В пожарке старик Силиньш все суточное дежурство напролет плел корзины, не говоря ни слова, первое время я думал, что он немой. Потом Силиньш заговорил – чище всех по-русски: двадцать пять лет в Сибири за то, что служил полицаем в Кулдиге. Он заговорил и разговорился, оказавшись отличным, натренированным на нарах рассказчиком и вовсе не стариком: чуть за пятьдесят. Там был Володя Третюк, когда-то серебряный призер СССР по боксу в легком весе, а теперь шарик свекольного цвета на нетвердых ногах. Володя успел объездить пол-Европы, а я в первые два-три часа смены успевал его расспросить. В нашем карауле состоял бывший капитан милиции Лапса, застреливший соседа по квартире в ходе дискуссии об очередности уборки мест общего пользования. Лапсу не посадили и даже оставили в системе МВД, только в пожарной охране, он притих и утешался красочными воспоминаниями о двадцатилетней милицейской карьере.

В газете все были друг на друга похожие и говорили одинаково: эхо 60-х, Ильф и Петров, братья Стругацкие, журнал "Юность". В пожарке, совершая обходы по территории электромашиностроительного завода, я знал, что непременно услышу что-то интересное. В воротах инструментального цеха стоял знакомый монтер и, обращаясь к кому-то внутри, говорил беззлобно и размеренно: "Ты что принес, я тебя спрашиваю? Тебя этой надо за яйца обмотать и подвесить. Я говорил, восьмерку, а ты что принес? Какое ей применение есть? Я тебе скажу, какое: тебя обмотать и подвесить. Другого применения нету".

Постепенно я втянулся в газетную жизнь, обильно цитировал "Двенадцать стульев", притворялся, что люблю Тарковского, остроумно отвечал на вопрос "Который час?". Как-то зашел в отдел культуры, где велась очередная запись на малодоступную провизию, вроде растворимого кофе. С дивана поднимался, собираясь уходить, какой-то невзрачный обтёрханный автор. Выяснив, что запись на продукт уже закончена, я досадливо и громко выказал неудовольствие. Невзрачный повернулся у двери и продекламировал четверостишие. "Что это?" — спросил я. Он ответил: "Николай Олейников". Второй вопрос — "Кто это?" — стукнулся о закрытую дверь.

Яков Друскин пишет в дневниках, что Олейников был "единственный человек, который мог не бояться пошлости. Женщинам он говорил: фарфоровая куколка, божья коровка, провозглашал тосты: за человечество, за человечество, за человечество. Но все это с какой-то гениальной интонацией, передать ее невозможно, и было очень смешно и немного страшно".

Эта интонация называется — здравый смысл.

Категория, за редкими исключениями, не вполне присущая, а чаще всего противопоказанная поэзии. Именно в ее постоянном присутствии — секрет сокрушительного обаяния лучших олейниковских стихов. То, что сперва кажется абсурдом или чепухой, есть торжество разума.

Умение обнаружить остроту новизны среди потока повседневности в “Послании, бичующем ношение одежды”: “Проходит в штанах обыватель, / Летит соловей — без штанов… / Коровы костюмов не носят. / Верблюды без юбок живут. / Ужель мы глупее в любовном вопросе, / Чем тот же несчастный верблюд?”

Способность восторженно изумиться тому, чего никто не замечает, в “Хвале изобретателям”: “Хвала тому, кто предложил печати ставить в удостоверениях… / Кто к чайнику приделал крышечку и нос… / Кто макароны выдумал и манную крупу… / Кто греков разделил на древних и на просто греков…”

Возможность углядеть родственную страдающую душу в рыбе на сковороде: “Жареная рыбка, / Дорогой карась, / Где ж ваша улыбка, / Что была вчерась?”

Только аналитический взгляд способен рассмотреть связи предметов и явлений, кажущиеся надуманными и искусственными банальному мышлению. Надежда Мандельштам сравнивает

Олейникова с капитаном Лебядкиным в очень примечательном контексте: "Я могу по пальцам перечислить людей, которые сохраняли трезвую голову". Один из них Олейников, "человек сложной судьбы, раньше других сообразивший, в каком мы очутились мире, и не случайно в собственной своей работе продолживший капитана Лебядкина".

Понятной простотой интересов и самобытностью словоизъявления Лебядкин броско противопоставлен и безжалостному рационализму Петра Верховенского, и бездушной метафизике Николая Ставрогина, и стадному убожеству мелких бесов, явившихся в российской литературе полувеком раньше, чем они утвердились на верхах российской жизни. На их реальный приход и отозвался Олейников.

На поэтической поверхности речь идет прежде всего о сюрреалистической технике: "неожиданная встреча зонтика со швейной машинкой на операционном столе" (Андре Бретон). Господство случайности в словесности уравновешивает хаос в жизни. Сопоставление несопоставимого — после чего эстетически уже ничто не страшно. Правда, только эстетически.

Олейников уверенно и бесцеремонно мешает жанры и стили. На классическую традицию уже не опереться: новое сознание и новое бытие требуют эклектики. Отсюда у него — торжество иронии, поскольку впрямую с чистым сердцем уже ничего не произнесешь.

Как увлекательно следить за возникновением явления, которое для моего поколения превратилось в повседневность — в образ мысли и манеру поведения. Вовсе не только интеллигенции, то есть сначала интеллигенции, но потом уже и всенародно. Ирония, призванная разрушать пошлость, институализировалась, сама став всеобъемлющей пошлостью.

Галантерейным языком олейниковских героев и прежде говорила изрядная часть человечества, что убедительно зафиксировали Достоевский, Островский, Чехов. Этой речью органично владел Передонов. С тех пор уровень грамотности значительно вырос, и сортир повсеместно сделался "кабинетом задумчивости".

Смешение понятийных и языковых пластов стало бытом. Как заинтересовался бы Олейников тем, что хлынуло через полвека после его смерти. Объявлениями: “До 14:00 проводится аккредитация на божественную литургию”. Газетными заметками: “Преобразование Школы художественно-эстетического воспитания №66 в Кадетское училище на коммерческой основе”. Именами: компания “Воронежавиа” (так можно называть дочерей). Спокойный голос по внутренней трансляции в поезде Петербург–Москва: “Граждане пассажиры, будьте осторожны, в поезде работают воры. Повторяю: граждане пассажиры...” В Москве на Никольской в ресторане “Дрова” из громкоговорителя левитановский тембр: “Все сокровища мировой кулинарии...” Проходишь дальше, в спину невнятно доносится: “Курица, фаршированная вечностью...” Или все-таки печенью? Может быть и так, и этак. Называется – неадекватность ценностного ряда. Иронией уже не воспринимается.

Спасительное словосочетание “как бы” – еще лет двадцать назад ироническая самозащита интеллигента: мол, не принимайте всё всерьез, я и сам не принимаю – превратилось в междометие, как “вот” и “значит”. “Как бы” больше не защищает, поскольку всё – как бы.

Та же участь постигла более позднее оборонительное средство – "на самом деле". Бывшее изначально намеком на некий более основательный, чем на поверхности, смысл, "на самом деле" утратило всякое значение, как нельзя считать матом связки "бля" и "епть". Фраза "На самом деле, это моя мать" – не из кульминации латиноамериканского сериала, а из нормы российского речевого обихода.

Олейников возводил иронические бастионы, не предполагая, что они станут постоянным местом жительства. Сам он не только прятался в них от окружающего мира, но и делал вылазки, нанося меткие чувствительные удары. Речь не о насмешливости, принятой в любых литературных сообществах и компаниях, вроде пародии на стихи Хармса и Маршака "Веселые чижи": "Чиж-паралитик, / Чиж-сифилитик, / Чиж-маразматик, / Чиж-идиот". В мемуарах на все лады повторяются слова "язвительность" и даже "демонизм": он не щадил ни врагов, ни друзей. Самуил Маршак: "Берегись Николая Олейникова, / Чей девиз: никогда не жалей никого". Евгений Шварц: "Олейников... брызгал и в своих и в чужих, в самые их незащищенные места, серной кислотой". Леонид Пантелеев: "Искрометно-остроумный, блестяще-язвительный, веселый и недобрый Олейников".

Самое, пожалуй, выразительное подтверждение и его нрава, и в целом стиля общения олейниковского круга – у Шварца, который вспоминает, как Заболоцкий познакомил друзей со своей молодой женой: "Впечатление произвела настолько благоприятное, что на всем длинном пути домой ни Хармс, ни Олейников ни слова о ней не сказали". В таких случаях говорится: а мог ведь и бритвой по глазам.

Вероятно, истинно аналитический ум не умеет быть, просто не способен быть добрым: он слишком много различает.

В 35-м Хармс обратился к Олейникову с посланием: "Кондуктор чисел, дружбы злой насмешник, / О чем задумался? Иль вновь порочишь мир? / Гомер тебе пошляк, и Гете глупый грешник, / Тобой осмеян Дант, лишь Бунин твой кумир".

Подробный портрет, в котором восхищение мешается с опасливостью. По законам иронического жанра, набор опровергаемых идолов не достоверен, а впечатляющ, но вот положительный образец – явно подлинный. Бунин – символ чистоты стиля, в 30-е редкий живой пример классической традиции. В стилях Олейников знал толк, и выбор в кумиры Бунина выстраивает его разношерстные разухабистые сочинения в логически правильную линию.

Математик, он занимался теорией чисел, готовил научные публикации. Работы эти утрачены, а "кондуктор чисел" лишен даже достоверных цифр биографии. По одним данным, Олейникова расстреляли 24 ноября 1937 года, по другим (свидетельство о смерти, выданное в 56-м) – он умер в лагере от возвратного тифа 5 мая 1942 года.

В оценках Олейникова сочетаются снижение до застольного хохмача и возвышение до наставника жизни. Анна Ахматова, по свидетельству Л.Гинзбург, "думает, что Олейников – шутка, что вообще так шутят". Лев Лосев пишет: "Он – пророк и обличитель, взыватель к совести. Такова была его роль в поэзии".

Быть может, значение Олейникова инструментальнее и обыденнее, а значит, важнее: он наводит порядок. В стихах и в головах.

Не тот порядок, когда в шеренгу и равняйсь, а тот единственно достойный и в конечном счете единственно приемлемый в человеческом и литературном общежитии, когда каждый сам по себе. Самой своей легко узнаваемой яркостью Олейников учит быть против пошлости даже не столько по эстетическим мотивам, сколько по велению самолюбия и гордости. Не строиться в общий ряд, не становиться в очередь – за селедками с крупой, за сюжетами, мнениями, словами.

Разумеется, и здесь здравый смысл: существование в непохожем одиночестве – сохраннее и долговечнее. Если не при жизни, то за ее пределами.

В его сочинениях, помимо прочих поучительных образцов и точных попаданий, продуманно дозированная смесь жизни и смерти. В том же 32-м, когда написан "Неблагодарный пайщик" – простая доходчивая эсхатология: "...Страшно жить на этом свете, / В нем отсутствует уют, – / Ветер воет на рассвете, / Волки зайчика грызут... / Все погибнет, все исчезнет / От бациллы до слона – / И любовь твоя, и песни, / И планеты, и луна".

Но и такое тоже в 32-м: “Вижу смерти приближенье, / Вижу мрак со всех сторон / И предсмертное круженье / Насекомых и ворон”.

В этом стихотворении – “Шуре Любарской” – семнадцать строф. Шестнадцать ёрнических, с самого начала: “Верный раб твоих велений, / Я влюблен в твои колени / И в другие части ног – / От бедра и до сапог”. Одна – трагическая, о близости смерти. Снова характерно олейниковское смешение стилей, но – по-другому. Трагедия вплетается как кодированное послание в бытовое письмо, произносится с той же ухарской интонацией и с тем же беззаботным выражением лица. Вдруг становится понятно, что стилистическая смесь не литературный прием, а мировоззрение. Судьба.

Лидия Жукова рассказывает, как Ираклий Андроников 3 июля 1937 года утром увидел на питерской улице Олейникова. “Он крикнул: “Коля, куда так рано?” И тут только заметил, что Олейников не один, что по бокам его два типа с винтовками… Николай Макарович оглянулся. Ухмыльнулся. И все!”

Мучительно странно выглядит это слово – “ухмыльнулся” – в передаче страшного события.

Ну, “улыбнулся”, пусть “усмехнулся” – это же последний раз, больше его никто не видел. Однако и приятель Андроников в описании, и близкая знакомая Жукова в пересказе, безусловно, точны в выборе слова. Нам никогда достоверно не выяснить, как оно было на самом деле. Но все, что мы знаем об Олейникове из его стихов – *на самом деле* подтверждает, что по дороге на смерть он ухмыльнулся.

Шкода ласки

Марина Цветаева
1892–1941

Тоска по родине! Давно
Разоблаченная морока!
Мне совершенно все равно –
Где совершенно одинокой

Быть, по каким камням домой
Брести с кошелкою базарной
В дом, и не знающий, что – мой,
Как госпиталь или казарма.

Мне все равно, каких среди
Лиц – ощетиниваться пленным
Львом, из какой людской среды
Быть вытесненной – непременно –

В себя, в единоличье чувств.
Камчатским медведём без льдины
Где не ужиться (и не тщусь!),
Где унижаться – мне едино.

Не обольщусь и языком
Родным, его призывом млечным.
Мне безразлично – на каком
Непонимаемой быть встречным!

(Читателем, газетных тонн
Глотателем, доильцем сплетен...)
Двадцатого столетья – он,
А я – до всякого столетья!

Остолбеневши, как бревно,
Оставшееся от аллеи,
Мне все – равны, мне всё – равно,
И, может быть, всего равнее –

Роднее бывшее – всего.
Все признаки с меня, все меты,
Все даты – как рукой сняло:
Душа, родившаяся – где-то.

Так край меня не уберег
Мой, что и самый зоркий сыщик
Вдоль всей души, всей – поперек!
Родимого пятна *не* сыщет!

Всяк дом мне чужд, всяк храм мне пуст,
И все – равно, и все – едино.
Но если по дороге – куст
Встает, особенно – рябина…

Май 1934

Рябины кругом было полно, но всегда и только — деревья, а не кусты. Я уже читал у Лермонтова про львицу с гривой, понимал, что с поэта научный спрос невелик, но все-таки. Спросил про куст у взрослого образованного знакомого, тот протер очки старым носком и завел о поэтическом мире, который возможно судить лишь по его собственным законам, стало скучно. Так и решил — ошиблась, с кем не бывает.

Однако Цветаева, как выясняется — знала. В 35-м она пишет знакомой, что к ней пристают: "А разве есть кусты рябины? Я: — Знаю. Дерево".

Если знала, зачем породила заведомо небывалого ботанического монстра? Сразу отмахнемся от подгонки под рифму: не тот калибр стихотворца. Но если неправда внесена сознательно, это нарушает, если не опровергает, традиционное понимание стихотворения: что последние две строки написаны как идейный противовес предыдущим тридцати восьми. А если не в противовес, но в продолжение, в подкрепление, в парадоксальное усиление?

Займемся цветаевской флорой.

Рябиновые коннотации у нее всегда – резко отрицательные: горечь, обида, несчастная судьба, причем именно русская несчастная судьба. Даже та рябина, которая росла в день ее рождения: “Красною кистью / Рябина зажглась. / Падали листья. / Я родилась”. Даже оттуда, из безмятежного младенчества – образ: “Жаркой рябины / Горькую кисть”. И дальше в хронологии – “Рябины / Ржавой...” (неаппетитно: даже пробовать не надо, чтобы припомнить, что горькая); “Зачем моему / Ребенку – такая судьбина? / Ведь русская доля – ему... / И век ей: Россия, рябина...”; “Горечь рябиновая”; “В роще обидонька / Плачет рябинушкой”; “Рябина – / Судьбина / Горькая... / Рябина! / Судьбина / Русская”.

Теперь взглянем на растительность вокруг “Тоски по родине”. В том же 34-м году написаны и “Деревья”, и “Куст”.

В первом случае – образы тревожные, враждебные: “Деревья с пугливым наклоном”, “Деревья бросаются в окна”, “Деревья, как взломщики”, “Деревья, как смертники”. (Да и раньше еще: “У деревьев – жесты трагедий”, “У деревьев – жесты надгробий...”)

В другом случае – воплощение спокойствия и гармонии: “Полная чаша куста”, “А мне от куста – тишины: / Той – между молчаньем и речью”, “Такой от куста – тишины, / Полнее не выразишь: полной”.

Суммируем. Дерево + рябина, то есть существующее в действительности *дерево рябина* – удвоение российского негатива. Куст + рябина – попытка уравновешивания, выравнивания эмоций, но *куст рябина* – то, чего в действительности нет.

Нет такой рябины, но тогда и противопоставления последних двух строк всему предыдущему стихотворению – нет.

Лидия Чуковская рассказывает, что за четыре дня до смерти, в Чистополе, Цветаева читала “Тоску по родине” без последней строфы, оборвав стихотворение. Чуковская дает привычно резонное объяснение: в отчаянии и тупике Цветаева не хотела произносить последние две строки, в которых виден просвет. Но если не такой уж это просвет? Если изначально речь шла о том, чего и быть не может?

“Как правило, заканчивающий стихотворение поэт значительно старше, чем он был, за него принимаясь”, – пишет Бродский в эссе о Цветаевой. А если не закончить стихотворение? Значит ли это попробовать остановить время, попытаться отсрочить приход неизбежного? Может, потому Цветаева в Чистополе и не дочитала “Тоску по родине”?

Стихотворение в целом, до требующих особого толкования последних строк, – манифест самостояния. Мгновенно запоминающиеся емкие и точные образы временем превращены в цитаты-формулы, что случается только с великими стихами. Горькие и гордые слова, очень спокойные в своей беспросветности: “Мне совершенно все равно – / *Где* совершенно одинокой / Быть…” Через несколько лет такой мотив вовсю зазвучал в литературе у Камю и Сартра, но через несколько лет. Этих писателей подтолкнула война, как прежде на религиозных экзистенциалистов повлияла Первая мировая. Цветаевой не нужны были войны, чтобы препарировать одиночество, лаконично и четко провести чистый лабораторный срез: без признаков, мет и дат – одна экзистенциальность, она же душа.

С учетом же всех трех видов обстоятельств – места, времени и образа действия – в “Тоске по родине” доведена до крайнего предела традиционная для эмигрантской поэзии, прозы, публицистики тема: Россия в нас, Россию мы унесли с собой.

В письмах Цветаевой этот известный тезис варьируется постоянно: “Если есть тоска по родине – то только по безмерности мест...”, “Не Россией одной жив человек... Россия во мне, не я в России...”.

Елизавета Тараховская приводит ее слова в разговоре о ностальгии: “Моя родина везде, где есть письменный стол, окно и дерево под этим окном”. В 1925 году Цветаева отвечает на анкету журнала “Своими путями”: “Родина не есть условность территории, а непреложность памяти и крови”. И дальше – уже конкретно о себе: “Лирикам же, эпикам и сказочникам, самой природой творчества своего дальнозорким, лучше видеть Россию издалека – всю – от Князя Игоря до Ленина, – чем кипящей в сомнительном и слепящем котле настоящего. Кроме того, писателю там лучше, где ему меньше всего мешают писать (дышать)”.

Это общеэмигрантское самосознание у Цветаевой усугубляется крайним поэтическим индивидуализмом и бытовой эксцентрикой, что выделяло ее в любой среде, отчуждало. В ней было всё необычно: манера речи, неожиданные вспышки приязни-неприязни, домашняя обстановка (мемуаристы с изумлением пишут об огромном мусорном баке посреди жилой комнаты), обиходная несовременность (боялась автомашин, эскалаторов метро, не пользовалась лифтом, не любила и толком не умела обращаться с телефоном), внешность (регулярно брила голову, несмотря на протесты мужа).

Федор Степун, вспоминая Цветаеву доэмигрантских лет, пишет: "Настоящие природные поэты, которых становится все меньше, живут по своим собственным, нам не всегда понятным, а иной раз и мало приятным законам". Эмиграция (и это ее основное свойство, уверенно скажу, опираясь на собственный многолетний опыт) лишь проявляет и усиливает все специфические черты, не привнося ничего принципиально нового. Цветаева всегда и всюду существовала сама по себе, одна, в своей собственной, персонально цветаевской стране.

Еще одно важное обстоятельство: за границей она способна была сохранять такую же, как в России, независимость и обособленность не только в силу характера, но и по блестящему знанию языков – что, вопреки распространенному представлению, вовсе не было правилом в русском зарубежье. Цветаева переводила на французский Пушкина и Лермонтова, вела на равных любовно-интеллектуальную переписку с выдающимся немецким поэтом Рильке, владея обоими языками почти как русским. Она принадлежала к числу тех немногих, кому действительно могла быть безразлична государственно-языковая принадлежность "глотателя газетных тонн".

А если и не вполне безразлична, то остро чувствительную к фонетике Цветаеву русский "глотатель" раздражал, конечно, сильнее. Тем более *тот* русский – советский. Нам трудно сейчас представить, как воспринимали зарубежные литераторы новое название страны: мы с ним и в нем выросли, а они ощущали как Каинову печать, гвоздь в гроб. Была "Россия" – обычное имя, как "Англия" или "Франция", – а стало неведомо что. В самом деле, аббревиатурой до тех пор называлась только Америка, но она и есть Новый Свет, нечто, возникшее на голом месте. Российское переименование оскорбляло слух. Еще в 20-м Цветаева горевала: "Так мое сердце над Рэ-сэ-фэ-сэром / Скрежещет...". Рэ-сэ-фэ-сэр ушел, пришло не лучше, даже хуже, потому что еще и без национальной, и без географической привязки, без места вовсе, не говоря о звучании: "*России* (звука) нет, есть буквы: СССР, – не могу же я ехать в *глухое*, без гласных, в свистящую гущу. Не шучу, от одной мысли душно. Кроме того, меня в Россию не пустят: *буквы не раздвинутся*".

После того как в июне 31-го Сергей Эфрон подал прошение о предоставлении ему советского гражданства, цветаевские слова о родине стали меняться. Заметно, как она все отчетливее осознает опасное приближение новой России к себе – точнее, к своей семье. Скрежещущие и свистящие буквы раздвигаются: для мужа и дочери, твердо настроенных на возвращение, для сына, которого тоже придется отпустить. При этом в "Стихах к сыну" (1932), рядом с призывом к мальчику уехать в СССР – понимание того, что для нее самой страна остается космически далекой: “*Нас* родина не позовет! / Езжай, мой сын, домой – вперед – / ...В на-Марс страну! В без-нас страну!”

В “Родине”, написанной тоже в 32-м, – снова стандартное для эмигрантской волны ощущение России: подлинная отчизна не там, где она размещается на широтах и меридианах, а тут, унесенная с собой и бережно сохраняемая: “Даль, прирожденная, как боль, / Настолько родина и столь / Рок, что повсюду, через всю / Даль – всю ее с собой несу!” И еще определеннее в этом же году: “Той страны на карте – / Нет, в пространстве – нет... / Можно ли вернуться / В дом, который – срыт?”

Какое сгущение образов – “нет на карте”, “срытый дом”, “без-нас страна”, “Марс”. А летом 38-го, когда уже уехала в СССР дочь и туда же сбежал муж, уже вовсю готовясь к отъезду вслед за ними сама, – крик, прорвавшийся в скобках среди идиллического описания нормандского городка, где она “*последний* раз” отдыхает с Муром у моря: “(О Боже, Боже, Боже! *что* я делаю?!)”. Позже, в Москве, Цветаева говорила Тараховской, что “как только вступила на сходни парохода, увозившего ее на родину, она почувствовала, что погибла".

В 38-м же еще из Франции — приятельнице в Брюссель: "А как хорошо было бы — если бы я жила в Бельгии, как когда-то жила в Чехии, мирной жизнью, которую я так обожаю... (А он, мятежный, ищет бури... — вот уж не про меня сказано, и еще: — Блажен, кто посетил сей мир — В его минуты роковые... — вот уж *не* блажен!!!)..."

Мирная жизнь в Чехии — этот образ преследовал Цветаеву как память о золотом веке. Семнадцать лет Цветаева прожила за границей. Три первых месяца в 22-м провела в Берлине, последние тринадцать с половиной лет — во Франции. На Чехию пришлось три года три месяца.

Экскурсия по цветаевской Чехии займет день, завершившись ужином в Збраславе, южном пригороде Праги, в ресторане "Шкода ласки". Где еще есть питейно-пищевое заведение с названием "Жалко любви"?

Начать надо с Карлова моста, где стоит рыцарь Брунсвик с золотым мечом, тот "Пражский рыцарь", которого Цветаева вспоминала годами, чью фотографию просила прислать в письмах своей чешской приятельнице Анне Тесковой.

Именно с этой точки моста при взгляде на Малу Страну открывается, может быть, самый захватывающий не только в Праге, но и во всей Европе городской вид: гармонично громоздящиеся башни, церкви, дома — десятиплановая ведута, составленная из готики, барокко, эклектики, модерна, под громадой Града с собором святого Витта. Экскурсоводы эту точку знают, тормозят группы, предлагают сняться. У Брунсвика — затор. Тут же играет диксиленд пузатых пенсионеров-хиппи. Тоненькая девушка в кругу слушателей рассказывает подруге, тыча рукой в сторону собора Св. Микулаша на Малостранской: "А мы вчера там на концерте были — так прикольно. Органный запил — чумовой. Ребятам орган не в кассу, а я тащусь. Баха играли — полный улёт". (Как предписано: "Не обольщусь и языком / Родным, его призывом млечным".)

Брунсвик с достоинством позирует на фотофоне. Он и вправду благородно красив — "рыцарь, стерегущий реку". Кстати, то, что звучит отрешенной метафорой, — исторический факт: статуя обозначает место, где была таможня, облагавшая пошлиной перевезенные через Влтаву товары.

Как замечательно, что у множества поэтических красот — прозаические источники. Как печально, что о множестве из них нам уже никогда не догадаться. Если б я не жил в этом городе, так и считал бы цветаевской тайнописью начало стихотворения "Прага": "Где строки спутаны, где в воздух ввязан / Дом — и под номером не наяву!" В Праге Цветаева жила в доме на Шведской улице. Его номер — 51, но еще и 1373. Диковинная пражская особенность: двойная нумерация. На синей табличке — обычный, как во всем мире, порядковый уличный номер. На красной — архаика, оставшаяся с тех средневековых времен, когда дома нумеровали порайонно (в Венеции по сей день только такая система). Красные номера, вероятно, в каких-то муниципальных гроссбухах значатся, но никому не нужны и в адресе не указываются, однако существуют, и таблички аккуратно подновляются, смущая непосвященных.

Дом на Шведской 51/1373 действительно "ввязан в воздух" — стоит на фоне неба, на склоне горы. Не просто, а Горы — той самой, о которой "Поэма

Горы". В миру она называется Петршин, под ней район Смихов, где Цветаева прожила несколько месяцев. Остальное время — в деревнях. Это ведь только принято бегло упоминать: в эмиграции жила в Праге и Париже. На деле — Йиловиште, Мокропсы, Вшеноры, Кламар, Медон, Ванв. Дом на Шведской очень приличный, даже изысканный, но добираться на верхотуру в 20-е было сложно, жить там — непрестижно и неудобно. Денег же на съем квартиры в центре города не хватало.

При этом именно на Чехию у Цветаевой приходится самое благополучное время. Правительство президента Масарика давало, как мы сейчас бы сказали, гранты русским деятелям науки и культуры, причем Цветаева получала деньги и тогда, когда переехала во Францию. Чехия выделила полторы тысячи стипендий Карлова университета русским студентам — среди них был Сергей Эфрон. Русские профессора преподавали, здесь осели такие светила, как академик Кондаков, у которого Эфрон слушал курс. Автор монументального труда о православной иконографии Кондаков похоронен в крипте церкви на Ольшанском кладбище, рядом с ним — Ипатьев, в чьем доме расстреляли российского царя. Кинорежиссер Глеб Панфилов, который снимал в павильонах пражской студии “Баррандов” фильм о последних днях Николая Второго, рассказывал мне, как пришел на Ольшаны заказать панихиду по своем отце. Ему стали показывать церковь, где он и обнаружил могилу Ипатьева, дом которого так скрупулезно восстанавливал в нескольких километрах отсюда. Как все-таки причудливо рифмуется жизнь.

Любое эмигрантское кладбище – наглядный урок запутанной русской истории XX века.

На Ольшанском – братская могила воинов Белой армии, скончавшихся в Чехии от вынесенных с родины ран и болезней, надгробья советских солдат, памятник бойцам власовской армии, освобождавшей Прагу от немцев. Официально освободителем чешской столицы был объявлен Конев. В 45-м многих деятелей пражской эмиграции возвратили на родину под конвоем. Оставшиеся надолго затаились.

Второй раз – по-другому – затаились после августа 68-го. Историк Иван Петрович Савицкий, сын одного из лидеров евразийства, говорил, что в 68-м с родным братом в пивной или кафе беседовал по-чешски. Это теперь русский в Праге снова стал обиходным. В Карловых Варах – всеобщим, хоть и диковинным. Тамошние экскурсии обещают "архитектоническую единичность зданий в стиле ренезанца", врачи – "отстранение морщин" и "избавление от храп", на дверях гостиницы надписи "Нажимать" и "Таскать", в меню – "креветки по способу тигра" и трогательная до слез "ножка молодой гуси".

В русском Зарубежье Прага всегда уступала в блеске Парижу, а до 30-х и Берлину: литературные и артистические звезды ехали туда, в Чехии селились ученые. Здесь расцвело евразийство, для некоторых, как для Сергея Эфрона, переродившееся в идею возвращения. Здесь выходили десятки (на пике – двести тринадцать) русских периодических изданий разного толка. Здесь на площади Угельни трх (Угольный рынок) Марк Слоним, каждый раз скандаля с соредакторами, печатал в журнале "Воля России" непонятные стихи Цветаевой.

Сто тридцать девять стихотворений написала Цветаева в Чехии за три года три месяца: почти по стихотворению в неделю – серьезный показатель душевного подъема, по крайней мере, равновесия.

Важно, что после российского революционного неустройства быт казался относительно лёгок и еще не успел так опротиветь, как это случилось в парижских пригородах.

Оттуда Цветаева пишет: "*Всё* поэту во благо, даже однообразие (монастырь), все, кроме перегруженности бытом, забивающим голову и душу. Быт мне мозги отшиб!" И еще: "Обваливая 1 ½ кило мелких рыб в муке, я могу думать, но чувствовать – нет: запах мешает! Запах мешает, клейкие руки мешают, брызжущее масло мешает, *рыба* мешает: каждая в отдельности и все 1 ½ кило вместе". В сухопутной Чехии с рыбой, кроме разводимых в прудах форели и карпа, и сейчас неважно. Цветаевские строки "Полон и просторен / Край. Одно лишь горе: / Нет у чехов – моря" я-то воспринимаю как грустное свидетельство о мясной, свининной чешской кухне.

Душевный подъем того времени связан с Константином Родзевичем – возможно, главным любовным приключением в жизни Цветаевой.

Об этом романе – “Поэма Горы” и “Поэма Конца”. Близкий приятель Эфрона, Родзевич был ошеломлен, как позже признавался, напором нежности и страсти, которому не мог соответствовать. Цветаева, впрочем, в соответствии не нуждалась, она все выстраивала сама: “В людях я загораюсь и от шестого сорта”. Но дело не в разряде Родзевича, человека незаурядного, что он доказал сперва в Добровольческой армии, а потом в отрядах республиканцев в Испании, не лишенного и литературных способностей. Дело в электрическом разряде цветаевского эмоционального состояния, том лирическом атмосферном явлении, которое породило две выдающиеся поэмы.

Родзевич жил в Хухле, южном пригороде Праги, более всего известном своим ипподромом. Когда едешь в цветаевские сельские места, Хухле остается справа. Дальше – долина Бероунки, притока Влтавы. Там красиво и умиротворенно – соразмерно человеку. Понятно, что означают слова в письме с побережья Средиземного моря: “Мне вовсе не нужно *такой* красоты, *столькой* красоты: море, горы, мирт, цветущая мимоза и т. д.

С меня достаточно – *одного* дерева в окне, или моего вшенорского верескового холма".

Холм на месте, вереск тоже. У подножья на лугу в высокой зеленой траве пасутся серые лошади. Крутая дорога ведет наверх к желто-бежевой маленькой церкви. "Крохотная горная деревенька... Две лавки... Костел с кладбищем... В каждом домике непременно светящееся окно в ночи: русский студент!" Кладбище – полузаброшенное, совершенно киношное по уюту, благолепию, неброской живописности. Одна могила – русская: Вилемина Артимович умерла, когда здесь жила Цветаева, наверное, были знакомы. Последняя буква в фамилии выбита на кресте как "у".

Одно из цветаевских жилищ, кратковременное, прямо под горкой, видно от кладбищенской ограды. Другое, где прошли несколько месяцев, немного дальше. От вшенорской церкви полого и криво вверх идет улица под названием "В халоупках", дом тоже 51-й, как на Шведской в Смихове. Во дворе – черешня, абрикос, розы. Дом каменный, добротный – как всё в этих селах, которые легче называть городками, иначе не те ассоциации. Дело не в прошедших десятилетиях: самые солидные и нарядные дома стоят с начала XX века.

Позже Цветаева очень хотела еще раз приехать в Прагу, чтобы рассмотреть ее наконец. Она, по собственным словам, не была “ни в одном музее, ни на одном концерте”. Благодаря Слониму, бывала только в пражских кафе, чаще других в поныне существующей “Славии” напротив Народного театра. Но свои края знала отлично – у нее за недолгие годы было несколько сельских адресов на расстоянии пешего хода друг от друга: Вшеноры, Горни Мокропсы, Дольни Мокропсы, Йиловиште. Эти места и стояли на первом месте: “Самый счастливый период моей жизни – это… Мокропсы и Вшеноры, и еще – та моя родная гора”.

Неутомимый ходок, Цветаева прошагала все окрестные холмы и долины. За день до родов прошла пешком до замка Карлштейн и обратно.

Вот еще счастливое в Чехии – рождение Мура в 25-м. И появился он на свет, словно в созвездии удачи. Родился во Вшенорах возле виллы Боженка, где у писателя Чирикова собирался цвет эмиграции, принимал роды И.А.Альтшуллер, отец которого лечил Толстого и Чехова, крестным был Алексей Ремизов, обряд крещения вел о.Сергий Булгаков. Очень скоро Мур отодвинул всех в жизни Цветаевой: не *за* мужем и дочерью она уехала в СССР, а *вместе с* сыном. В сентябре 41-го Мур известил приятеля: "Я пишу тебе, чтобы сообщить, что моя мать покончила с собой – повесилась – 31-го августа. Я не собираюсь распространяться об этом: что сделано – то сделано. Скажу только, что она была права, что так поступила, и что у нее были достаточные основания для самоубийства: это было лучшее решение, и я ее целиком и полностью оправдываю". Дочь Ариадна пишет: "Они действительно поссорились по-французски накануне смерти мамы (хозяйка дома говорила, что по-еврейски!)". Жизнь всегда работает на снижение, на то и жизнь.

Когда Цветаева жила во Франции, чешские годы представлялись ей почти идиллией: "Все те места помню, все прогулки, все дорожки. Чехию – *добром* помню". Как точно она говорила о Чехии то, против чего сама грешила среди французов, то, что остается неизменным грехом русской эмиграции любого времени в любом месте. Речь о ней, о “тоске по родине”: “Многими эмигрантами это подменено ненавистью к *загранице*... Эти ослы, попав в это заморье, ничего в нем не узнали – и не увидели – и живут, ненавидя Россию... и, одновременно, заграницу... Презрение к Чехии есть *хамство*. И больше ничего. Жаль только, что чехам приходится так долго таких гостей терпеть”.

Из Вшенор в Прагу можно вернуться на поезде, как ездила Цветаева. Белое низкое здание вокзала – то же, без изменений. Вдоль него она вышагивала в воображаемом ожидании Пастернака: “Ходила взад и вперед по темной платформе – далеко! И было место – фонарный столб – без света, сюда и вызывала Вас – Пастернак!” Среди шпал – маки, куда более чахлые и бледные, чем в округе, видно, действуют железнодорожные миазмы.

Но поскольку приехал сюда на машине, то и возвращаешься так же. Выбираешь другую дорогу, чтобы, не доезжая слияния Бероунки с Влтавой, завернуть в Збраслав – сейчас это уже Прага, ее южная окраина. В Збраславском замке между войнами был русский музей, который основал последний секретарь Толстого Валентин Булгаков, добрый знакомый Цветаевой. Она бывала тут, тут собиралось и Чешско-русское объединение, или, как все его называли – Еднота.

В завершение экскурсии, как было обещано – ужин. Лучший в Збраславе ресторан – на главной площади. Называется "Шкода ласки" – "Жалко любви". В этом доме родился и жил композитор Яромир Вейвода, автор всемирно известной польки "Škoda lasky", которую исполняли Гленн Миллер, Билли Холидей, Бенни Гудмен. Ее все знают, только под разными именами: по-немецки "Rosamunda", по-английски "Beer Barrel Polka". Генерал Эйзенхауэр сказал, что "Шкода ласки" помогла выиграть войну, в Штатах выпущена почтовая марка в честь 60-летия песни. Еще от збраславской площади до одной из цветаевских деревень – Йиловиште – с 1908 года совершались первые в Чехии автопробеги, собирая в 20-е кучу болельщиков на старте и финише, но уж не Цветаеву, конечно, панически пугавшуюся автомобилей. Место славное, но главное здесь, разумеется, "Шкода ласки", которую в ресторане охотно заведут, если попросишь. Если не попросишь – тоже: “Жалко любви, которую я тебе дала. / Так бы всё плакала и плакала. / Моя молодость унеслась, как сон. / От всего, что было, в сердце моем только память”.

Окончательные сведения

Александр Введенский
1904—1941

Элегия

Так сочинилась мной элегия
О том, как ехал на телеге я.

Осматривая гор вершины,
их бесконечные аршины,
вином налитые кувшины,
весь мир, как снег, прекрасный,
я видел темные потоки,

я видел бури взор жестокий,
и ветер мирный и высокий,
и смерти час напрасный.

Вот воин, плавая навагой,
исполнен важною отвагой,
с морской волнующейся влагой
вступает в бой неравный.
Вот конь в волшебные ладони
кладет огонь лихой погони,
и пляшут сумрачные кони
в руке травы державной.

Где лес глядит в полей просторы,
в ночей несложные уборы,
а мы глядим в окно без шторы
на свет звезды бездушной,
в пустом смущенье чувства прячем,
а в ночь не спим, томимся плачем,
мы ничего почти не значим,
мы жизни ждем послушной.

Нам восхищенье неизвестно,
нам туго, пасмурно и тесно,
мы друга предаем бесчестно,

и Бог нам не владыка.
Цветок несчастья мы взрастили,
мы нас самим себе простили,
нам, тем, кто, как зола, остыли,
милей орла гвоздика.

Я с завистью гляжу на зверя,
ни мыслям, ни делам не веря,
умов произошла потеря,
бороться нет причины.
Мы все воспримем как паденье,
и день, и тень, и наслажденье,
и даже музыки гуденье
не избежит пучины.

В морском прибое беспокойном,
в песке пустынном и нестройном
и в женском теле непристойном
отрады не нашли мы.
Беспечную забыли трезвость,
воспели смерть, воспели мерзость,
воспоминанье мним как дерзость,
за то мы и палимы.

Летят божественные птицы,
их развеваются косицы,

халаты их блестят, как спицы,
в полете нет пощады.
Они отсчитывают время,
они испытывают бремя,
пускай бренчит пустое стремя —
сходить с ума не надо.

Пусть мчится в путь ручей хрустальный,
пусть рысью конь спешит зеркальный,
вдыхая воздух музыкальный —
вдыхаешь ты и тленье.
Возница хилый и сварливый,
в вечерний час зори сонливой,
гони, гони возок ленивый —
лети без промедленья.

Не плещут лебеди крылами
над пиршественными столами,
совместно с медными орлами
в рог не трубят победный.
Исчезнувшее вдохновенье
теперь приходит на мгновенье,
на смерть, на смерть держи равненье,
поэт и всадник бедный.

[1940]

Первое для меня стихотворение Введенского ошеломило: какая мощь! Какой нарастающий накат. Непрерывное, неостановимое движение – ни одной мужской рифмы на все семьдесят две строки: еще и отсюда ощущение непоставленной точки. Лавина! – не зря все начинается в горах.

Отчетливо при этом видно, как захватывает этот обвал самого автора. Как все серьезнее и трагичнее становится он, как начисто исчезает мелькнувшая в начале игривость "аршин" и "наваги". Колом торчит ёрнический эпиграф из стихов приятеля (И.Бахтерева). Зачем это снижение перед взлетом? Может, добавлено потом: задним числом потребовалось внедрение understatement'а после непривычного пафоса. То ли все-таки наоборот (и скорее всего): изначальный иронический замысел центробежной силой стихотворчества был выведен на патетическую орбиту, а эпиграф так и остался – скажем с уместной в данном случае красивостью – зачаточными пропилеями при грандиозном парфеноне стихотворения.

“Комическое, — утверждает Бергсон, — для полноты своего действия требует как бы кратковременной анестезии сердца”. Иначе говоря, только с холодной душой возможен сколько-нибудь объективный, т. е. отстраненный, анализ — на что претендует и что предлагает иронический (“комический”) стиль. Оттого он, кстати, и тупиковый в искусстве, где страсть важнее разума, потому что интереснее.

Осознать в себе недостаток страсти есть движение души, явление одноприродное, то есть та же страсть, в конечном счете. “У Введенского чувство тоски по чувству”, — пишет его близкий друг Яков Друскин. Вот почему “Элегия” так безошибочно напоминает лермонтовскую “Думу”, в которой, в свою очередь, словно зарифмованы чаадаевские мысли. (“Мы живем лишь в самом ограниченном настоящем без прошедшего и без будущего, среди плоского застоя. И если мы иногда волнуемся, то не в ожидании или не с пожеланием какого-нибудь общего блага, а в ребяческом легкомыслии младенца… Мы растем, но не созреваем…”)

Исповедь человека, ощущающего себя частью разочарованного и потерянного поколения, горующего (быть может, напрасно?), что разучился жить страстями: можно предположить, что так бывает всегда и иначе быть не может. По тем же мотивам, что коллега Лермонтов веком ранее, взялся за "Элегию" Введенский. А спустя три десятилетия — Бродский: "Зная медные трубы, мы в них не трубим. / Мы не любим подобных себе, не любим / тех, кто сделан был из другого теста. / Нам не нравится время, но чаще — место". А еще через полтора десятка лет — Лев Рубинштейн: "Мы знаем цену и тому, / и этому мы знаем цену. / Но на кого оставить сцену, / приемля посох и суму? / И как идти в таком тумане / не час, не день, а тыщу лет — / с пудовой фигою в кармане, / с холодным ветром tête-à-tête?" Или Тимур Кибиров: "Изгаляются страх и отвага / над моей небольшою душой... / Так сижу я над белой бумагой / черной ночью на кухне чужой".

Возраст рефлектирующего не так уж важен: Лермонтову 24, Введенскому 37, Бродскому 32, Рубинштейну 40, Кибирову 30. Разброс большой, охват широкий.

Как же точно соорудил рабочую матрицу Лермонтов, что ее можно уверенно заполнять новым, вплоть до сегодняшнего, материалом. “Еще душе не в кайф на дембель”, – пишет Денис Новиков. Единственно возможный перевод на *тот* русский язык звучит так: “Мы жадно бережем в груди остаток чувства”.

Схватившись за “Элегию”, я начал читать остального Введенского. Ничего подобного. Из всех тридцати двух сочинений (плюс двадцать три ранних стихотворения) это единственное у него, написанное традиционным размером (классический четырехстопный ямб с регулярными строфами). Как-то особенно вызывающе: все остальные обэриуты – Хармс, Олейников, Заболоцкий, тот же Бахтерев – к традиции ближе. Заболоцкий, резко разошедшийся с Введенским в осознании сути поэзии, написал ему открытое письмо, где формулировал: “Ваши стихи не стоят на земле, на той, на которой живем мы”.

Введенский декларировал идею жертвенности в поэзии: чем хуже – тем лучше. “Бывает, что приходят на ум две рифмы, хорошая и плохая, и я выбираю плохую: именно она будет правильной”. Он вообще отрицал традиционную эстетику, разделение на “красиво – некрасиво”. Идея “правильности” довлела, а правильным было то, что достигалось отрицанием, отречением, жертвой.

Теоретически – благородно и эффектно. На практике такой этически-эстетический аскетизм оказывается очень разным. На абстрактную картину смотришь с внутренней агрессивной претензией: а корову он нарисовать может? Ранний Миро с его каталонскими пейзажами убеждает в мастерстве рисования и живописи – тогда пусть разбрасывает свои разноцветные кляксы, как хочет: доверие заслужено. То же с Пикассо. Подход простой, но часто оправданный; взгляд, конечно, очень варварский, но верный.

Общепризнанно, что Введенского надо читать глазами – на слух он практически неприемлем: уж очень сложный, головной. Об этом и Заболоцкий: “На Вашем странном инструменте Вы издаете один вслед за другим удивительные звуки, но это не музыка”. Жизнь же научила, что те стихи хороши, которые запоминаются. Как выразился Тристан Тцара: “Мысль рождается во рту”. (Нормально, что те, кто так и творят, подобных афоризмов не создают, и – наоборот.) “Элегия” резко выделяется у Введенского тем, что ее хочется читать вслух, перечитывать и декламировать, насилуя родных и близких.

"Уважай бедность языка. Уважай нищие мысли", – провозглашает Введенский. Его декларативному минимализму не веришь: существует "Элегия".

Стихи – остальные стихи – Введенского действительно увлекательно разгадывать. Непонимание как мировоззренческая категория – их суть. "Горит бессмыслицы звезда, / она одна без дна", "чтобы было все понятно, / надо жить начать обратно", "Нам непонятное приятно, необъяснимое нам друг...".

Конечно друг. А мы его друзья. Как же иначе, если вчерашнее событие в изложении нескольких знакомых предстает взаимно неузнаваемым? Расёмон – каждый день.

Сильное переживание, помню, испытал, прочитав показания секундантов Лермонтова и Мартынова. Через неделю после дуэли четверо вменяемых мужчин, четыре человека чести, вовсе не думая обманывать, рассказали совершенно разное о простейших обстоятельствах события, ведомые чем-то загадочным своим. Господи, не о схожем ли Лермонтов: "И ненавидим мы, и любим мы случайно"? Не о том ли Введенский: "Нам туго, пасмурно и тесно, / мы друга предаем бесчестно, / и Бог нам не владыка"?

Забывчивости нет. Случайных ошибок нет. Слух исправен. Глаз остер. Маразм за горами. Но — никто не понимает никого: не понимает убежденно, взволнованно, вдохновенно.

Непонимание — наше шестое чувство.

Рано или поздно мы смиряемся с этим — в себе, в близких, вообще в окружающей жизни: от политики до семьи. Однако не того мы ждем от искусства. В конце-то концов, зачем мы читаем книжки и разное там слушаем? Искусство обязано быть умнее, глубже, объемнее, точнее. Лермонтов и Введенский оттого и кручинятся — от собственного бессилия.

Введенского в той компании выдающихся талантов, которая кодируется в истории как ОБЭРИУ, считали гением. А в компании были Хармс, Олейников, Заболоцкий. Похоже, в гениальности своей Введенский не сомневался, с прошлым вовсе не соотносясь, уверенный, что совершил "критику разума, более основательную, чем та" (кантовская), поглядывая в будущее: “В поэзии я как Иоанн Креститель, только предтеча”. Он вплотную подошел к осознанию *принципиальной* невозможности понимания и думал, что показал это в поэтической практике. Так думают и его приверженцы: Введенский – культ. Но не он ли сам сказал: “Я убедился в ложности прежних связей, но не могу сказать, какие должны быть новые”. Постижение этого, по-видимому, для человека невозможно, и тоже – *принципиально*.

Может быть, такой тупик и заставил Введенского развернуться назад, сделать полный поворот кругом – к “Элегии”. К Лермонтову.

Заметное общее у них – ощущение окружающей пустоты и бесполезности, беспредметности мира: не за что ухватиться. У Введенского и буквально. Друскин описывает его образ жизни, его быт, если здесь применимо это слово: “простая железная кровать, две табуретки и кухонный стол”, а “в последний период своей жизни… он писал даже не за столом, но просто сидя на стуле и подложив под бумагу книгу”.

Концептуальная неприкрепленность. “Он сам раз сказал мне, что номер в гостинице предпочитает своей комнате. Номер в гостинице лишен индивидуальности, это просто временная жилая площадь – оттого Введенский и предпочитал ее своему дому…”

Современники отмечали, что на обэриутских вечерах Введенский выделялся среди своих эксцентричных товарищей стандартной обыденностью: черный костюм, белая рубашка с галстуком. Анонимная одежда – не запоминающаяся, не индивидуализированная, как его жилье. Снова – “бедность языка”.

Что же произошло? Отчего в “Элегии” явлен другой – “богатый”, даже “роскошный” – Введенский? Вероятно, можно говорить о пресловутом предвидении поэта, которое так часто встречается в истории словесности: потому это и трюизм, что правда.

Предощущение конца в прощальной “Элегии” явственно.

В реальной жизни было от чего тревожиться и скорбеть. Еще в конце 1931 года Введенского, Хармса и еще некоторых сотрудников детской редакции Ленгиза арестовали. В те сравнительно мирные времена они после тюрьмы и ссылки вернулись осенью следующего года. Но в 37-м окончательно взяли Олейникова, в 38-м Заболоцкого. К 40-му жанр элегии (и эпитафии) становился главным в жизни.

Не стоит демонизировать власть и ее спецслужбы. В них работали (и работают) такие же, как во всей стране, люди, с теми же представлениями о рабочей этике и отношением к производительности труда. Почему в государстве, где плохо с обувью, дорогами, телефонной связью, земледелием, туалетной бумагой и автомобилями, должно быть хорошо с госбезопасностью? Там трудятся так же, как везде: с той же ленью, нерадивостью, истеричностью, беспорядочностью, скрытым саботажем и показной штурмовщиной. Потому и ставит в тупик логика репрессий. В одних случаях причины арестов и казней прослеживаются: от мстительности верховного вождя до зависти коллег и корысти соседей. В других — беспросветная тьма не только архивов, но и мотивов.

Можно лишь оперировать фактами: например, твердо сказать, что ни одна литературная группа не была уничтожена так полно и безжалостно, как непонятные – и, казалось бы, оттого и безвредные – обэриуты. Возможно, наоборот: именно непонятность раздражала, будила комплекс неполноценности. Но нет – "кулацких" поэтов, которые уж куда доступнее, тоже убивали. Не получается схемы – только хаотический навал ужаса.

В те времена обычным делом было прятаться в детскую литературу и в переводы. Веселым абсурдистам скрыться и здесь не удалось. С 1928 года и до конца единственные публикации Введенского – в журналах "Чиж" и "Ёж", в детских книжках. Причем книги эти переиздавались и после гибели поэта. Но вырубка абсурда была произведена с невиданной тщательностью. Оттого и выглядит особенно возвышенно-трагическим жест Введенского, написавшего звучными классическими стихами "Думу" XX века. Свое прощание.

Лермонтов взглянул уже *оттуда*: "И прах наш… потомок оскорбит". Для Введенского *это* – впереди, чем и кончается стихотворение. Но начинается – тоже. Смерть появляется в первой же строфе и больше не уходит.

“Смерти час напрасный”. Загадочен этот стих. У Введенского повсюду, во многих сочинениях – тема смерти. По его слову – “окончательности”. Он писал: “Чудо возможно в момент Смерти. Оно возможно потому, что Смерть есть остановка времени”. То же и в стихах: “Вбегает мертвый господин / И молча удаляет время”. Человек властен над временем – но только своей смертью, фактом смерти. Так почему же – “час напрасный”?

Может быть, как раз потому, что смерть именно окончательна, что ничего исправить нельзя, что не дано нам знать, как умрем, а без этого – нельзя понять, как мы жили.

Античное отношение к жизни. Иначе что это за призыв – с мировоззренческой точки зрения – держать равнение на смерть? А на что же еще? Есть варианты? Для древних смерть – та точка, которая завершает фразу жизни и, согласно правилам грамматики бытия, является ее неотъемлемой составной частью. Об этом – финальные строки софокловского “Царя Эдипа”. Об этом – подробные сцены умирания у Гомера: последние мгновения способны зачеркнуть все достоинства (или наоборот – все бесславие) многолетнего пути. Пока человек не умер, нельзя *окончательно* сказать, как он жил.

Введенский знал, что говорил: “смерти час напрасный”. Сведения о его смерти – приблизительны.

Неизвестна точная дата: по официальной, то есть недостоверной, бумаге – 20 декабря 1941 года.

Неизвестна непосредственная причина – то ли дизентерия в арестантском вагоне, то ли пуля конвоя.

Неизвестно конкретное место – где-то на железной дороге между Воронежем и Казанью. На насыпи длиной 1148 километров.

Отель "Сент-Джордж"

Георгий Иванов
1894–1958

Все чаще эти объявленья:
Однополчане и семья
Вновь выражают сожаленья...
"Сегодня ты, а завтра я!"

Мы вымираем по порядку –
Кто поутру, кто вечерком –
И на кладбищенскую грядку
Ложимся, ровненько, рядком.

Невероятно до смешного:
Был целый мир – и нет его…

Вдруг – ни похода ледяного,
Ни капитана Иванова,
Ну абсолютно ничего!

[1949]

Вечером 5 января 1978 года я прилетел в Нью-Йорк. Все шло по стандартной процедуре, предусмотренной для эмигранта из СССР, автоматически получавшего статус беженца. Встретили в аэропорту, поселили в отеле, вручили какую-то сумму на насущные расходы, назначили на послезавтра беседу с социальным работником. Утром спустился вниз и выяснил, что в воскресенье в штате Нью-Йорк спиртное не продается, даже пиво только с полудня, когда заканчиваются службы в церквах. Это озадачило на долгие будущие годы, а тогда сильно огорчило: привычное средство требовалось особенно остро, чтобы избавиться от непривычной растерянности, почти паники. Впервые не представлял, что и как делать. Да, оставленное позади мне не нравилось, но оно мне было досконально знакомо, я знал и понимал ту жизнь, которая исчезла в одночасье. Вдруг абсолютно ничего. Новая уже надвинулась, но я ее не различал – совсем. Невероятно до смешного.

Погуляв до двенадцати, приобрел связку из шести пинтовых банок пива, обогатившись выражением sixpack, купил яиц, помидоров, ветчины (в номере была плитка и утварь) и пошел в отель. В лифте встретил попутчика из вчерашнего самолета, он страшно обрадовался и стал просить пятерку до завтра, объясняя, что купил утром двадцатифунтовый мешок риса, галлон растительного масла и галлон сока, мандаринов ящик, "в два приема нес, представляешь" – вот и остался без денег. Я спросил, зачем такие стратегические запасы в первый день. Он хлопотливо заговорил: "Так выгодно же очень! Понимаешь, фунт риса стоит... Если пятифунтовый пакет берешь... А если двадцать... Теперь масло..." – "У тебя что, семья большая?" – "Почему большая? Я один. А ты рис не уважаешь? Я уважаю, я с Чирчика, там вырос. Так пятерку дашь?" Прощаясь, сказал: "Ты заходи, я тебе объясню, как тут чего, я уже разобрался. Как говорится, на всякую хитрую найдем с винтом".

Попив "Будвайзера", я пошел бродить по отелю. В огромной, занимающей целый квартал в Бруклин-Хайтс гостинице "Сент-Джордж" можно было провести долгие годы, не выходя. Некоторые так и делали. Разговорчивый старик из соседнего номера заметно разволновался, узнав, что в понедельник я самостоятельно отправлюсь в город, наставлял быть осторожнее в "этом Нью-Йорке", как он называл прекрасно видимый из окна Манхэттен. "А вы там не бываете?" — спросил я. Старик только махнул рукой.

Из вестибюльного закутка меня окликнул чистильщик обуви, опытным глазом вычислив новичка. Анзор жил в Штатах уже три года, быстро надавал полезных советов, сводящихся все к той же нарезке винта, и спросил, чем я занимаюсь. Не по скрытности, а из-за неопределенности будущего я что-то изобразил в воздухе рукой: мол, пишу. Анзор оживился: "Напиши про меня. У меня такое кино! Только как груши возил в Ланчхути расскажу — все умрут. Все тебе расскажу, а ты напиши". Я мялся, а Анзор уже принял решение: "Слушай, у меня смена кончается сейчас, пойдем тут рядом, посидим, поговорим, шашлык-машлык, вино-мино, такое место знаю". Жизнь приобретала внятные очертания. Анзор складывал щетки, оборачиваясь на меня, словно присматривал, чтоб не убежал: "Только как груши в Ланчхути возил! Только как груши!"

В 78-м я почти совсем не знал стихов Георгия Иванова. Из всего стихотворения, написанного в год моего рождения, известны мне были только последние пять строк, которые я и твердил про себя в те январские дни. Позже узнал первые восемь – трагических, смертных, отчего концовка, имевшая в отдельности несколько иронический оттенок, превратилась в то, чем она и является – мужественным признанием безнадежности смены миров.

Какая же гигантская разница у нас в масштабах, характере, степени насильственности перемен. Общее разве что – стремительность происшедшего. Но какая мелочь твои длившиеся неделю переживания от необходимости впервые отвечать самому за себя – на фоне того чувства неизбывного горя, которое Георгий Иванов пронес до конца.

Самые незаполошные из них – а Иванов был из самых-самых – понимали случившееся как полный крах, как позорное поражение. "Не изнемог в бою Орел Двуглавый, / А жутко, унизительно издох". То же у Иванова в прозе: "И вот нет ни девятнадцатого века, ни духа его, ни веры в прогресс, ни трезвых оценок, ни "логики истории". История вдребезги, ударом красноармейского сапога разбила все полки и полочки русской культуры, где все так аккуратно, так справедливо было расставлено".

Не стоит придираться к "справедливости" расстановки: на фоне того, что пришло в России на смену, любая иерархия казалась благом. И тем горше, тем непростительнее утрата. У Мандельштама в "Феодосии" – образ "больного орла, жалкого, слепого, с перебитыми лапами, – орла Добровольческой армии". Адамович: "Над нами трехцветным позором полощется нищенский флаг".

Но никого, пожалуй, так навязчиво не тревожила именно внезапность события, как Георгия Иванова. Есть знаменитое розановское "Русь слиняла в два дня. Самое большее – в три...", однако Розанов умер в 19-м, не успев как следует удивиться. Иванов изумлялся всю жизнь.

Это потрясение проходит сквозь все его стихи с 30-х по 50-е. "Так в страшный час над Черным морем / Россия рухнула во тьму"; "Ни надежды. Ни расчета. / Просто – ничего"; "Видим вдруг – неизбежность пришла”; “И всего верней – проститься, / Дорогие господа, / С этим миром навсегда”; “И нет ни России, ни мира, / И нет ни любви, ни обид”.

Молниеносность исчезновения страны прослеживается по множеству источников. Через много лет Берберова подчеркивает иррациональность происшедшего: “Мне и сейчас еще кажется какой-то фантасмагорией та стремительность, с которой развалилась Россия...” В бесповоротность перемен не верилось. Как пишет тот же Иванов об осени 1918 года: “На Каменноостровском строились футуристические арки к первой (последней, как все были уверены) годовщине “пролетарской революции”. Тэффи, чьи мемуары ценны живописностью, именно достоверными эскизами эпохи хаоса, вспоминает Киев 19-го, рисуя непостижимую быстроту смены декораций: “Оживленные улицы, народ, снующий из магазина в магазин... И вдруг чудная, невиданная картина, точно сон о забытой жизни, – такая невероятная, радостная и даже страшная: в дверях кондитерской стоял офицер с погонами на плечах и ел пирожное! Офи-цер, с по-го-нами на плечах! Пи-рож-ное!” Иванов ей вторит: “В 1919 году вообще мало чему удивлялись. Разве уж чему-нибудь в самом деле колоссальному. Окороку ветчины, например”. Ходасевич в том же 19-м записывает: “Красивые женщины тоже куда-то исчезли”.

Насколько убедительнее и доходчивее эти бытовые подробности, чем анализ политических событий: на глазах, под руками расползлась сама ткань жизни. В такое не верится никогда: ну, другая власть, но ведь ненадолго — во-первых, и не может быть, чтобы такая уж совсем другая — во-вторых. Ольга Давыдовна Каменева у Ходасевича, Луначарский у десятка мемуаристов — пусть неприятные, даже противные, но читавшие те же книжки, почти свои.

Изощренный взгляд Иванова фиксирует глубинный смысл повальной распродажи из приличных семей: “Люди еще сидели в своих обреченных на гибель домах, еще таились, надеялись, выжидали, сторонились событий, вещи уже навязчиво предлагали себя, смешиваясь и братаясь с революционным плебсом. Вещи оказались демократичнее людей”.

Уехавшие, еще за несколько дней до отъезда, могли не подозревать о своем предстоящем шаге. Путается простодушная правда и сознательная ложь. Леонид Сабанеев вспоминает, как ответил композитор Гречанинов на вопрос, почему он не уезжает. "Он на меня посмотрел недовольно и сказал — я хорошо помню эти слова: "Россия — моя мать. Она теперь тяжело больна. Как могу я оставить в этот момент свою мать! Я никогда не оставлю ее". Через неделю я узнал, что он выехал за границу". Знакомая уговаривает Тэффи пойти в парикмахерскую: "Ну да, все бегут. Так ведь все равно не побежите же вы непричесанная, без ондюлясьона?!" И Тэффи, совершенно не собиравшаяся покидать Россию, неожиданно обнаруживает себя на пароходе в Константинополь. Можно предположить, причесанной. Быт, ткань, пирожные, прически, то есть сама жизнь — переместились вместе с носителями жизни.

В год своей смерти, в старческом доме на Лазурном берегу, Георгий Иванов дословно повторяет строку: "Ну абсолютно ничего". Примечателен контекст повтора. Стихотворение 58-го года начинается как стишок для детского утренника:

“Вот елочка, а вот и белочка / Из-за сугроба вылезает. / Глядит, немного оробелочка, / И ничего не понимает — / Ну абсолютно ничего”, а заканчивается кромешной безнадежностью. Белочка выбирается из-за сугроба к прочей лесной живности на веселый праздник, но вдруг — без всяких объяснений — уходит в черноту: “Откуда нет пути назад, / Откуда нет возврата”.

Тот самый всхлип, которым — по Элиоту — заканчивается мир. Всхлип Георгия Иванова, знавшего, что умирает, не хотевшего с этим соглашаться. Не про белочку же он, в самом деле: “И ничего не понимает — / Ну абсолютно ничего”.

Одними и теми же словами Иванов поразился окончательности краха — своего мира и своей жизни.

Порядок слов

Борис Пастернак
1890–1960

Магдалина

II

У людей пред праздником уборка.
В стороне от этой толчеи
Обмываю миром из ведерка
Я стопы пречистые Твои.

Шарю и не нахожу сандалий.
Ничего не вижу из-за слез.
На глаза мне пеленой упали
Пряди распустившихся волос.

Ноги я Твои в подол уперла,
Их слезами облила, Исус,
Ниткой бус их обмотала с горла,
В волосы зарыла, как в бурнус.

Будущее вижу так подробно,
Словно Ты его остановил.
Я сейчас предсказывать способна
Вещим ясновиденьем сивилл.

Завтра упадет завеса в храме,
Мы в кружок собьемся в стороне,
И земля качнется под ногами,
Может быть, из жалости ко мне.

Перестроятся ряды конвоя,
И начнется всадников разъезд.
Словно в бурю смерч, над головою
Будет к небу рваться этот крест.

Брошусь на землю у ног Распятья,
Обомру и закушу уста.
Слишком многим руки для объятья
Ты раскинешь по концам креста.

Для кого на свете столько шири,
Столько муки и такая мощь?
Есть ли столько душ и жизней в мире?
Столько поселений, рек и рощ?

Но пройдут такие трое суток
И столкнут в такую пустоту,
Что за этот страшный промежуток
Я до Воскресенья дорасту.

1949

Сразу поразил быт, как у венецианцев Возрождения. Такое есть и у других итальянских художников эпохи, но в Венеции, в те времена мировой столице здравого смысла, – больше всего. Сейчас начало "Магдалины" звучит для меня постоянным аккомпанементом к этой живописи: повседневность – не фон сюжета, а его передний план, первая строфа. Старуха с корзиной яиц в "Введении Девы Марии во храм" Тициана. Служанка на раздаче провизии в "Тайной вечере" Тинторетто. Шуты, собаки, попугаи в "Пире в доме Левия" Веронезе. Помятая жестяная миска в руке Иоанна Предтечи в "Крещении Христа" Чима де Конельяно. Лохматый шпиц в "Видении св. Августина" и тапочки возле кровати св. Урсулы у Карпаччо. В "Прозрении св. Франциска" Карло Сарачени прямо перед глазами – две пары сандалий: вот же они, нашлись. Таков и евангельский мир Пастернака.

Как он рассказывал, его в детстве крестила няня, тайком от родителей. Догадывались ли они – неизвестно, во всяком случае, взрослый поэт именует это обстоятельство "полутайной".

Евреи Пастернаки были ассимилированы по сути, но формально этого делать не хотели, считая отступничество неприличием. Леонид Осипович получил лестное предложение стать преподавателем в Училище живописи, ваяния и зодчества – заведении, предполагающем "титульное" вероисповедание служащих, – и написал полное достоинства письмо о том, что он еврей, "не связан с традиционной еврейской обрядностью, но, глубоко веря в Бога, никогда не позволил бы себе и думать о крещении в корыстных целях". Тем не менее место в Училище получил – по распоряжению августейшего председателя Московского художественного общества великого князя Сергея Александровича. В те же годы в куда более социально развитой империи – Австро-Венгерской – Густаву Малеру пришлось креститься, чтобы получить придворный пост. Для полного запутывания стоит добавить: Сергей Александрович был настолько известным антисемитом и покровителем черносотенцев, что когда его убил террорист Каляев, в либеральной части России не огорчились даже убежденные противники насилия.

Впрочем, через шесть лет сына художника, Бориса Пастернака, не приняли в гимназию, несмотря на успешную сдачу экзаменов и несмотря на ходатайство городского головы Москвы князя Голицына. Директор гимназии писал князю: "К сожалению, ни я, ни педагогический совет не может ничего сделать для г. Пастернака: на 345 учеников у нас уже есть 10 евреев, что составляет 3%, сверх которых мы не можем принять ни одного еврея, согласно министерскому распоряжению".

Опять все мешается в понимании и ощущениях. Омерзительность процентной нормы – и уважение к порядку, который незыблем даже для такого уровня вмешательства. Можно ли вообразить в последующие российские времена, вплоть до сегодняшнего дня, учебное заведение, игнорирующее ходатайство первого секретаря горкома или нынешнего мэра?

(В скобках отдельный сюжет. В интеллигентской общественной мифологии довольно устойчиво противопоставляются "диссидент" Мандельштам и "конформист" Пастернак. Но для поступления в университет, чтобы обойти процентную норму, крестился “диссидент”. Причем выбор протестантства подчеркивает прагматический характер крещения Мандельштама: можно было не принадлежать ни к какой общине и не посещать богослужений, но христианином числиться законно и официально. Пастернак поступил на следующий год – в рамках процентной нормы, на общееврейских основаниях.)

В той процедуре христианского покаяния за свое относительное благополучие по сравнению с другими поэтами-современниками, которую Пастернак выстроил “Доктором Живаго” – самим романом и его литературно-исторической судьбой – “Магдалина II” занимает ключевое место.

Марию Магдалину принято отождествлять с кающейся блудницей, хотя в Новом Завете лишь говорится, что Иисус изгнал из нее “семь бесов” (Лк. 8:2), а это указывает, скорее всего, на какую-то болезнь по ведомству психиатрии или невропатологии. Магдалину все евангелисты называют первой среди женщин, стоявших у Креста, она первая пришла к гробнице Христа, ей первой из людей Он открылся. Но поскольку молва всегда сильнее истины, Магдалина сделалась не символом верности, а синонимом покаяния.

По сути, Пастернак каялся в том, что остался жив и на свободе. Страшным ударом для него было самоубийство Маяковского. Потом на его глазах исчезли из жизни Пильняк, Бабель, Мандельштам, Хармс, Введенский, Олейников. Посадили Заболоцкого, отняли сына у близкой Пастернаку Ахматовой. И сильнейшее потрясение – смерть Цветаевой, с которой у Пастернака была даже не дружба, а роман: эпистолярный, платонический, невоплощенный, но настоящий любовный роман.

Давно отмечено, что пастернаковская "Магдалина II" метрически – пятистопный хорей – повторяет цветаевскую "Магдалину-3" ("О путях твоих пытать не буду..."). Иосиф Бродский, анализируя "величайшее, на мой взгляд, стихотворение Пастернака", утверждает прямо: "У людей пред праздником уборка..." есть прежде всего стихи памяти Цветаевой". Бродский идет и дальше: "16 строк Цветаевой и 36 Пастернака представляют собой диалог или, точнее, – дуэт; стихотворение 49-го года оказывается продолжением стихотворения 23-го года. Драматургически они составляют единое целое".

Резкое различие – как раз в потоке быта. Дочь Цветаевой, цитируя материнские строки – "счетом ложек Создателю не воздашь", – пишет: "Таково было ее глубокое внутреннее отношение к быту – библейское отношение!" Однако Писание шире любой однозначной трактовки, в нем возвышенная Мария и земная Марфа – родные сестры.

Заявленное в первой строфе "Магдалины II" противопоставление Марфы и Марии (с этой сестрой исцеленного Лазаря в западном христианстве отождествляют Марию Магдалину) отходит в сторону, различие между ними Пастернак словно стирает: "у людей уборка", у нее – помывка. Дорогостоящее миро – ведерком, к возмущению апостолов, особенно казначея Иуды (Ин. 12:3 – 6). Хозяйственный подход и говорок продолжаются: "шарю и не нахожу", "в подол уперла", "в кружок собьемся". Понятно, что с таких низин стремительнее и круче взлет в горние выси концовки. Но причина не столько в поэтической тактике, сколько в пастернаковском микрокосме, через который ему открывался и евангельский мир.

По соседству с “Магдалиной” в “Стихах Юрия Живаго” — та же достоверная приземленность. “Топтались погонщики и овцеводы, / Ругались со всадниками пешеходы, / У выдолбленной водопойной колоды / Ревели верблюды, лягались ослы” (“Рождественская звезда”); “И долго-долго о Тебе / Ни слуху не было, ни духу” (“Рассвет”); “Толклись в ожиданье развязки / И тыкались взад и вперед” (“Дурные дни”); “Ученики, осиленные дремой, / Валялись в придорожном ковыле” (“Гефсиманский сад”). Стиль — быт, язык — просторечие.

Все самое важное у Пастернака происходит именно так: “Зубровкой сумрак бы закапал, / Укропу к супу б накрошил... / Откупорили б, как бутылку, / Заплесневелое окно... / И солнце маслом / Асфальта б залило салат... / Мои телячьи бы восторги. / Телячьи б нежности твои”. Любовное стихотворение об ожидании весны построено на кухонных метафорах. Создание домашнего уюта с вкусным накрытым столом настолько последовательно, что расхожие идиомы “телячьи восторги” и “телячьи нежности” обретают отчетливое кулинарное звучание. С асфальтом вот только не очень аппетитно.

В трагические стихи "Памяти Марины Цветаевой" органически включен рецепт поминального горя: "Прибавить к сумеркам коринки, / Облить вином – вот и кутья". В вариантах этого стихотворения еще внушительнее: "Я жизнь в стихах собью так туго, / Чтоб можно было ложкой есть". Финал стихотворения на смерть Маяковского: "Так пошлость свертывает в творог / Седые сливки бытия".

По мемуарам не видно, чтобы Пастернак был кулинаром (вот и полученный только что творог несъедобен – во всех отношениях), но в подготовительной стадии он знал толк: "Лист смородины груб и матерчат. / В доме хохот и стекла звенят, / В нем шинкуют, и квасят, и перчат, / И гвоздики кладут в маринад". Воспоминания разных людей полны зарисовок поэта с лопатой на грядке. Сам занимавшийся много лет приусадебным хозяйством, Сергей Гандлевский изобрел даже глагол: "Пастерначит в огороде".

Когда в любовной лирике появляется Брамс, начинаешь увлеченно разбираться – что именно так поразило автора. Выясняется: Интермеццо №3, опус 117. В стихах речь идет об исполнении

Генриха Нейгауза, чья жена тогда еще не ушла к Пастернаку. Я эту вещь воспринимаю в трактовке Гленна Гульда. Нейгауз – мягче, плавнее, именно лиричнее, Гульд – акцентированнее, определеннее, проще, что понравилось бы, возможно, позднему Пастернаку, но запись Гульда сделана через четыре месяца после смерти поэта. Музыка и любовь – сочетание куда как традиционное, однако автор не дает забыться, и здесь тоже немедленно возникает быт: "Мне Брамса сыграют, – я вздрогну, я сдамся, / Я вспомню покупку припасов и круп..." У Пастернака не было ни кокетства, ни склонности к юмору. Если он ставит любимую фортепианную пьесу рядом с крупой, значит, они рядом и стоят, что правильно: не снижение, но сопряжение.

"Прошло ночное торжество. / Забыты шутки и проделки. / На кухне вымыты тарелки. / Никто не помнит ничего".

Искусство вообще – прежде всего память (мать всех муз Мнемозина). В этом одноприродность искусства и религии – ориентация во времени, создание системы координат. Надо помнить, как был сыгран Брамс и что было в тарелках – суть торжества в этом, а не в идее торжества. Все жизненные проявления – ритуал. Культура – последовательность обрядов. Поэзия – порядок слов. Религия – миропорядок.

Последнее дело – гадать о побудительных мотивах поэта, если поэт не сообщил об этом сам. Но современниками и последующими поколениями "Стихи Юрия Живаго", написанные в 40-е и 50-е, – *советские* 40-е и 50-е! – ощущались протестом христианской культуры против языческой дикости, аргументом в пользу интуиции и метафизики против рационализма и наукообразия, лежащих в основе нового порядка.

Речь, понятно, о чутких современниках. Пастернак в 48-м осмелился прочесть в Политехническом музее два стихотворения из "Живаго", в том числе такое безусловно религиозное, как "Рассвет" ("Ты значил все в моей судьбе…"). Очевидец вспоминал: "Одичание было настолько глубоким, что огромное большинство… просто не понимало, кто Тот, к которому обращается поэт".

Зато все всегда хорошо понимали, что порядок должен быть один для всех. На второе место отходил даже вопрос — *чем* занимается в одиночестве поэт. На первом было — чем-то *в одиночестве*. Начиная с 30-х Пастернаку уединиться не давали, твердя на все лады: "Продолжает пропускать советский воздух в свой замкнутый идеалистический мирок только через трещины в форточке", "Вы живете в комнатном мирке", "Продолжает жить в пресловутой башне из слоновой кости, изредка высовывая из форточки свое одухотворенное лицо" — Асеев, Безыменский, Алтаузен, Киршон. Коллеги. Это мы говорим — "пастернаковский микрокосм", а они — "душный камерный мирок пастернаковской музы", куда не позволяли даже поставить рождественско-новогоднюю елку (елочный запрет в СССР длился с 29-го по 35-й год).

Коллеги тоже бывали по-своему чуткими современниками, анализировали вдумчиво, не только однообразно бранились. Тезис из поношений 30-х — "Живет в строю старых видений и ассоциаций, ставших его интимным внутренним миром" — сейчас кажется парафразой слов самого Пастернака 50-х. В конце жизни он писал Варламу Шаламову, сыну священника: "Я стараюсь изложить в современном переводе, на нынешнем языке… хоть некоторую часть того мира, хоть самое дорогое (но Вы не подумайте, что эту часть составляет евангельская тема, это было бы ошибкой, нет, но издали, из-за веков отмеченное этою темой тепловое, цветовое, органическое восприятие жизни)".

Исключительно важное свидетельство. Христианство Пастернака – в первую очередь культурное. Евангельские сюжеты – метафоры. Обращение к Писанию есть обращение к общечеловеческому опыту, забытому и презренному в окружающем обществе. Именно отсюда – такое сгущение быта в евангельских стихах. "Уборка" и "ведерко", "огород" и "маринад" – всё миропорядок.

Оба поэта

Георгий Иванов

1894—1958

I

Друг друга отражают зеркала,
Взаимно искажая отраженья.

Я верю не в непобедимость зла,
А только в неизбежность пораженья.

Не в музыку, что жизнь мою сожгла,
А в пепел, что остался от сожженья.

2

Игра судьбы. Игра добра и зла.
Игра ума. Игра воображенья.
“Друг друга отражают зеркала,
Взаимно искажая отраженья...”

Мне говорят — ты выиграл игру!
Но все равно. Я больше не играю.
Допустим, как поэт я не умру,
Зато как человек я умираю.

[1950, 1951]

Редкостная трезвость, которой и прежде почти не было, и после появилась лишь в позднейших поэтических поколениях – у Бродского, Лосева, Гандлевского. "Я верю не в непобедимость зла, / А только в неизбежность пораженья" – как замечателен этот сдвиг от метафизики к действительности, от обобщения к частному случаю, от тумана к конкретности. Так, у Гоголя о переходе Андрия к полякам говорит еврей Янкель, отвечая на патетическую риторику Тараса: "Выходит, он, по-твоему, продал отчизну и веру? – Я же не говорю этого, чтобы он продавал что: я сказал только, что он перешел к ним".

В прозе Иванов словно дает разъяснение, горестно и брезгливо: "Ох, это русское, колеблющееся, зыблющееся, музыкальное, онанирующее сознание. Вечно кружащее вокруг невозможного, как мошкара вокруг свечки". Его забота – снизить и сузить, не дать себе закружиться ввысь и вширь.

Трезвость можно считать фирменным знаком ивановской поэзии его долгих последних тридцати лет. Холодное мужество перед лицом отчаяния. Это вызывает почтение, такому хочется подражать. И подражали. Поэзию так называемой “парижской ноты” называли и называют примечанием к Иванову. Анатолий Штейгер: “До нас теперь нет дела никому — / У всех довольно собственного дела. / И надо жить как все, но самому… / (Беспомощно, нечестно, неумело)”.

Иванов отчеканил еще в 30-м: “Так черно и так мертво, / Что мертвее быть не может / И чернее не бывать, / Что никто нам не поможет / И не надо помогать”. Без иллюзий, без упований на поддержку сверху ли, снизу – все равно. “А люди? Ну на что мне люди?” Подозреваю, помня себя, что такой пример страшно соблазнителен и страшно разрушителен для молодого сознания, и рад тому, что прочел Иванова взрослым, когда к подобной позиции – все сам, “никто не поможет” – пришел самостоятельно. Жизнь привела.

Иванова привела жизнь к этим жутковатым стихам – трансформация, поражавшая всех, кто знал его в ранние годы. “Каким папильоном кажется Жоржик, порхавший в те грозные дни среди великих людей и событий. Таковы же были и его стихи: как будто хороши, но почти несуществующие; читаешь и чувствуешь, что, в сущности, можно без них обойтись" – это Чуковский об Иванове времен революции. В 1916 году Ходасевич пишет проницательно и пророчески: "Г.Иванов умеет писать стихи. Но поэтом он станет вряд ли. Разве только случится с ним какая-нибудь большая житейская катастрофа, добрая встряска, вроде большого и настоящего горя".

Продолжая и подтверждая известное ей, несомненно, предсказание Ходасевича, его вдова Нина Берберова через полвека написала о позднем Иванове: "В эти годы писал свои лучшие стихи, сделав из своей личной судьбы (нищеты, болезней, алкоголя) нечто вроде мифа саморазрушения... Он далеко оставил за собой всех действительно живших "проклятых поэтов" и всех вымышленных литературных "пропащих людей": от Аполлона Григорьева до Мармеладова и от Тинякова до старшего Бабичева".

Как вообще в берберовских мемуарах, здесь мешается верность наблюдений с вымыслом, порожденным тем, что по-английски называется wishful thinking: думается как желается. Ходасевич и Иванов терпеть не могли друг друга. Идейная верность покойному мужу окрашивает все написанное Берберовой об Иванове. Отдадим должное: она высоко оценила его поздние стихи, но неприязнь к человеку осталась, побудив и к домыслам, и даже к откровенным выдумкам (особенно об обстоятельствах ивановской смерти).

Личная судьба как миф саморазрушения — тезис броский, хотя и слишком очевидный: сама поэт, Берберова не может не знать, что только так — мифологически — и преображаются у больших поэтов драматические обстоятельства жизни. Но набор имен — слишком произволен. Если и можно разглядеть в ивановских стихах забубенность Аполлона Григорьева, то уж с Тиняковым роднит разве только то, что Иванов любил повторять его двустишие: “Любо мне, плевку-плевочку, / По канаве проплывать”. То, как Иванов описал Тинякова в своей прозе, не оставляет никаких сомнений в их полной чуждости. И уж совсем не к месту Мармеладов: чего-чего, а жалкости в поэзии Иванова нет вовсе.

При этом упущено главное: ивановский “миф саморазрушения” теснейшим и самым прямым образом связан с разрушением России. То большое и настоящее горе, о котором говорил Ходасевич, — вовсе не личная судьба, а остро личное переживание того, что "Россия рухнула во тьму".

Более того, по эмигрантским литераторским меркам обстоятельства личной жизни Иванова складывались благополучно. У его жены Ирины Одоевцевой в Риге был состоятельный отец, который выплачивал дочери и зятю приличный пенсион. После его смерти Ивановым досталось наследство. Трудности начались лишь в 40-е: доходы от недвижимости из ставшей советской Риги перестали поступать, а полученные деньги закончились. При этом уже с конца 20-х — отчаяние, примеривание к нему, попытки с отчаянием сосуществовать, осознание невозможности приспособиться, и всё только оттого, что *там* ничего нет, а если и есть, то другое, чужое. Как он написал, с характерной чуть истерической модуляцией голоса: "Но в бессмысленной этой отчизне / Я понять ничего не могу". Или это: "Россия тишина. Россия прах. / А может быть, Россия — только страх. / Веревка, пуля, ледяная тьма / И музыка, сводящая с ума".

Та самая музыка, которая "жизнь мою сожгла". Это ивановское слово "музыка" — сама жизнь, ее поток. Впрочем, не только ивановское — в том же смысле слово употребляют и Блок, и Мандельштам, и наша повседневная речь: "Ну, вся эта музыка!.."

Вторая часть стихотворения, написанная годом позже первой, а в год смерти к ней присоединенная, — слабее, потому что перепев, потому что неуместная вдруг напыщенность образов. Всё приводят в норму — ивановскую, только ивановскую норму! — две последние строки. Он выговаривает то, что хрестоматийный поэт произносить не должен, но что вызревало в нем давно. Одоевцева вспоминает, как еще в 33-м в доме редактора рижской газеты "Сегодня", когда кто-то завел речь о том, что для поэта страшно пережить себя и умереть при жизни, Иванов заметил: "Я бы, пожалуй, согласился умереть как поэт, чтобы продолжать как человек жить до ста лет — с табачком и водочкой, разумеется". (Здесь проговорены на будущее сразу два стихотворения — еще и то, которое начинается обреченно аристократически: "Если бы жить... Только бы жить... / Хоть на литейном заводе служить", а заканчивается демократически примирительно: "Трубочка есть. Водочка есть. / Всем в кабаке одинакова честь!")

Жизнь иссякает так же, как талант, только дар — самопроизвольно, а жизнь — злонамеренно и насильственно. Об этом: "Как обидно — чудным даром, / Божьим даром обладать, / Зная, что растратишь даром / Золотую благодать. / И не только зря растратишь, / Жемчуг свиньям раздаря, / Но еще к нему доплатишь / Жизнь, погубленную зря".

Ивановскую жизнь зря погубила история — вместе с Россией. Но она тем же и создала выдающегося поэта: редкостный случай столь убедительной наглядности. "Кто мог подумать, что из светского говоруна выйдет поэт такой силы?" (Рюрик Ивнев).

По мемуарам, рисующим русское начало века, проходит яркий персонаж не столько поэтического, сколько именно светского пейзажа: остроумец и насмешник, дамский угодник и блестящий собеседник, модник и жуир с безупречными манерами. В аскетические годы военного коммунизма он умудрялся быть элегантно одетым и причесанным. В 20-м году Сергей Судейкин, оформивший "Бродячую собаку" и "Привал комедиантов", поработал визажистом-имиджмейкером, создав

Иванову ту челку, которую упоминают все и которую обессмертил Мандельштам: "Но я боюсь, что раньше всех умрет / Тот, у кого тревожно-красный рот / И на глаза спадающая челка". Иванову предстояло прожить после этих строк сорок пять лет, пережив их автора на двадцать.

С десятилетиями его облик не изменился. "Котелок, перчатки, палка, платочек в боковом кармане, монокль, узкий галстучек, легкий запах аптеки, пробор до затылка, – изгибаясь, едва касаясь губами женских рук..." – Берберова дает ивановский портрет конца 40-х в Париже.

Общее у двух Георгиев Ивановых, двух одинаковых людей и двух разных поэтов – вкус. Тот, согласно которому "сказать "я блистал" так же невозможно, как "я кушал", тот "русский "хороший вкус", растение тепличное и нам мало знакомое", который и породил поздние ивановские стихи, поражающие сдержанным мужеством. Вероятно, таким он – по сути – был всегда. В конце концов, для поэта, особенно той поэтической эпохи, само сохранение анонимной фамилии чего-то стоит: какое сочетание вкуса и отваги – остаться Ива́новым!

Черемуха из Ясной Поляны

Георгий Иванов

1894–1958

> В Петербурге мы сойдемся снова,
> Словно солнце мы похоронили в нем…
>
> *О.Мандельштам*

Четверть века прошло за границей,
И надеяться стало смешным.
Лучезарное небо над Ниццей
Навсегда стало небом родным.

Тишина благодатного юга,
Шорох волн, золотое вино…

Но поет петербургская вьюга
В занесенное снегом окно,
Что пророчество мертвого друга
Обязательно сбыться должно.

[1951]

Какие они другие! Мне было столько же, сколько Георгию Иванову — почти двадцать восемь, — когда я навсегда, как он, уехал за границу. Поразительное различие двух волн эмиграции — то есть не поразительное, конечно, рационально объяснимое, но все же по-настоящему непонятное. Чего стоит фраза: “Надеяться стало смешным...” Все три слова, особенно “стало” — это что же, только в 50-е?

Как долго они хранили эту веру. Мережковский задает вопрос: “Что дороже — Россия без свободы или свобода без России?” Вроде сам факт, что такое произносится в Париже 30-х, уже есть ответ, но вопрос все-таки задается. Позитивный и деятельный Федор Степун беспокоится о родине: “Сумеет ли она после падения большевистской власти столь мудро сочетать мудрость государственной воли с вдумчивым отношением к духовным и бытовым особенностям ведомых ею народов?..” На дворе — 1940 год. А уж война эти настроения и размышления усилила многократно. Георгий Федотов в 49-м уверенно пишет о близком конце сталинской державы.

Конец войны и первые послевоенные годы стали самым странным из периодов надежд, которые пережила Россия в XX веке. "Странным" – потому что у других просветов было больше оснований. Первый – 1905–1907 годы, после царского манифеста и учреждения парламента. Второй – февраль 1917-го, увлекший интеллигенцию в революцию. Третий – НЭП, совершенно сбивший с толку и тех, кто остался, и тех, кто уехал. Пятый – оттепель, с XX съезда в 56-м до Праги в 68-м. Шестой просвет – горбачевско-ельцинский.

Четвертым стала война, с ее победоносным подъемом, снятием некоторых запретов на Церковь, невольной слабостью цензуры, отвлеченной от идеологического контроля на военную тайну, ощущением невиданной силы вольно расправленных плеч, наконец, первым контактом с иным, на многие годы запретным западным миром, даже в разрухе более зажиточным и устойчивым.

Зарубежных русских война соблазнила призраком свободы гораздо больше, чем русских советских – по объяснимой причине взгляда издалека ("Это вам говорю из Парижа я / То, что сам понимаю едва"). Хотелось верить, что побеждает русская, а не советская армия. И в литературе СССР словно потеснился перед Россией. Стихотворение Симонова "Ты помнишь, Алеша, дороги Смоленщины...", которое я в 70-е бубнил в армейской художественной самодеятельности как казенное заклинание, в 40-е потрясло эмиграцию. Легко догадаться, какими более всего строками: "Крестом своих рук обнимая живых, / Всем миром сойдясь, наши прадеды молятся / За в бога не верящих внуков своих". Мирились даже со строчной буквой: поминают же, молятся же. Ирина Одоевцева рассказывает, как в 46-м на встрече с Эренбургом и Симоновым у редактора парижской газеты "Советский патриот" эмигрантские поэты по кругу читали свои просталинские стихи.

Иванов оставался последовательно непримирим. Вот и на ту встречу его жена Одоевцева поехала, но он – нет. Мало было таких убежденных, как Мельгунов: "У кого закружилась голова в день, когда доблестная красная армия взяла Берлин, – тот для меня вычеркнут из числа знакомых. Голова не может кружиться, пока жив Сталин". Мало было таких идейно стойких и нелюбознательных, как Керенский, который в 64-м (!) говорил, что никогда не был в кино, потому что носит траур по России.

Расклад идеологических сил изменился с нацизмом, война — довершила. Конец 30-х и 40-е были временами, когда категорическое отрицание Сталина автоматически влекло за собой обвинение в симпатии к Гитлеру. Упрощение выбора торжествует всегда, не только в политике. Ты против ЦСКА — значит, ты за "Спартак".

Берберова приводит слова Иванова о том, что он предпочел бы быть полицмейстером взятого немцами Смоленска, чем в Смоленске редактировать литературный журнал. Надо уж очень не любить человека, чтоб не захотеть услышать в этой его фразе — фразу: броскую и безответственную.

К тому же в воспоминаниях Берберовой звучит мотив самозащиты. Когда году в 80-м, работая в нью-йоркском "Новом русском слове", я что-то спросил о ней у главного редактора Андрея Седых, тот ответил, что отношения с Берберовой не поддерживает — "по примеру Ивана Алексеевича", что Бунин, как и многие другие эмигранты, не протягивал ей руки как коллаборационистке, в войну принимавшей немцев. Бог весть, что тут правда.

Вот о Мережковском доподлинно известно, что он, ненавидя большевиков, назвал Гитлера "новой Жанной д'Арк" – это зафиксировано. Устные же свидетельства никогда не свободны от искажений, порожденных предвзятостью. При этом основной источник мемуарной неправды – не в злонамеренности, а в поисках занимательности и исключительности. И еще больше – в господствующем во всех человеческих взаимоотношениях принципе испорченного телефона: не то он украл, не то у него украли.

В перемены на родине, в возможность возвращения верить очень хотелось. Как ни открещивается Иванов – и справедливо, и показательно открещивается – от русского "онанирующего сознания", это же он пишет, отражая умственную, мировоззренческую путаницу: "Туманные проходят годы, / И вперемежку дышим мы / То затхлым воздухом свободы, / То вольным холодом тюрьмы". Правда, у него тут скорее чисто литературное упражнение, парафраза Ходасевича, написавшего тридцатью годами раньше: “Мы дышим легче и свободней / Не там, где есть сосновый лес, / Но древним мраком преисподней / Иль горним воздухом небес”. Даже в необычной для него туманности у Иванова и здесь – характерное снижение от трансцендентных категорий рая-ада к жизненному ряду свободы-тюрьмы. Но все же – как быть с тем, что “надеяться стало смешным”?

Вероятно, основная причина в огромности потери, не сравнимой с нашей. Кто из моей третьей эмиграции смог бы честно произнести, как Степун: “До чего широко, радушно, праздно и одновременно полно жили мы в старой России”? Или простодушно, как Сытин: “Хорошая, господа, была жизнь, может, и несправедливая, а хорошая”?

В их глазах у России новой был единственный шанс оправдания – возможность стать Россией старой, потому что ничего своего новая произвести не могла. Тот же Степун, столкнувшись с послевоенной волной эмиграции, пишет о “полном отсутствии пленительных воспоминаний” у этих людей.

Вроде они не любили, не рожали детей, не дружили, не пили водку, не пели песни. Я помню это отношение и по своему опыту: та выжженная земля, с которой мы прибыли на Запад во второй половине 70-х, не могла, не должна была произвести ни одного ростка зелени, ни одного цветка. Мы, считалось, оттуда спаслись – к нам и относились заботливо и по-доброму, но именно как к спасенным: им делают искусственное дыхание, а не заводят разговор о красотах прибоя.

Вот и Иванов пишет о второй эмиграции: "Они наивны, и первобытно самоуверенны, и как будто не поддаются органически культуре. Я к ним, т. е. к этим ди-пи (DP, displaced persons, перемещенные лица. – *П.В.*) – питаю больше чем симпатию, я чувствую к ним влечение кожное и кровное. Но считаю, что они тоже "жертвы" большевизма, как и мы, только по-иному. Нашу духовную культуру опозорили, заплевали и уничтожили, нас выбросили в пустоту… Их вырастили в обезяннике пролетариата – с чучелой Пушкина вместо Пушкина, которого знаем мы, с чучелой России, с гнусной имитацией, суррогатом всего, что было истреблено дотла и с корнем вырвано…

Я думаю, что они и вообще Россия, пусть и освобожденная, в этом смысле "непоправимы", по крайней мере очень надолго".

Еще в середине 90-х эти строки могли читаться с насмешливым превосходством, как брюзжание замшелого ветерана идеологических войн. Но, похоже, Иванов знал и понимал больше, увидев острее и дальше: "чучелу", явленную в двухсотлетний юбилей, "обезянник", имитацию традиций, суррогат патриотизма, всю трагическую непоправимость. Его слова 51-го года можно датировать и полувеком позже.

Иванов оказался прав и в том, что сбылось "пророчество мертвого друга": они, все они, изгнанники, смогли "вернуться в Россию – стихами". Только стихами. Физически возвращения дождались двое – Ирина Одоевцева и Нина Берберова: но это же надо было прожить больше девяноста. Одоевцева даже умерла в том городе, из которого уехала. Я был в ее последней квартире на углу Невского и Большой Морской: хорошее место, там теперь живет известный нынешний прозаик, так что цепочка прослеживается. Правда, город, в который возвратилась Одоевцева, назывался иначе, имя ему вернули на следующий год после ее смерти.

А пока, в ожидании всех этих событий: “Они надеются, уже недолго ждать — / Воскреснет твердый знак, вернется ять с фитою / И засияет жизнь эпохой золотою”. Ивановская ирония направлена и на себя самого: они все искали признаки той прежней страны, вылавливая их тщательно и трогательно.

Целый год, с осени 32-го, Ивановы прожили в Риге. Одоевцева вспоминает: “Рига, нарядная столица Латвии, особенно пышно цвела и расцветала... В Риге обосновалась масса эмигрантов со всей России. Большинство их них, по-видимому, вполне сносно устроилось. Насколько я могла судить, лучше, чем у нас в Париже. Латышские власти не притесняли русских и относились к ним более чем сносно. В Риге была отличная Опера и драматический театр, где наряду с латышскими шли русские представления”.

Рига действительно наряду, с Прагой, Берлином и Парижем, была эмигрантским центром Европы. Достаточно сказать, что здесь выходила одна из трех ежедневных газет русского зарубежья — “Сегодня” (две другие — парижские “Последние новости” и нью-йоркское “Новое русское слово”). Я помню, как мы в редакции рижской “Советской молодежи” читали подшивки “Сегодня” 30-х годов: сорока лет не прошло — а слова из другого языка. Диковинно выглядели объявления: все эти “собрания Его Императорского Величества кирасиров” и “пельмени Донских институток” — мог ли я предполагать, что всего через несколько лет по заданию другой редакции в Нью-Йорке буду посещать такие мероприятия, часто с неохотой и раздражением. В Риге объявления не забавляли, а волновали. Все другое: политические обзоры, хроника происшествий, театральный репертуар. Одоевцева права: русский театр в Риге был и вправду хорош — настолько, что задал инерцию надолго, вплоть до распада СССР отличные спектакли шли и в драматическом, и в ТЮЗе.

Однако благостность воспоминаний Одоевцевой определяется главным — очень хотелось всюду видеть старое, прежнее, свое. Приглушенно этот же мотив (“эта музыка”) звучит у самого Иванова — в очерке “Московский Форштадт”. Еще и на моей памяти многие так называли Московский район Риги, куда в 68-м из коммуналки в центре переселилась, получив отдельную квартиру, наша семья. До того на Москачке я бывал редко — нечего там было делать, и тамошняя шпана считалась самой свирепой в городе. Одна из ярких картинок детства: мне лет восемь, мы едем в гости к сослуживцу отца на трамвае по Московской улице, ранний вечер, светло, и в мельчайших подробностях виден бегущий по тротуару человек в окровавленной белой рубахе. Он кричит так, что громко слышно даже сквозь запертые вагонные окна. За ним бежит другой, с ножом в руке. Я вижу нож, вижу кровь на нем и думаю: так не бывает, это снимается кино.

Взрослым я узнал заповедные места русской Риги, где открывал истинные московские дворики прямо с холста Поленова, настоящие завалинки с лузгающими семечки старухами, старообрядческую церковь Гребенщиковской общины, словно перенесенный из каких-нибудь валдайских широт Заячий остров, кладбища с ятем и фитою. Москачка долго оставалась городом в городе, и мне понятно, что там увидел Иванов в 30-е:

“Маленький островок, уцелевший от погибшего материка, он в неприкосновенности сохранил черты той России, которой давно не существует”.

Иванов и тут соблюдает свою непременную взвешенность, описывая бандитов и грязь Москачки, но все время слышен подспудный грустный напев об утраченном, которое заслуживает внимания и любования уже потому, что утрачено.

Как хорошо чувствовал Иванов простую обиходную радость жизни: добротная одежда, вкусная еда, уютный дом. Оттого и выходят у него на этом фоне буквально душераздирающие — ощутимо терзающие душу — стихи: “Я хотел бы улыбнуться, / Отдохнуть, домой вернуться… / Я хотел бы так немного, / То, что есть почти у всех, / Но что мне просить у Бога — / И бессмыслица и грех”.

Поселившись в Нью-Йорке в начале 78-го и поступив в “Новое русское слово”, я застал еще многих. Тогда на меня пошли чередой кирасиры и институтки, выпускной акт Свято-Сергиевской гимназии, чествование казачьего атамана инженера Бублика, торжества прославления блаженной Ксении Петербургской, беседа в Толстовском фонде с князем Теймуразом Константиновичем Багратионом-Мухранским. Был в гостях у историка Сергея Пушкарева — ссохшийся до детских размеров, он в свои почти сто лет сохранял дивную живость: пользуясь слепотой, с видимым удовольствием ощупывал подходивших знакомиться женщин, разгорячившись в разговоре, кричал тенорком: "Никогда я не любил Володьку Ульянова! Никогда!" На банкете по случаю 90-летия изобретателя телевизора Владимира Зворыкина я оказался за столиком на восьмерых между князем Щербатовым и графом Бобринским. Бутылку водки опустошили с первого тоста и спросили еще. Официант ответил, что положено по одной на стол. "Мразь нерусская", — сказал князь Алексей, председатель Геральдического общества, прямой потомок автора "Истории Российской с древнейших времен", и ушел на кухню. Вернулся с тремя бутылками, налил и произнес: "Предлагаю за телевидение".

Приходившие в "Новое русское слово" посетители из убывающей на глазах первой эмиграции часто расстраивались, когда главный редактор Андрей Седых оказывался низеньким полненьким Яковом Моисеевичем Цвибаком. Им мало было дела, что наш заведующий информацией Геренрот отстреливался от красной сволочи, лежа за пулеметом во дворе своей киевской гимназии – это случилось давно, а Абрамом Соломоновичем он звался по сей день. Седых открыто и весело свалил на меня редакционный русизм. "На соборного протодьякона похожи – вот и ходите", – усмехался он, отправляя к очередным лейб-гусарам. Я ходил, осознавая, что неожиданно вытянул двойной билет, погружаясь, помимо американского, в *тот* российский мир. Убеждался снова и снова, какие они другие. Даже блестяще говоря по-английски и сделав карьеру в Штатах, американцев называли "они". Бывало смешно и грустно, когда кто-то из них удивлялся, что и после Алданова есть русские романисты. Бывало просто смешно, когда наша буэнос-айресская корреспондентка писала об открытии чемпионата мира по футболу: "Излюбленная российская игра давно пришлась по сердцу аргентинцам". Седых примирительно говорил: "Она все-таки фон Пален, сделайте что-нибудь" –

и я переписывал. Бывало просто грустно, когда новый знакомый рассказывал, что его мать, живущая под Марселем, уже пятьдесят лет не хочет ничего покупать в дом, потому что "все равно придут большевики и всё отберут".

Попав впервые на Толстовскую ферму под Нью-Йорком, я увидел на веранде дощатого дома женщину в качалке. Складками спускались белые кружева, прозрачные глаза неподвижно глядели вдаль, женщина казалась невесомой, как ее платье. Я спросил у мужика, копавшегося в грядке, кто это, он буркнул: "Да Спесивцева". Возле великой Жизели ходили куры, Америка вокруг и не предполагалась.

Тогда мы с приятелем попросили разрешения остаться на ночь в одном из домиков, в которых жили политические беженцы и прочие разноплеменные пансионеры Толстовского фонда. Вечером пошли гулять. Роща расступилась, открылся неожиданный здесь бассейн. За столиком на дальнем краю сидели четверо молодых людей, переговариваясь вполголоса. Мы показали на воду – мол, можно ли, они кивнули. Мы разделись и погрузились, стараясь не всплеснуть, невозможно было нарушить тихое благолепие, ложились на спину в теплой воде, молча рассматривая звезды. Тишина позванивала только стрекотом цикад, когда девушка за столом повернулась и предупреждающе выкрикнула: "Диссиденты, в бассейн не ссать!"

Второй раз на Толстовской ферме я оказался осенью 79-го на похоронах Александры Львовны Толстой по заданию "Нового русского слова". Накануне мы изрядно погуляли с Довлатовым, и он остался у меня ночевать. Наутро я уговорил его поехать со мной, соблазняя эпохальностью события ("Ты русский писатель или кто?") и, главное, опохмелом на поминках. Когда прибыли, выяснилось, что до поминок, во-первых, еще долгие часы, во-вторых, еще более долгие километры – столы накрыты в монастыре Новое Дивеево. Мы с Довлатовым томились и маялись, пока сердобольный полковник вооруженных сил США Олег Пантюхов, сын основателя русского скаутского движения, не свозил нас в окрестное сельпо за пивом.

Через четверть века я приехал в Ясную Поляну. Один из домов усадьбы целиком отведен под экспозицию, посвященную Толстовскому фонду и его основательнице Александре Толстой. На видном месте в раме – первая страница "Нового русского слова" с отчетом о похоронах дочери писателя. Подписи нет, материал подан как редакционный, но это мой репортаж, и я прочел его с тем большим интересом, что смутно припоминаю, как писал. Зато помню, как принес на следующее утро в редакцию. Седых просмотрел, одобрительно похмыкал, а потом удивленно спросил: "Но почему вы не вставили самую красочную деталь? О том, что в могилу Александры Львовны положили ветку черемухи из Ясной Поляны?" Господи, какая еще ветка? "Мне показалось это ужасной пошлостью, Яков Моисеевич", – сказал я. "Верно, я с вами согласен, но наша публика, знаете, это любит. Вы еще не привыкли", – вздохнул Седых и вписал про черемуху.

Рядом с толпой

Борис Пастернак
1890–1960

Август

Как обещало, не обманывая,
Проникло солнце утром рано
Косою полосой шафрановою
От занавеси до дивана.

Оно покрыло жаркой охрою
Соседний лес, дома поселка,
Мою постель, подушку мокрую
И край стены за книжной полкой.

Я вспомнил, по какому поводу
Слегка увлажнена подушка.
Мне снилось, что ко мне на проводы
Шли по лесу вы друг за дружкой.

Вы шли толпою, врозь и парами,
Вдруг кто-то вспомнил, что сегодня
Шестое августа по-старому,
Преображение Господне.

Обыкновенно свет без пламени
Исходит в этот день с Фавора,
И осень, ясная, как знаменье,
К себе приковывает взоры.

И вы прошли сквозь мелкий, нищенский,
Сквозной, трепещущий ольшаник
В имбирно-красный лес кладбищенский,
Горевший, как печатный пряник.

С притихшими его вершинами
Соседствовало небо важно,
И голосами петушиными
Перекликалась даль протяжно.

В лесу казенной землемершею
Стояла смерть среди погоста,
Смотря в лицо мое умершее,
Чтоб вырыть яму мне по росту.

Был всеми ощутим физически
Спокойный голос где-то рядом.
То прежний голос мой провидческий
Звучал, не тронутый распадом:

“Прощай, лазурь преображенская
И золото второго Спаса.
Смягчи последней лаской женскою
Мне горечь рокового часа.

Прощайте, годы безвременщины.
Простимся, бездне унижений
Бросающая вызов женщина!
Я – поле твоего сраженья.

Прощай, размах крыла расправленный,
Полета вольное упорство,
И образ мира, в слове явленный,
И творчество, и чудотворство”.

1953

Одна из поэтических загадок на всю жизнь: почему так волнует строчка, составленная из простейших слов – "Вы шли толпою, врозь и парами..."? Непонятно. Слава богу, что до конца непонятно. И ведь не в том дело, что потом – о смерти, о своей смерти: она сама по себе трогает, эта строка. Может, оттого, что в ней происходит разъятие людской массы: нет никакой толпы и быть не может, все равно мы все поодиночке, или парой, что одно и то же.

Тихое начало, именно "спокойный голос". Пафос – в последних двух четверостишиях.

Общественный смысла "Августа" определен датой под текстом: почти полгода со смерти Сталина – "Прощайте, годы безвременщины!".

Что до евангельского напора концовки, он как-то не вполне совпадает с религиозной рассеянностью начала. Меня в юности озадачивало, что среди "толпы" друзей поэта, которые по возрасту, воспитанию и жизненным установкам были куда ближе к религии, чем наше поколение, лишь "кто-то" спохватился, и то как-то случайно, что на дворе один из главных, двунадесятых праздников православия. Дело, вероятно, в том, что главное тут – другое, частное преображение.

Как хорошо и правильно, что побудительный мотив стихотворения все-таки совершенно личный: ровно за пятьдесят лет до этого, 6 августа 1903 года, в день Преображения Господня, юный Пастернак сломал ногу. Отец сообщал другу: "Борюша вчера слетел с лошади, и переломила ему лошадь бедро... Это случилось, когда я писал этюд с баб верхом и, на несчастье, он сел на лошадь неоседланную..."

Кто это из великих сказал о соотношении мировой скорби и тесного ботинка? "Когда я познакомилась с Борей, он носил обувь с утолщенной на три сантиметра подошвой на правой ноге", – вспоминает его вторая жена. Сын и невестка дополняют: "На фотографиях 1910 годов можно заметить ботинок с утолщенной подошвой и каблуком. Позже привык подгибать левую здоровую ногу вровень с правой и обходиться обычной обувью".

То, что одна нога была короче другой, избавило поэта от службы в армии – быть может, спасло жизнь, но и сотрясло всю жизнь. Пастернак выработал особую быструю и мелкую походку, так что изъян не был заметен, но он-то помнил о нем всегда. Больше того, в десятилетнюю годовщину "катастрофы" (его слово) он вспоминал, говоря о себе то в третьем, то в первом лице: "Лежит он в своей незатвердевшей гипсовой повязке, и через его бред проносятся трехдольные, синкопированные ритмы галопа и падения. Отныне ритм будет событием для него, и обратно – события станут ритмами... Еще накануне, помнится, я не представлял себе вкуса творчества".

Вот почему через полвека оказалась "слегка увлажнена подушка": травма обернулась приобщением к писательству.

Из этой точки преображения (со строчной буквы) в прошлом и раскрутилась высоко вверх поэтическая спираль "Августа": репетиция гибели – смерть – скорбь – ликование – смирение.

Сугубо личного свойства – и другой "Август", другого поэта, написанный через сорок два с половиной года. Пастернак дал картину своей смерти за семь лет до кончины настоящей. Бродский на смерть лишь намекнул названием – и умер в том же январе 96-го, когда было написано это последнее его стихотворение. Почти симметрично разместив августы по всему XX веку, в 1906 году "Август" оставил Иннокентий Анненский, и тоже – похоронный. Стоит добавить, что только из поэтов Серебряного века в августе умерли Блок, Волошин, Гумилев, Георгий Иванов, Цветаева, Саша Черный. (Не говоря уж о начале Первой мировой.)

Самые последние годы Пастернака и сама его кончина (пришедшаяся посредине между Вознесением и Пятидесятницей – тоже двух двунадесятых праздников) окрашены в новозаветные тона. Трудно прочитывать завершающие части "Доктора Живаго" и особенно стихи из романа иначе, как выстраивание своей судьбы параллельно евангельскому сюжету. Голос поэта оказался действительно "провидческим": он свой крестный путь проложил сам, пройдя все коллизии – искушения над бездной, моление о чаше, предательство друзей, преданность жен-мироносиц, и так вплоть до нобелевской Голгофы и посмертного триумфального воскресения. Есть подтверждения тому, что Пастернак свое грядущее торжество даже не то что предвидел, но и со спокойной уверенностью ощущал.

Еще в 54-м он пишет Ольге Фрейденберг о Нобелевской премии как о возможности "попасть в разряд, в котором побывали Гамсун и Бунин, и, хотя бы по недоразумению, оказаться рядом с Хемингуэем".

Хемингуэя Пастернак ставил очень высоко. В строке из "Магдалины II" – "И земля качнется под ногами..." – даже слышится отзвук слов другой Марии, из романа "По ком звонит колокол", где речь хоть о плотской любви, но любви искренней и чистой. Русский читатель помнит ключевой образ в описании близости: "Земля поплыла". У Пастернака, который мог знать роман только в английском оригинале, "качнется" куда ближе к той фразе: "The earth moved" – никакого переводческого "плавания". Догадка о такой перекличке, быть может, не пустая: "Колокол" написан в 40-м, а то, что Пастернак читал Хемингуэя внимательно, в частности как раз в предшествующие "Магдалине" годы, известно от него самого. "Мне думается, не прикрашивай / Мы самых безобидных мыслей, / Писали б, с позволенья вашего, / И мы, как Хемингуэй и Пристли" — это именно о военной прозе западных коллег: в неоконченной военной поэме "Зарево", сочинявшейся осенью 43-го для газеты "Правда". Напечатано было только вступление — уж конечно, до Хемингуэя в качестве образца в партийной прессе не дошло.

Удивительно, что у русского гения такое же, как у простого русского человека, отношение к Западу. Ладно Хемингуэй, но что уж такое Пристли рядом с Пастернаком? Откуда самоуничиженье? Разве только — от болезненного ощущения своей несвободы.

О Нобелевке в 54-м — частное письмо очень близкому человеку, нет нужды соблюдать политес, все искренне: "хотя бы по недоразумению, оказаться рядом с Хемингуэем". А через пять лет, Нобелевку получив, Пастернак пишет о своем "Докторе Живаго": "Эта книга во всем мире, как все чаще и чаще слышится, стоит после Библии на втором месте".

Ориентир — куда уж недвусмысленнее.

Неслучаен набор имен в авторском описании Юрия Живаго: "Этот герой должен будет представлять нечто среднее между мной, Блоком, Есениным и Маяковским". Надо думать, имена Гумилева, Цветаевой, Мандельштама не названы прежде всего потому, что Пастернак был литератор "до последней дольки" и не мог себя отождествить с теми, кто литературно был иным. Однако его переживания по поводу трагических судеб русских поэтов XX века (прежде всего Цветаевой) известны. Нобелевская травля хоть както уравнивала его с мучениками. Признанным — теми, кто поэтов мучил и убивал, — он уходить из жизни не хотел.

Не хотел, чтобы так о нем думали. Он уцелел, он избежал тюрьмы, он получал от *них* квартиру и дачу, какие-то талоны на такси, его время от времени публиковали. Лагерник Шаламов называет его "совестью нашего времени", а он ему пишет о своих поступках против совести. Основания для тревоги были: далеко ходить не надо, есть мемуары жены. Зинаида Николаевна пишет о похоронах Пастернака: "У меня в голове вертелись следующие слова, которые показались бы парадоксальными тем, кто его не знал: "Прощай, настоящий большой коммунист, ты своей жизнью доказывал, что достоин этого звания". Но этого я не сказала вслух".

Эти слова широко известны (как и другая ее фраза: "Мои мальчики больше всех любят Сталина, а потом уже меня"), известны довольно несправедливо по отношению к вдове. Во-первых, она ничего такого на кладбище все-таки не произнесла. Во-вторых, дальше в ее мемуарах следует некоторое разъяснение: "Я часто думала, что Боря... настоящий коммунист. Он всегда считал себя наравне с простыми людьми, умел с ними разговаривать, всегда находил для них добрые слова, когда кому-нибудь приходилось трудно, и советом и деньгами, и даже внешне старался от них не отличаться". Легко увидеть, что Зинаида Пастернак описывает, конечно, не коммуниста, а свое представление скорее о социалисте-народнике, в его классическом варианте 70-х годов XIX века.

Здесь, может, и стоит искать ответы на вопросы, которые ставит пастернаковская аранжировка темы "поэт и царь", "художник и власть". Теме этой посвящена хорошая — подробная и интересная — книга Натальи Ивановой с точным заголовком "Борис Пастернак: участь и предназначение". Ответов там, конечно, нет, потому что их быть не может, но поиск есть – честный и увлекательный.

Этот поиск для каждого – неизбывный и мучительный, как всякий опыт самопознания. Я сознаю частью своей собственной биографии то, как сложились биографии русских писателей моего века. Неизбежная примерка: если он так, то уж и мне... Редко – образец, чаще – индульгенция. Неразличение поражений от побед понимаем как удобно, слабости изучаем пристально.

Попытки вписаться в советскую действительность у Пастернака напряженнее всего шли в 1931 – 1936 годы (тогда же у Мандельштама и у других – что, разумеется, не случайно). Пиком можно считать письмо к жившему в Англии отцу в декабре 34-го: "Я стал частицей своего времени и государства, и его интересы стали моими".

Вариации этой темы разбросаны по переписке и стихам. "Уже складывается какая-то еще не названная истина, составляющая правоту строя и временную непосильность его неуловимой новизны", – письмо Ольге Фрейденберг. Тут нанизывание туманностей – “не названная”, “непосильность”, “неуловимой” – примечательнее основной мысли. Есть общее ощущение чего-то большого, превосходящего по силам и, может быть, по праву. Сама поэтическая лексика свидетельствует: “Телегою проекта / Нас переехал новый человек”. О народе: “Ты без него ничто. / Он, как свое изделье, / Кладет под долото / Твои мечты и цели”. Какой же громадный путь проделан был в следующие двадцать лет – в 56-м Пастернак снова называет человека “издельем”: “Ты держишь меня, как изделье, / И прячешь, как перстень, в футляр”. Только теперь “Ты” с прописной не только потому, что в начале строки, а потому, что обращение к Богу. От изделья народного промысла – к изделью промысла Божьего.

В 30-е же на помощь приходит и высший в России авторитет, вслед пушкинским пишутся свои “Стансы”: “Столетье с лишним – не вчера, / А сила прежняя в соблазне / В надежде славы и добра / Глядеть на вещи без боязни. / Хотеть, в отличье от хлыща / В его существованье кратком, / Труда со всеми сообща / И заодно с правопорядком”.

Бродский, словно развивая тему последней строки, писал: "Разве я против законной власти? / Но плохая политика портит нравы, а это уже по нашей части". Это парафраза (сознательная? невольная?) высказывания двухтысячелетней давности. Апостол Павел: "Не обманывайтесь: худые сообщества развращают добрые нравы" (1 Кор. 15: 33).

Но в том и дело: тогда Пастернак вовсе не был уверен, что сообщество столь уж худо. Это потом, в 50-е, он признавался: "Мне хотелось чистыми средствами и по-настоящему сделать во славу окружения, которое мирволило мне, что-нибудь такое, что выполнимо только путем подлога. Задача была неразрешима, это была квадратура круга, – я бился о неразрешимость намерения, которое застилало мне все горизонты и загораживало все пути, я сходил с ума и погибал".

В 30-е квадратуру круга он пытался решить – по крайней мере быть как все. "И я – урод, и счастье сотен тысяч / Не ближе мне пустого счастья ста?"

Вот оно, что возвращает к словам Зинаиды Пастернак, к ее характеристике мужа. Политика ни при чем, идеология ни при чем. При чем – интеллигентский комплекс вины перед народом. Раз все так – и я тоже. Даже если нет вины – комплекс есть. Первородный грех интеллигента.

Почему принято считать, что народ лучше образованной прослойки? Прежде всего: такие сентенции всегда и только от прослойки исходят. Придуманное пропагандой словосочетание "пролетарский писатель" – оксюморон: или – или. У станка – пролетарий, за столом – писатель. Образованность и творческие занятия автоматически вырывают из народной толщи, и появляется синдром завышенных и обманутых ожиданий.

Очень живуче представление о том, что читающий Толстого не с такой готовностью врет, слушающий Баха – не так безудержно ворует, знающий Рембрандта – не слишком проворно бьет в глаз.

Первое и главное: это действительно так. А душевная паника возникает, когда *не так* – когда и врет, и ворует, и бьет.

Второе важнейшее: от *не* читающего, *не* слушающего, *не* знающего – никто и не ждет ничего. "Интеллигенция – говно нации"? Пусть, но о ней хотя бы можно сказать такое – рассердиться на нее, обидеться, возмутиться.

Верно, мы знаем о страшных судьбах Мандельштама или Вавилова, а за ними – миллионы не только невинных, но еще и безымянных. Однако нам так же в деталях и версиях известен разговор Сталина с Пастернаком об арестованном Мандельштаме, и мы рассуждаем, почему один поэт не вступился за другого со всей решительностью. И опять-таки безымянными остаются те, кто коряво выводил доносы с орфографическими ошибками – а ведь их были сотни тысяч.

Два десятка лет жизни в коммуналке, работа грузчиком, слесарем, пожарным, разнорабочим, срочная служба в армии, фабричные подруги и пролетарии-собутыльники – весь полученный в молодые годы опыт не оставил мне никаких иллюзий. Лжи, продажности, доносительства, подлости – ровным слоем по любым социальным и образовательным уровням. Однако Толстой, Бах и Рембрандт – не делая лучше и нравственнее, задают некий свод правил, которых можно не придерживаться, но нельзя не знать, и если их нарушаешь – хотя бы стесняешься. Соблюдение приличий, в конечном счете, есть повседневное проявление нравственного чувства. Нечасто (и слава богу) выдается шанс проявить великодушие и благородство, но вежливость и деликатность – их бытовые заместители.

Да, каждый из нас – сумма поступков, но и ориентиров, установок, намерений тоже. На внерембрандтовском, "народном", уровне в атеистической стране что-то не заметно правил – зато сколько угодно правоты, усугубляющей комплекс интеллигента.

Лидия Гинзбург цитирует записи А.Гладкова о Пастернаке: "Б.Л. рассказывает, что в месяцы войны в Переделкине и в Москве до отъезда у него было отличное настроение, потому что события поставили его в общий ряд и он стал "как все" – дежурил в доме в Лаврушинском на крыше и спал на даче возле зениток..." Там же о том, как в чистопольской коммунальной квартире Пастернак попросил соседей выключить часами оравший патефон и дать ему возможность работать. После чего он не работал, "а ходил из угла в угол, браня себя за непростительное самомнение, ставящее свою работу, может быть, никому не нужную, выше потребности в отдыхе этих людей". Гладков пишет, как в тот же день, на торжественном вечере в честь Красной армии, 23 февраля 1942 года, Пастернак, "выйдя на сцену... заявил, что не имеет права выступать после того, что произошло утром, что считает своим нравственным долгом тут же публично принести извинения".

Где грань между интеллигентским демократизмом и социальным конформизмом? Или это – синонимы? Где различие между простодушием и притворством? Или это – традиция?

Из поэтических традиций Пастернак с самого начала вырывался с отчаянной отвагой. Из общественных – попытался вырваться перед концом. Нобелевская история стала не толчком, а лишь кульминацией, логическим финалом, который подготовил он сам. "Наше государство, наше ломящееся в века и навсегда принятое в них, небывалое, невозможное государство" еще не успело по-настоящему обрушиться на поэта, когда он уже выстроил свой искупительный путь. Тот самый, по которому нельзя пройти с народом – только одному. Если и толпой, то такой – "врозь и парами".

Моральный кодекс

Николай Заболоцкий

1903–1958

Старая актриса

В позолоченной комнате стиля ампир,
Где шнурками затянуты кресла,
Театральной Москвы позабытый кумир
И владычица наша воскресла.

В затрапезе похожа она на щегла,
В три погибели скорчилось тело.
А ведь, боже, какая актриса была
И какими умами владела!

Что-то было нездешнее в каждой черте
Этой женщины, юной и стройной,
И лежал на тревожной ее красоте
Отпечаток Италии знойной.

Ныне домик ее превратился в музей,
Где жива ее прежняя слава,
Где старуха подчас удивляет друзей
Своевольем капризного нрава.

Орденов ей и званий немало дано,
И она пребывает в надежде,
Что красе ее вечно сиять суждено
В этом доме, как некогда прежде.

Здесь картины, портреты, альбомы, венки,
Здесь дыхание южных растений,
И они ее образ, годам вопреки,
Сохранят для иных поколений.

И не важно, не важно, что в дальнем углу,
В полутемном и низком подвале,
Бесприютная девочка спит на полу
На тряпичном своем одеяле!

Здесь у тетки-актрисы из милости ей
Предоставлена нынче квартира.
Здесь она выбивает ковры у дверей,
Пыль и плесень стирает с ампира.

И когда ее старая тетка бранит
И считает и прячет монеты, –
О, с каким удивленьем ребенок глядит
На прекрасные эти портреты!

Разве девочка может понять до конца,
Почему, поражая нам чувства,
Поднимает над миром такие сердца
Неразумная сила искусства!

1956

Последняя строка проясняет очень многое в том, что мы в своей жизни читаем, слушаем, смотрим. И еще больше — отчего и зачем это делаем. Три простых слова, поставленных в нужном порядке, объясняют почти всё. И даже почему все-таки "почти" — тоже.

Возможно, все стихотворение написано ради последней строки. Но на пути к ней рассказана история той трогательной силы, с которой сталкиваешься лишь в так называемой детской литературе, когда по-настоящему, до комка в горле, жалко кума Чернику, у которого отобрали домик.

Нестыдный пафос — редкостный в искусстве XX века. Как в симфониях Шостаковича, как в фильмах Феллини. В поэзии — у позднего Пастернака, которого Заболоцкий так высоко ценил, может, как раз поэтому. В 56-м он писал о пастернаковской поэзии: "Последние стихи — это, конечно, лучшее из всего, что он написал; пропала нарочитость, а ведь Пастернак остался... пример поучительный".

В конце 40-х и в 50-е у Заболоцкого появился целый ряд откровенно патетических стихотворений, с отчетливо выраженной моралью в финале.

Они очень неравноценны по поэтическим достоинствам, но в равной степени дидактичны: "Журавли", "Жена", "Неудачник", "В кино", "О красоте человеческих лиц", "Некрасивая девочка", "Старая актриса", "Смерть врача".

Новый Заболоцкий мог производить сильное впечатление на современников. Корней Чуковский: "Старая актриса" чудо — и чувства, и техника". И снова он: "Стихотворение Заболоцкого "Старая актриса" – мудрое, широкое, с большими перспективами". Но те, кто помнил и высоко ценил "Столбцы", были разочарованы утратой бешеной яркости образов "Свадьбы", "Рыбной лавки", "Купальщиков", "Фокстрота", "На рынке". С тех пор представление о "двух Заболоцких" – устойчиво, почти незыблемо.

Вообще-то ничего плохого не было бы в том, что из одного человека получились два поэта. Но они при ближайшем рассмотрении все-таки не получаются. Близкая Заболоцкому в его последние годы Наталия Роскина вспоминает: "Как-то он мне сказал, что понял: и в тех классических формах, к которым он стал прибегать в эти годы, можно выразить то, что он стремился раньше выразить в формах резко индивидуальных".

В одном из лучших стихотворений Заболоцкого – завораживающем "Сне" – потусторонний мир предстает спокойным, умиротворенным адом, тогда как обыкновенная бытовая пошлость в "Столбцах" – ад кромешный. Масштаб несопоставим. Обостренное неприятие окружающего мира – вопрос темперамента, опыта, возраста (более всего, вероятно, возраста).

При чтении "Столбцов" к восхищению примешивается чувство недоверия, порожденное заметной сконструированностью стихов. Поэзия кажется изобретенной, головной, отсюда и эмоции – вынужденно преувеличенные, потому что не органичные, а придуманные, навязанные себе. Отсюда и странное читательское ощущение: одно и то же описанное явление вызывает у автора одновременно и восторг, и омерзение. По позднему Заболоцкому видно, как сдержан он и осторожен в проявлении чувств, когда чувства – искренние и натуральные.

“Столбцы” – во многом лабораторный опыт, работа исследователя. Заболоцкий, сам отмечавший у себя необычайное зрительное воображение, наводил на жизнь микроскоп, смотрел “сквозь волшебный прибор Левенгука”. Он писал о себе в манифесте ОБЭРИУ: “Н.Заболоцкий – поэт голых конкретных фигур, придвинутых вплотную к глазам зрителя”. Не зря говорится о зрителе, а не о читателе: Заболоцкий глубоко воспринял учение Филонова о различии между “видящим глазом” и “знающим глазом”, которому открывается внутренняя суть предметов и явлений.

Лидия Гинзбург вспоминает, как в 30-е “Заболоцкий сказал, что поэзия для него имеет общее с живописью и архитектурой и ничего общего не имеет с прозой. Это разные искусства, скрещивание которых приносит отвратительные плоды”.

Живопись – более или менее понятно, какая. С одной стороны, Брейгель (не Босх все-таки): типажи и жанр, то есть такой Брейгель, который реинкарнирован в кинематографе Феллини.

С другой стороны – аналитический разъем Филонова и Пикассо. Сам Заболоцкий рисовал очень хорошо, и именно в подражание Филонову: известен его отличный автопортрет в этом стиле. Причудливый живописный гибрид, Брейгель + Филонов, – с трудом сочетаемый, но тем и уникален гений, что способен разом вобрать и переварить несовместимое.

"Столбцы" – двадцать два стихотворения в сборнике тиражом 1200 экземпляров – в 1929 году поразили читающую публику России. В том числе и несоответствием образа автора его стихотворным образам. Мемуары полны упоминаний о бухгалтерской внешности литературного революционера. "Какая сила подлинно поэтического безумия в этом человеке, как будто умышленно розовом, белокуром и почти неестественно чистеньком. У него гладкое, немного туповатое лицо..." (Лидия Гинзбург).

Безумие – вот слово, так или иначе варьирующееся в описаниях впечатлений от "Столбцов". Похоже, это ощущал и их создатель.

"Книга будет называться "Столбцы". В это слово я вкладываю понятие дисциплины, порядка..." Заболоцкий переписывал свои стихи каллиграфическим почерком на хорошей бумаге, переплетал. Классифицировал свои пристрастия и интересы, создавая перечни. Аккуратно подбирал и выписывал критические замечания по своему адресу. Упорядочивал хаос. Такого рода педантизм встречается у алкоголиков, удивляя непросвещенных: срабатывают компенсаторные механизмы.

Блистательные "Столбцы" – тупик. Здесь анализ и расклад, в словесности еще более невозможные, чем в живописи, поскольку элементы – слова – не могут сосуществовать друг без друга, в отличие от изображений на холсте. Словам не остается ничего другого, как соблюдать последовательность звучания и восприятия. Отважные попытки нарушить этот закон предприняли Хармс и Введенский. Заболоцкий к решению такой задачи подошел, сохраняя смысл слов, на чем очень настаивал, чем отличался от обэриутов. Различия были столь принципиальны, что со своим близким приятелем Введенским он порвал отношения навсегда. Евгений Шварц вспоминал: "Введенского, который был полярен ему, он, полушутя сначала или как бы полушутя, бранил... А кончилось дело тем, что он строго, разумно и твердо поступил: прекратил с ним знакомство".

Хорошо помню свое изумление от первого прочитанного стихотворения Заболоцкого. Это была "Свадьба" – какой напор, какая храбрость! Открывается похоронным маршем шопеновско-малеровской мощи, реквиемом по цыпленку. Каково читать такое гурману? Вот так и становятся вегетарианцами. Впрочем, анимист Заболоцкий своих самых преданных и, главное, последовательных поклонников обрекает на полное голодание: вегетарианство не выход. В стихотворении "Обед" о варке супа сказано коротко и страшно: "И это – смерть". Концовка "Обеда", в котором, помимо мяса, гибнут картофель, морковь, сельдерей, репа, лук: "Когда б мы видели в сиянии лучей / блаженное младенчество растений, – / мы, верно б, опустились на колени / перед кипящею кастрюлькой овощей". Такое чтение чревато не диетой, а анорексией.

Заболоцкий воздействует не только поэтически, но и поведенчески. В большей части "Столбцов" среди конкретных образов – умозаключение общего свойства и нравоучительного характера: поэтика басни. В голос художника вплетается голос резонера. Это вмешательство часто проходит мимо: невиданная яркость основной ткани затмевает басенную дидактику. Так, на картине Пиросмани сбоку написано: "Миланер бесдетный, бедная с детами", но мы его любим не за надпись, а за живопись.

В первом же "Столбце" нарисованная поэтом картинка поясняется: "И всюду сумасшедший бред" ("Белая ночь"). Мораль, как и положено, обычно завершает стихотворение: "Так он урок живой науки / Душе несчастной преподал" ("Незрелость"); "Я продолжаю жизнь твою, / Мой праведник отважный" ("На лестницах"); "И смеется вся природа, / Умирая каждый миг" ("Прогулка"). Но может и открывать стихотворение, сразу провозглашая: "В жилищах наших / Мы тут живем умно и некрасиво" ("В жилищах наших"); "И вот, забыв людей коварство, / Вступаем мы в другое царство" ("Рыбная лавка"). Есть "Столбцы"-нравоучения целиком — "Искушение", "Вопросы к морю", "Предостережение". Есть, наконец, прямое указание, с подлинным именем, без псевдонимов: “Как сон земли благополучной, / Парит на крылышках мораль” (“Свадьба”).

Из позднего Заболоцкого ушли гротеск, эксцентрика, парадоксальная метафора. Но сознательное нарушение логики – его фирменный знак – осталось. Осталось и вот это – мораль.

Точно и убедительно ситуацию “двух Заболоцких” обрисовал за столетие до этого его любимый Баратынский, который писал Пушкину: “Я думаю, что у нас в России поэт только в первых, незрелых своих опытах может надеяться на большой успех. За него все молодые люди, находящие в нем почти свои чувства, почти свои мысли, облеченные в блистательные краски. Поэт развивается, пишет с большою обдуманностью, с большим глубокомыслием; он скучен офицерам, а бригадиры с ним не мирятся, потому что стихи его все-таки не проза”.

Заболоцкий 50-х попал между офицерами и бригадирами. Тот же Баратынский: “Но не найдет отзыва тот глагол, / Что страстное земное перешел”. “Столбцы” и есть “страстное земное”.

Все-таки нет раздела между “двумя Заболоцкими”. Заманчиво считать, что из одного человека получились два поэта. Но по такой калькуляции и Лермонтовых — двое. И Пастернаков. И Георгиев Ивановых. Еще многолюднее в музыке или живописи, где следовало бы насчитать двух-трех Стравинских, а Пикассо — не меньше полудюжины.

Заболоцкий остался тем же. На стилистическом уровне — пластичность слова. На мировоззренческом — натурфилософия, пантеизм. На этическом — дидактика. И ранний, и поздний, он вызывает недоуменные вопросы. Виртуозная образность 20-х — как он это изобретает? Нравоучительный пафос 50-х — почему ему можно? Почему *ему одному* — можно?

Физическая география

Николай Заболоцкий
1903–1958

Где-то в поле возле Магадана,
Посреди опасностей и бед,
В испареньях мерзлого тумана
Шли они за розвальнями вслед.
От солдат, от их луженых глоток,
От бандитов шайки воровской
Здесь спасали только околодок
Да наряды в город за мукой.

Вот они и шли в своих бушлатах –
Два несчастных русских старика,
Вспоминая о родимых хатах
И томясь о них издалека.
Вся душа у них перегорела
Вдалеке от близких и родных,
И усталость, сгорбившая тело,
В эту ночь снедала души их.
Жизнь над ними в образах природы
Чередою двигалась своей.
Только звезды, символы свободы,
Не смотрели больше на людей.
Дивная мистерия вселенной
Шла в театре северных светил,
Но огонь ее проникновенный
До людей уже не доходил.
Вкруг людей посвистывала вьюга,
Заметая мерзлые пеньки.
И на них, не глядя друг на друга,
Замерзая, сели старики.
Стали кони, кончилась работа,
Смертные доделались дела…
Обняла их сладкая дремота,
В дальний край, рыдая, повела.

Не нагонит больше их охрана,
Не настигнет лагерный конвой,
Лишь одни созвездья Магадана
Засверкают, став над головой.

1956

За два года до “Магадана”, при жизни Заболоцкого не напечатанного, он написал стихотворение “Ходоки” — в том же дорожном жанре, тем же размером, пятистопным хореем, с такими же безударными первой и четвертой стопами: полный ритмический близнец. Сын поэта рассказывает, что для участия в альманахе “Литературная Москва” подборку стихов Заболоцкого следовало для надежности укрепить идейно, и приводит объяснение отца: “Нужно мне было написать стихотворение о Ленине. Я подумал, что бы я мог о нем сказать, не кривя душой. И нашел ту тему, которая всегда была мне близка, — написал о крестьянах”.

Трое ходоков, в отличие от двоих под Магаданом, дошли. И то сказать — те только направлялись за мукой, а у этих мучные изделия были с собой, и они даже поделились с хозяином Смольного: “И в руках стыдливо показались / Черствые ржаные кренделя. / С этим угощеньем безыскусным / К Ленину крестьяне подошли. / Ели все. И горьким был и вкусным / Скудный дар истерзанной земли”.

Люди те же. Старики потому и замерзли от слабости в поле под Магаданом, что отдали в Смольный свои кренделя.

И земля в этих кощунственных близнецах – "Ходоках" и "Магадане" – одна и та же, узнаваемая: скудная, истерзанная. Вот небо над землей – "дивная мистерия", но не имеющая никакого отношения к человеку. Поразительно, какими жестоко безразличными предстают космос и природа в поздних, после "Столбцов", стихах пантеиста и анимиста Заболоцкого.

"Разумной соразмерности начал / Ни в недрах скал, ни в ясном небосводе / Я до сих пор, увы, не различал".

"Природа, обернувшаяся адом, / Свои дела вершила без затей…".

"Природы вековечная давильня / Соединяла смерть и бытие…".

"И все ее беспомощное тело / Вдруг страшно вытянулось и оцепенело…" "Ее" – это реки. Жуткая смерть замерзающего водного потока описана с такой невиданной пластичностью, что неловко употреблять термин "антропоморфизм" – слышно и видно, что для Заболоцкого в самом деле нет различия: "И речка, вероятно, еле билась, / Затвердевая в каменном гробу".

У его любимых Тютчева и Баратынского природа тоже равнодушна. Это тютчевский небесный театр над Магаданом: "Одни зарницы огневые, / Воспламеняясь чередой, / Как демоны глухонемые, / Ведут беседу меж собой". Ничего не слыша, объясняются на своей азбуке – но все же элегически, а не свирепо. Заболоцкий пошел дальше Тютчева и Баратынского. Их метафизика у него переходит в физику, умозрительность оборачивается повседневностью – лагерем.

Горячо откликнувшийся на идеи Циолковского и Вернадского, Заболоцкий верил в единство живого и неживого мира, в переселение душ (метемпсихоз, сансару), в то, что в каждой частице – неумирающее целое. Он обещал после смерти проявиться многообразно: цветами и даже их ароматом, птицей, зарницей, дождем. Обращаясь к умершим друзьям, перечислял им подобных: "цветики гвоздик, соски́ сирени, щепочки, цыплята". Знал, что "в каждом дереве сидит могучий Бах и в каждом камне Ганнибал таится". Иными словами, окружающий мир и есть человечество. Тот самый мир, который – тупо равнодушная "вековечная давильня".

Что же думал о людях этот человек, спокойно и доброжелательно глядящий с фотографий сквозь круглые очки на круглом мягком лице?

Заболоцкого – по бессмысленному, но популярному обвинению в контрреволюционном заговоре – посадили в 38-м. Его пытали и били так, что он едва не потерял рассудок. В коротеньком прозаическом очерке "История моего заключения" написано: "В моей голове созревала странная уверенность в том, что мы находимся в руках фашистов, которые под носом у нашей власти нашли способ уничтожать советских людей, действуя в самом центре советской карательной системы". Ни в чем не сознавшийся и никого не назвавший, приговоренный к пяти годам лагерей, Заболоцкий прошел Дальний Восток, Алтай, Казахстан, был и на общих работах, на лесоповале, но повезло: устроился чертежником в лагерном строительном управлении. К нормальной жизни, на волю, вернулся в начале 46-го.

Бог знает, чего мы только не знаем о тех годах. Но изумлению нет предела. Имеется документ НКВД, где написано дословно следующее: "По характеру своей деятельности Саранское строительство не может использовать тов. Заболоцкого по его основной специальности писателя". И дальше: "Управление Саранстроя НКВД просит правление Союза писателей восстановить тов. Заболоцкого в правах члена Союза Советских писателей..." Надо дух перевести и перечесть: не писатели просят чекистов вернуть собрата, а чекисты предлагают писателям забрать коллегу. Ну, нет такой штатной должности – писатель – в лагерях, вот незадача.

Мемуаристы единогласно отмечают категорическое нежелание Заболоцкого вспоминать о заключении, как и более тяжелые последствия: он не терпел никакой критики власти, ни намека на неблагонадежность. На видном месте держал собрания сочинений Ленина и Сталина. Отказывался встречаться с людьми, имевшими репутацию инакомыслящих. Ни разу, до самой смерти, не увиделся с родным братом, тоже отсидевшим срок: они, отмечает сын Никита, "только переписывались и однажды говорили по телефону". В 1953 году написал в стихотворении "Неудачник":

"Крепко помнил ты старое правило — / Осторожно по жизни идти".

Наталия Роскина, полгода (в 56 — 57-м годах) прожившая с Заболоцким, рассказывает, как он собрался порвать с ней, когда она высказалась о преимуществах капитализма перед социализмом. Как страшно раскричался, когда в писательском доме отдыха в Малеевке Роскина вслух сказала о себе: "Я не советский человек". Как просил от нее честного слова, что она не занимается "химией". Его терминология: "Для меня политика — это химия. Я ничего не понимаю в химии, ничего не понимаю в политике и не хочу об этом думать". Роскина заключает: "Ни в коем случае я не хочу сказать, что Николай Алексеевич был мелким трусом. Я не хочу сказать, потому что я совсем так не думаю. Напротив, я думаю, что весь кошмар нашей жизни заключается не в том, что боятся трусы, а в том, что боятся храбрые".

О том, что увидел и узнал Заболоцкий о человеке и человечестве в лагерях, мы можем судить лишь по единственному свидетельству — "Где-то в поле возле Магадана". Даже "История моего заключения" заканчивается фразой: "Так мы прибыли в город Комсомольск-на-Амуре". О том, что дальше – нигде ничего. Нигде ничего – впрямую. Косвенно – и после, и до. Поэтическое чудо – *до*.

В 36-м, за два года до ареста – стихотворение "Север". Пророчество, произнесенное Заболоцким, еще ни на каком Севере не бывавшим: "Теперь там все мертво и сиротливо… / Люди с ледяными бородами, / Надев на голову конический треух, / Сидят в санях и длинными столбами / Пускают изо рта оледенелый дух…" А вокруг: "Лежит в сугробах родина моя".

После, в первом за десять лет стихотворении Заболоцкого в печати – "Творцы дорог", – уже более объяснимо и предметно: "В необозримом вареве болот, / Врубаясь в лес, проваливаясь в воды, / Срываясь с круч, мы двигались вперед. / Нас ветер бил с Амура и Амгуни…"

Нам уже не вообразить, каково это читалось в "Новом мире" в 47-м – страной, где почти в каждой семье были такие творцы дорог. В моей – расстрелянный дед Михаил и отсидевший десять лет дядя Петя, в память которого назвали меня. А каково смотрелся фильм того же 47-го года "Поезд идет на восток"? Поезд, идущий точно по маршруту Заболоцкого и миллионов других, набитый веселыми и счастливыми пассажирами, очень-очень хорошими: одни чуть легкомысленны, другие чуть рассеянны, третьи суховаты, четвертые резковаты, но все заодно, и на перроне всех ждут с оркестром.

Одно из самых таинственных произведений русской поэзии — "Сон" 1953 года. Заболоцкий поздравил себя с пятидесятилетием по-дантовски: "Жилец земли, пятидесяти лет, / Подобно всем счастливый и несчастный, / Однажды я покинул этот свет / И очутился в местности безгласной".

Настрой на умозрительное инфернальное путешествие, однако, исчезает по мере чтения этого странного юбилейного стихотворения: "Там человек едва существовал / Последними остатками привычек, / Но ничего уж больше не желал / И не носил ни прозвищ он, ни кличек. / Участник удивительной игры, / Не вглядываясь в скученные лица, / Я там ложился в дымные костры / И поднимался, чтобы вновь ложиться... / И в поведенье тамошних властей / Не видел я малейшего насилья, / И сам, лишенный воли и страстей, / Все то, что нужно, делал без усилья. / Мне не было причины не хотеть, / Как не было желания стремиться…”

Заболоцкий рассказывал, что видел такой сон. Многие такой сон видели. Шаламов и Солженицын – подробно записали.

После 56-го, убрав многотомники Ленина и Сталина на антресоли в прихожей, Заболоцкий сочинил поэму “Рубрук в Монголии”. В прошлом рыцарь и участник Крестовых походов, монах-францисканец Гийом де Рубрук в середине XIII века был послан Людовиком Святым в Монголию искать несториан. Он прошел из Крыма кипчакскими степями, Нижним Поволжьем и южным Уралом, увидев с помощью Заболоцкого много интересного: “Виднелись груды трупов странных / Из-под сугробов и снегов…”; “Как, скрючив пальцы, из-под наста / Торчала мертвая рука…”; “Так вот она, страна уныний, / Гиперборейский интернат…”; “Широкоскулы, низки ростом, / Они бредут из этих стран, / И кровь течет по их коростам, / И слезы падают в туман”.

А это кто? “Смотрел здесь волком на Европу / Генералиссимус степей. / Его бесчисленные орды / Сновали, выдвинув полки, / И были к западу простерты, / Как пятерня его руки". Дальше больше: "И пусть хоть лопнет Папа в Риме, / Пускай напишет сотни булл, — / Над декретальями твоими / Лишь посмеется Вельзевул".

Исторически вроде кто-то из внуков Чингисхана — Батый или Хулагу, — но по сути кого можно было в 1958 году назвать генералиссимусом, грозившим западу? Не Чан Кайши же. Про Папу — эхо знаменитой сталинской фразы: "А сколько дивизий у Папы Римского?"

В те же годы относительного освобождения от страха, которых Заболоцкому досталось всего два — он умер в 58-м, — написан "Казбек", где снова возникает злое равнодушие природы, но уже — олицетворенное. "Был он мне чужд и враждебен... / А он, в отдаленье от пашен, / В надмирной своей вышине, / Был только бессмысленно страшен / И людям опасен вдвойне". Какая такая опасность от Казбека — не вулкан же. Незатейливое иносказание той оттепели: кавказская вершина — кавказец-тиран.

В конце жизни Заболоцкий задумывал трилогию такого диковатого состава: "Смерть Сократа", "Поклонение волхвов" и "Сталин". Объяснял, что "Сталин сложная фигура на стыке двух эпох": практически непременная для всех крупных русских поэтов XX века завороженность фигурой вождя. Враждебный, опасный — но Казбек.

Опыт жертвы без аллегорий — только в "Магадане". Главная правда — с предельной прямотой и внятностью. Соломон Волков в "Разговорах с Иосифом Бродским" приводит слова своего собеседника: "Самые потрясающие русские стихи о лагере, о лагерном опыте принадлежат перу Заболоцкого. А именно, "Где-то в поле возле Магадана…". Там есть строчка, которая побивает все, что можно себе в связи с этой темой представить. Это очень простая фраза: "Вот они и шли в своих бушлатах — два несчастных русских старика". Это потрясающие слова".

У меня был схожий разговор с Бродским. Когда я назвал "Магадан" своим любимым стихотворением Заболоцкого, Бродский откликнулся с воодушевлением и сказал, что в нем строка, которую он мечтал бы написать. Я поторопился угадать: "Не глядя друг на друга, замерзая, сели старики?" Бродский произнес: "Два несчастных русских старика”. Хорошо помню, что именно так коротко, даже без “бушлатов”. Проще и страшнее некуда.

Как-то я летел из Владивостока в Хабаровск. Когда самолет, снижаясь, вышел из облаков, я взглянул в иллюминатор и оцепенел: сколько хватало взгляда — кусок кровеносной системы из учебника анатомии. Слияние Амура с Уссури: протоки, рукава, острова — до горизонта. Я повернулся к соседу и сказал: “Нас в школе учили, что Амур с Шилкой и Ононом — самая длинная река в мире. Вы намного моложе, как теперь считается?” Сосед оторвался от газеты, посмотрел, присвистнул, пробормотал: “Не помню, но эта речка реально большая”, — и продолжил чтение.

Поезд дошел на восток. Но надо самому хоть раз проехать или в крайнем случае пролететь от столицы до Тихого океана, увидеть сутками несменяемый пейзаж с редчайшими вкраплениями жилья, ощутить размеры страны и бесчеловечные масштабы безлюдья.

Пространство и климат — слагаемые “страны уныний”, для судьбы которой география важнее, чем история. Для которой география и есть история.

Собираясь в Магадан, я позвонил тамошнему знакомому и спросил, далеко ли от города бывшие крупные лагеря. Он сказал, что два-три — совсем рядом. "Рядом это как?" — осторожно поинтересовался я. "Да километров пятьсот". От Праги до Берлина. От Парижа до Женевы. От Рима до Венеции.

Недавно французы сняли фильм "Странствующий народ" — о перелетных птицах (в российском варианте так просто и называется — "Птицы"). Какое-то хитрое устройство впервые позволило показать летящих птиц вблизи, крупно. И стало явственно видно, с каким невероятным напряжением сил дается то, что с земли кажется стремительной легкостью. Свобода и для них — тяжкий труд.

"Вращая круглыми глазами из-под век, / Летит внизу большая птица. / В ее движенье чувствуется человек. / По крайней мере, он таится…"

Заболоцкий написал это в 32-м. В 56-м — ни тени подобного. Человек не таится ни в равнодушных птицах, ни в безразличных мерзлых пеньках, ни в посторонних северных светилах – тоже, как и птицы, "символах свободы". Старики вышли за околицу гиперборейского интерната на мерзлоту Колымского нагорья, в магаданскую тундру размером с Испанию и годовым перепадом температур от +15 до –40. За тундрой – лесотундра. За лесотундрой – лес. Самый большой в мире Евразийский лес. Страна Россия, родина в сугробах.

Вотум доверия

Владимир Уфлянд
1937

Мир человеческий изменчив.
По замыслу его когда-то сделавших.
Сто лет тому назад любили женщин.
А в наше время чаще любят девушек.
Сто лет назад ходили оборванцами,
неграмотными,
в шкурах покоробленных.
Сто лет тому назад любили Францию.

А в наши дни сильнее любят Родину.
Сто лет назад в особняке помещичьем
при сальных, оплывающих свечах
всю жизнь прожить чужим посмешищем
легко могли б вы.
Но сейчас.
Сейчас не любят нравственных калек.
Веселых любят.
Полных смелости.
Таких, как я.
Веселый человек.
Типичный представитель современности.

1957

Удивительный временной феномен. Авторов соседних "Где-то в поле возле Магадана..." и "Мир человеческий изменчив..." разделяет зияющий провал: от 1903 года рождения Заболоцкого до 1937-го – Уфлянда. При этом сами стихотворения написаны почти одновременно – в 56-м и в 57-м. Не только в этой моей личной антологии, но и вообще в русской поэзии даже трагически прерывистого XX века – перерыва нет. Таланты сомкнулись через головы двух поколений. Ничего я не подгадывал специально: так само вышло, что рядом с Заболоцким встал Уфлянд.

Разрыва нет стилистического: слишком ясно, скольким Уфлянд обязан обэриутам. Другое дело, что он начал с той повествовательной внятности, которой заканчивал Заболоцкий. Как такое удалось двадцатилетнему юноше – вопрос, вероятно, праздный, вряд ли имеющий сколько-нибудь серьезное рациональное объяснение. Тут точнее всего банальный отсыл к чуду искусства: как сочинил все свое главное к девятнадцати годам Рембо, как написал пьесу "Безотцовщина" (она же “Платонов”) восемнадцатилетний Чехов, как сумел создать в двадцать пять лет “Героя нашего времени” Лермонтов.

Разрыва нет и содержательного. Главная тема Уфлянда, с самого начала и вот уже полвека – родина, на которую он все долгие годы умудряется смотреть ошеломленно, хотя принадлежит к поколению, счастливо обойденному Магаданом. В этом, может быть, главная привлекательность поэта Уфлянда: он никогда не устает удивляться тому, что видит вокруг, и умеет доходчиво поделиться изумлением. Задать точные вопросы, смоделировать правдивые ответы. Как в диалоге России с Народом: “Да, я ценю твою любовь и верность. / Но почему ты об мою поверхность / Бутылки бьешь с такою зверской рожею? / А потому, что я плохой, а ты хорошая. / И все на свете я готов отдать, / Чтобы с тобою вместе пропадать”.

Когда Уфлянд пишет “Сто лет тому назад любили Францию. / А в наши дни сильнее любят Родину” или “Другие страны созданы для тех, / кому быть русским не под силу” – это ирония только отчасти: ему, Уфлянду, под силу и быть, и рефлектировать по этому поводу. Честный чаадаевский порыв с замаскированной философичностью письма.

Изощренность ума всегда вызывает недоверие: непременно чудится, что фиоритуры мысли скрывают какую-то важную неискренность. Веришь только простодушию. Тогда не обидно и не стыдно читать о себе такое: "В целом люди прекрасны. Одеты по моде. / Основная их масса живет на свободе. / Поработают и отправляются к морю. / Только мы нарушаем гармонию". И следом, в том стихотворении 58-го года – тихое, но уверенное пророчество о том, что произойдет через тридцать лет: "Твердо знаем одно: / что в итоге нас выпустят. / Ведь никто никогда не издаст запрещения / возвращаться на волю из мест заключения". Как он мог предвидеть, глядя на тогдашний государственный монолит, новую российскую попытку вписаться в гармонию цивилизации? Опять праздный вопрос, опять чудо.

Можно сказать, что включается звериное чутье своей земли, своего народа. В конце концов, Уфлянд – по крайней мере так было в молодости — соответствует нарисованному им самим портрету: “Цветом носа, глаз и волос / несомненно, Великоросс”. Однако он знает и про других. Как он в 50-е ухитрился предугадать социальные процессы в чужой стране, не только до всякой политкорректности, но и до Мартина Лютера Кинга и десегрегации? “Меняется страна Америка. / Придут в ней скоро Негры к власти. / Свободу, что стоит у берега, / под негритянку перекрасят… / И уважаться будут Негры. / А Самый Черный будет славиться. / И каждый Белый будет первым / при встрече с Негром / Негру кланяться”.

Уфлянд — наблюдая или предсказывая — только рассказывает, на равных, словно за столом и рюмкой, в его интонации никогда не услышать учительской ноты, которая для него неприемлема вообще: “Из всех стихов Бориса Леонидовича Пастернака мне меньше всего нравится “Быть знаменитым некрасиво”. Борис Леонидович обращался, конечно, к себе. Но могло показаться, что он учит кого-то другого не заводить архивов и не трястись над рукописями”.

У Уфлянда архивов нет, потому что все напечатано — когда стало можно. До того на родине он опубликовал всего два десятка стихотворений за три десятка лет, в основном в детских журналах (опять-таки обэриутский путь). Когда стало можно, он, тонко чувствуя извивы отечественной истории, решил не рисковать и не держать ничего в закромах, видимо, справедливо полагая, что обнародованное уж точно бесследно не пропадет. Потому в его сборнике 1997 года собраны и краткие (явно на открытках) стихотворные послания, и даже надписи на подаренных книгах. Если ты поэт, то твоя жизнь, вся твоя жизнь — поэзия. Так и выходит, и в книге есть, например, целый раздел из двадцати сочинений, озаглавленный "Леше, Нине и всем Лосевым". По-хозяйски учтено все. Включена и мне надпись: "Дарю Пете Вайлю тексты отборные / за его произведения, для литературы плодотворные". Лестно: не столько *что* написано, а что от Уфлянда. Надо думать, в его будущую книгу попадет надпись на этом сборнике: "Вайлю Пете / тексты, сочиненные на закате и на рассвете".

Литературное простодушие — всегда маска. Как и литературная желчь, и литературная ярость, и литературное безразличие. Но не знает история словесности примеров, когда бы под маской злобы скрывался добряк, или наоборот. Если попытаться снять с Уфлянда личину простодушия, обнаружится простая душа. Поразительная редкость. Красная книга.

Наверное, оттого он такой превосходный стихотворный рассказчик — достоверный, понятный, увлекательный. Физическое наслаждение — читать Уфлянда вслух, назойливо приставая к родным и близким. Им нравится.

Надежда, вера, любовь

Владимир Уфлянд
1937

Уже давным-давно замечено,
как некрасив в скафандре Водолаз.
Но несомненно: есть на свете Женщина,
что и такому б отдалась.

Быть может, выйдет из воды он прочь,
обвешанный концами водорослей,
и выпадет ему сегодня ночь,
наполненная массой удовольствий.

(Не в этот, так в другой такой же раз.)
Та Женщина отказывала многим.
Ей нужен непременно Водолаз.
Резиновый. Стальной. Свинцовоногий.

Вот ты
хоть не резиновый,
но скользкий.
И отвратителен, особенно нагой.

Но Женщина ждет и тебя.
Поскольку
Ей нужен именно такой.

1959

Одно из самых трогательных стихотворений о любви. О той самой женской любви-жалости, которая зафиксирована в словарях с пометкой "*устар.*".

Женщины в поэзии Уфлянда встречаются разные.

Легкомысленно-похотливые: "Помню, в бытность мою девицею / мной увлекся начальник милиции. / Смел. На каждом боку по нагану. / Но меня увлекли хулиганы". И дальше – то прокурор, то заключенные, то секретарь райкома, то беспартийные.

Угрюмо-корыстные: "Ты женщина. И любишь из-за денег. / Поэтому твои глаза темны. / Слова, которыми тебя заденешь, / еще людьми не изобретены".

Суетливо-настырные: "Все женщины волнуются, кричат. / Бросаются ненужными словами. / Мне что-то их не хочется включать / в орбиту своего существованья".

В стихах о водолазе – Женщина, как и написано, с большой буквы, проникнутая состраданием и благородством.

В 79-м году я впервые попал в Париж. В числе необходимых для посещения достопримечательностей, наряду с Лувром и русским кладбищем Сен-Женевьев-де-Буа, в моем списке значилась проституточья улица Сен-Дени. Сейчас там не очень интересно, почти пустынно: СПИД нанес сокрушительный удар по злачным центрам Европы и Америки. Впал в ничтожество Провинстаун на Кейп-Коде, гей-столица Восточного побережья США, где мне случилось наблюдать огромный зал танцующих под оркестр мужских пар, шер с машером. Опустела нью-йоркская Кристофер-стрит, выходящая к Гудзону, где на деревянных причалах лежали на солнышке в обнимку голые по пояс мужчины, не ведающие, что где-то в Африке зеленые обезьяны уже собирают для них по джунглям иммунный дефицит. Поскучнела сан-францисская Кастро-стрит: мужские пары в обнимку еще прогуливаются, но нет уже тех дивных нарядов, вроде кожаных джинсов с круглыми вырезами на ягодицах. СПИД поразил прежде всего мировое гомосексуальное сообщество, но рикошетом ударил по всей сексуальной индустрии, лишив города одной из их ярких красок. Сократились и стушевались кварталы с сидящими в витринах девочками в Амстердаме и Антверпене. Ослабел порнотрафик на гамбургском Рипербане. На 42-й в Нью-Йорке вместо массажных салонов и "актов на сцене" – кинотеатры и магазины. Зато оживилось самолетное сообщение с Юго-Восточной Азией, где пока еще не боятся ничего, кроме цунами.

Нет и тени былого великолепия на Сен-Дени. В 79-м проститутки стояли, как почетный караул, по обе стороны улицы в метре-двух друг от друга на протяжении нескольких длинных кварталов. Не для красного словца Сен-Дени у меня поставлена в один ряд с объектами из путеводителя: я пришел туда за увлекательным и, как оказалось, поучительным зрелищем. Никогда прежде не видал – а теперь уже никогда больше не увижу – такого разнообразия лиц, фигур, одежд, манер. Словно какой-то режиссер, одержимый идеей мультикультурализма, расставил женщин вдоль стен. Понятно какой: спрос. Помню черных, коричневых, желтых, розовых и белых. Усатых брюнеток и молочных альбиносок. Горбунью лет семидесяти. Юное созданье в детском ситцевом платье. Необъятную толстуху в трусах и лифчике. Одноногую блондинку на костылях. Плечистую дылду в форме морского пехотинца. Очкастую училку с книжкой в руке. Карлицу в сомбреро. Из гигантского сексуального супермаркета никто не должен был уйти обделенным.

Вдоль пестрого караула чередой шли не менее разнообразные водолазы – в поисках той, которой "нужен именно такой". Надежда светит всегда и каждому.

Картина, зеркальная по отношению к уфляндовскому сюжету. Какая-то странная, почти безобразная, но раздражающая именно своей похожестью карикатура. Потребительский мужской и жалостливый женский миры диковинно сходятся во множественности вариантов, в бесцеремонности запросов и безотказности откликов. В надежду на любовь – любую любовь! – нужно верить.

Добрый Уфлянд всем нам, самым из нас отвратительным и скользким, дает шанс. Расколдовывает секрет женско-мужских отношений: для каждого "несомненно есть на свете" некто, надо только выучиться ждать, надо быть спокойным и упрямым, как пелось в песне той эпохи. Это все про настоящую любовь.

Чистая эротическая лирика Уфлянда тем более убедительна, что предельно проста. Из набора прозаизмов (“уже давным-давно замечено” и т. п.) получается подлинная беспримесная поэзия. Кажется, будто о нем написал Пастернак: “Когда кто-нибудь откроет рот не из склонности к изящной словесности, а потому, что он что-то знает и хочет сказать, это производит впечатление переворота…”

Уфлянд и произвел переворот в 50-е: так прежде не писали. Так и сейчас не пишут. Он такой один. Уфлянд не ставит экрана между собой и текстом, между текстом и читателем. В нем все ясно, разгадывать нечего. И в том, что нет загадки – тайна.

Скучная история

Иосиф Бродский

1940–1996

Зимним вечером в ялте

Сухое левантинское лицо,
упрятанное оспинками в бачки.
Когда он ищет сигарету в пачке,
на безымянном тусклое кольцо
внезапно преломляет двести ватт,

и мой хрусталик вспышки не выносит:
я щурюсь; и тогда он произносит,
глотая дым при этом, "виноват".

Январь в Крыму. На черноморский брег
зима приходит как бы для забавы:
не в состоянье удержаться снег
на лезвиях и остриях агавы.
Пустуют ресторации. Дымят
ихтиозавры грязные на рейде.
И прелых лавров слышен аромат.
"Налить вам этой мерзости?" – "Налейте".

Итак – улыбка, сумерки, графин.
Вдали буфетчик, стискивая руки,
дает круги, как молодой дельфин
вокруг хамсой заполненной фелюки.
Квадрат окна. В горшках – желтофиоль.
Снежинки, проносящиеся мимо.
Остановись, мгновенье! Ты не столь
прекрасно, сколько ты неповторимо.

Январь 1969

Спор с Гете – в пользу Бродского. Стоит лишь вспомнить неповторимые мгновения в собственной жизни, подивиться их содержательной мелкоте и непреходящему очарованию.

Может казаться, что оппозиция "прекрасно–неповторимо" – снижение, но на деле, конечно, подъем. Гете предлагает остановить миг, потому что он прекрасен, Бродский – потому что он произвольный свой, другого не будет. Самоценность мимолетности. Священный трепет мгновения, "атома вечности", по Кьеркегору, "той двузначности, в которой время и вечность касаются друг друга".

В крымском пейзаже Бродского отзвук Мандельштама: "Зимуют пароходы. На припеке / Зажглось каюты толстое стекло".

Мандельштам – начало той цепочки, конец которой меня всегда озадачивал: почему Бродский холодно, если не неприязненно, относится к Чехову? Дело, вероятно, в акмеистической традиции – в обратном отсчете воздействий: Бродский – Ахматова – Мандельштам. В наброске 1936 года "О пьесе А.Чехова "Дядя Ваня" Мандельштам пишет свирепо: "невыразительная и тусклая головоломка", "мелко-паспортная галиматья", "проба из человеческой "тины", которой никогда не бывало", "владыка афинский Эак... из муравьев людей наделал. А и хорош же у нас Чехов: люди у него муравьями оборачиваются".

Слишком все приземленное у Чехова, слишком простое. "Скучно перешептываться с соседом... Но обменяться сигналами с Марсом – конечно, не фантазируя – задача, достойная лирического поэта". Так, как у Чехова – будто подразумевается Мандельштамом и его единомышленниками, – всякий может.

Между тем Лев Лосев в статье "Нелюбовь Ахматовой к Чехову" показывает, что "творческая манера самой Ахматовой... очень близка художественной манере Чехова" и что, таким образом, дело в так называемом "неврозе влияния". Художник внешне отталкивается от того, кто ему внутренне близок. Так Набоков всю жизнь клял Достоевского, хотя именно Достоевский тенью стоит за его сочинениями. Джойс уверял, что не читал рассказов Чехова, тогда как чеховская поэтика отчетливо видна и слышна в "Дублинцах" и отчасти в

“Портрете художника в юности”, да и трудно поверить, что феноменально начитанный Джойс (к примеру, прекрасно знал Лермонтова – редкость для иностранца) как раз Чехова-то и проглядел.

То-то тускловатому Чехову – не Толстому, не Достоевскому, не Гоголю, неизмеримо превосходящим его в размахе и яркости, – удалось создать рабочую матрицу, безошибочно пригодную уже сто с лишним лет. Чеховское “творчество из ничего” – в основе прозы XX века. Литературный экзистенциализм – до того, как такое течение и понятие возникли. Из чеховских пьес вышла не только драматургия Ионеско и Беккета, но и такие блестящие диковины, как фильм американского француза Луи Малля “Ваня на 42-й стрит” и кинокартина Майкла Блейкмора “Сельская жизнь”, где действие “Дяди Вани” легко и убедительно перенесено в Австралию 1918 года. Неброскость Чехова плодотворна – сродни невыразительности лиц манекенщиц, на которых на улице не обернешься, но нарисовать на этом лице можно Афродиту.

Бродский убежденно говорил о противопоставлении пристального американского взгляда романтическому европейскому. Такая сдержанность – фирменный знак Бродского – пожалуй, как раз чеховская традиция. Стихотворение "Посвящается Чехову" – свидетельство "невроза влияния": одновременно пародия и почтительная фантазия на тему. Чехов в стихах. "...Он единственный видит хозяйку в одних чулках. / Снаружи Дуня зовет купаться в вечернем озере, / Вскочить, опрокинув столик! Но трудно, когда в руках / все козыри". Чеховские мотивы, бродские стихи. Прозаик и поэт часто схожи и уж, во всяком случае, никак не противоположны.

Лидия Чуковская вспоминает, как Ахматова сказала ей, "что герои Чехова лишены мужества", а она "не любит такого искусства: без мужества". Лосев: "Поэтика, в рамках которой работала Ахматова, требовала изображения необычных героев в экстремальных обстоятельствах". В общем, обмен сигналами с Марсом.

Но Бродский – совершенно иное. Его мужество – как раз чеховское. "Надо жить, дядя Ваня". Обратим внимание: не как-то по-особенному, а просто – жить. Это очень трудно. Еще труднее – понять это. Еще труднее – высказать.

Бродский высказывает, нанизывая в “Зимнем вечере” пустяки – скажем, твердя противное языку и слуху “ф” (не существует ни одного русского слова с этой буквой): “графин”, “буфетчик”, “дельфин”, “фелюка”, “желтофиоль”. Получается вынесенная за скобки обыденности (Крым, юг, не вполне Россия, да еще агавы какие-то), однако все-таки обычная, с “мерзостью”, жизнь. Лицо экзотично левантинское, но ихтиозавры знакомо грязные.

У Бродского есть эссе “Похвала скуке”. Надо было знать автора, чтобы поразиться несочетаемости облика Бродского с самим понятием “скука”. Он был полон жизни – в самом приземленном смысле слова: любил итальянские кафе и китайские рестораны, разбирался в вине и автомобилях, в 94-м мы обсуждали каждый игровой день чемпионата мира по футболу. В памятном сентябре 95-го в Италии, под Луккой, он был неутомим в прогулках, составлении меню, каламбурах, экспромтах. Жить ему оставалось четыре месяца. И он знал это. То есть, разумеется, не знал даты – никому не дано знать. Но жил, неся тяжесть смертельной болезни, торжествуя всю полноту жизни. Он был очень храбрым человеком. Эта храбрость проявлялась разнообразно и давно. Нечто необычное происходило в мальчике, который на уроке в восьмом классе встал из-за парты и вышел из класса – чтобы никогда больше не возвращаться в школу. Нечто побудило молодого человека произнести в советском суде слова о Боге и Божественном предназначении. Заметим уже на этих двух примерах разницу между смелостью поступка и смелостью сознания. С годами пришло и более высокое – смелость существования. Мужество.

О том и пишет Бродский. О мужестве перед лицом жизни, которая – в повседневном потоке своем – может предстать и очень часто предстает скукой.

В одном из самых известных его стихотворений есть строка: "Что сказать мне о жизни? Что оказалась длинной". В этих словах – и ужас, и восторг, и гордость, и смирение. Мы, оглядываясь назад или вглядываясь вперед, видим события, вершины. Взгляд поэта проходит по всему рельефу бытия, охватывая прошлые, настоящие, будущие равнины и низменности, идти по которым тяжело и скучно, но надо. Коль жизнь есть дар, то будней – не бывает.

Экскурсия по жизни

Иосиф Бродский
1940–1996

Лагуна

I

Три старухи с вязаньем в глубоких креслах
толкуют в холле о муках крестных;
 пансион “Аккадемиа” вместе со
всей Вселенной плывет к Рождеству под рокот
телевизора; сунув гроссбух под локоть,
 клерк поворачивает колесо.

II

И восходит в свой номер на борт по трапу
постоялец, несущий в кармане граппу,
        совершенный никто, человек в плаще,
потерявший память, отчизну, сына;
по горбу его плачет в лесах осина,
        если кто-то плачет о нем вообще.

III

Венецийских церквей, как сервизов чайных,
слышен звон в коробке из-под случайных
        жизней. Бронзовый осьминог
люстры в трельяже, заросшем ряской,
лижет набрякший слезами, лаской,
        грязными снами сырой станок.

IV

Адриатика ночью восточным ветром
канал наполняет, как ванну, с верхом,
        лодки качает, как люльки; фиш,
а не вол в изголовье встает ночами,
и звезда морская в окне лучами
        штору шевелит, покуда спишь.

V

Так и будем жить, заливая мертвой
водой стеклянной графина мокрый
    пламень граппы, кромсая леща, а не
птицу-гуся, чтобы нас насытил
предок хордовый Твой, Спаситель,
    зимней ночью в сырой стране.

VI

Рождество без снега, шаров и ели,
у моря, стесненного картой в теле;
    створку моллюска пустив ко дну,
пряча лицо, но спиной пленяя,
Время выходит из волн, меняя
    стрелку на башне — ее одну.

VII

Тонущий город, где твердый разум
внезапно становится мокрым глазом,
    где сфинксов северных южный брат,
знающий грамоте лев крылатый,
книгу захлопнув, не крикнет "ратуй!",
    в плеске зеркал захлебнуться рад.

VIII

Гондолу бьет о гнилые сваи.
Звук отрицает себя, слова и
слух; а также державу ту,
где руки тянутся хвойным лесом
перед мелким, но хищным бесом
и слюну леденит во рту.

IX

Скрестим же с левой, вобравшей когти,
правую лапу, согнувши в локте;
жест получим, похожий на
молот в серпе, – и, как черт Солохе,
храбро покажем его эпохе,
принявшей образ дурного сна.

X

Тело в плаще обживает сферы,
где у Софии, Надежды, Веры
и Любви нет грядущего, но всегда
есть настоящее, сколь бы горек
не был вкус поцелуев эбре и гоек,
и города, где стопа следа

XI

не оставляет – как чёлн на глади
водной, любое пространство сзади,
 взятое в цифрах, сводя к нулю –
не оставляет следов глубоких
на площадях, как "прощай" широких,
 в улицах узких, как звук "люблю".

XII

Шпили, колонны, резьба, лепнина
арок, мостов и дворцов; взгляни наверх: увидишь улыбку льва
на охваченной ветром, как платьем, башне,
несокрушимой, как злак вне пашни,
 с поясом времени вместо рва.

XIII

Ночь на Сан-Марко. Прохожий с мятым
лицом, сравнимым во тьме со снятым
 с безымянного пальца кольцом, грызя
ноготь, смотрит, объят покоем,
в то "никуда", задержаться в коем
 мысли можно, зрачку – нельзя.

XIV

Там, за нигде, за его пределом –
черным, бесцветным, возможно, белым –
есть какая-то вещь, предмет.
Может быть, тело. В эпоху тренья
скорость света есть скорость зренья;
даже тогда, когда света нет.

1973

Эмигрировал я в сентябре 77-го, а еще в марте того года всерьез не думал об этом. То есть подумывал, конечно, — такая шла волна, то и дело проводы, бездумные тосты: "За встречу там". И вызов имелся, кажется, даже не один. Это было принято: на всякий случай лежал вызов на постоянное место жительства в государство Израиль. Кто не прошел поветрий тех лет, не осознать: вовсе не обязательно было быть евреем, просто выезд в Израиль, "на историческую родину", признавался единственным законным способом покинуть СССР — и власть играла с населением в эти игры. Помню молдаванина, который хвастался девятью вызовами от мифической, причем разной, израильской родни — в результате он уехал в Сидней, под гарантию тамошней еврейской общины. Путаница в головах царила такая, что когда я попросил на своем последнем месте работы — в комбинате бытового обслуживания, где трудился окномоем — характеристику для ОВИРа, начальник отдела кадров, отставной полковник, запунцовев от ненависти, сказал: "А знаете ли вы, что людей вашей национальности эта республика не принимает?" Только на улице я осознал, что он имел в виду: меня, русского по матери и по паспорту, Израиль не впустит. На миг ему даже еврейское государство стало симпатичнее, чем отдельный отщепенец-полукровка.

Во время первого визита в ОВИР, предъявляя солидную бумагу с печатями, где значилось, что дядя-садовник и тетя-учительница навечно приглашают меня к себе, больше всего боялся, что спросят – кто из них дядя, а кто тетя. Еще ивритские имена надо было уметь отличить от названий населенных пунктов: хорошо, если это Тель-Авив, а если Рамат Ган? Вдруг он и есть садовник? Но никто ни о чем не спрашивал: ехать тебе или нет, определяли не в ОВИРе. Однако изначальное решение ты все-таки должен был принять сам.

Решить я все никак не мог. Блуждали смутные идеи переустройства окружающего общества с красивым шансом пострадать: самому теперь кажущийся странным короткий период – возрастная склонность к жертвенности, видимо. Еще более смутным представлялся Запад. И какой Запад? Израиль как конечный пункт в моих перспективах не фигурировал. Если ехать, то в Штаты. Но никому бы в ту пору, да и позже, не признался, что самым привлекательным выглядел транзитный период в Италии — всего несколько месяцев, но в Италии, а там уж как выйдет. Самому делалось стыдно за подобное легкомыслие. И сейчас бывает неловко. Недавно в поезде Нижний Новгород–Москва разговорился с молодым бизнесменом, сделавшим большие деньги на паркете. Отвечая на его расспросы, признался, что побудительным мотивом к эмиграции стало желание увидеть Италию. "Сколько вам было? — Двадцать семь. — И мне двадцать семь. Вы извините, но я думаю, сначала надо наколбасить лавандо́с. Вот что главное, а после можно в эти Италии-Шмиталии. А пока сиди на месте, колбась!" Прав, наверное.

Может, и у меня итальянские грезы так и завивались бы дымкой на умственном горизонте. Но тут появилась "Лагуна".

В марте 77-го позвонили приятели — Захар и Лера: срочно беги. Мы часто собирались у них, сильно культурный был дом, куда люди приходили только рафинированные, даже те, кто случайно. Как-то мы сидели на кухне, когда появился техник-газовщик, лохматый и в очках, бросил взгляд на вырезанную из польского журнала репродукцию на стене, сказал пренебрежительно: "Морис Утрилло. Копия, конечно?"

На эту кухню и пришел питерский знакомый Захара, всего на два часа, проездом, с новыми для нас стихами Бродского. Это были "Двадцать сонетов к Марии Стюарт", "На смерть Жукова" и она, "Лагуна".

В тот майский день все и стало ясно. Не увидеть этого своими глазами я не мог.

Не стоит преувеличивать, не столь уж был романтичен и порывист даже в молодости, но "Лагуна" разогнала тот туман на горизонте, навела на резкость. Какой жест показывать эпохе, я знал, но откуда – понял тогда.

Как полагалось по заведенному эмигрантскому порядку, жил в Риме, ожидая оформления бумаг для въезда в Штаты. Уехав в сентябре, провел там четыре месяца, объездил, как мог, страну, а в декабре отправился посмотреть на Венецианское биеннале, посвященное в 77-м инакомыслию.

Как воспитанник своей страны и своего режима, пошел в оргкомитет узнать, где, как и что. Девушки-итальянки владели английским еще хуже, чем я. Отчаявшись понять, чего добивается человек непонятной бородатой внешности, спросили: "Кто вы такой?" Я показал документ. Девушки поводили по спискам пальцами и сказали: "Вам предоставляется жилье и содержание на три дня". Самое поразительное, что я ничуть не удивился. Только много позже узнал, что заслуженный советский диссидент Борис Вайль, поселившийся в Копенгагене, которого пригласили в Венецию, приехать не смог, но в списках числился. С Борисом я познакомился в 96-м году и рассказал, как забрал себе его халяву – гостиницу возле Сан-Марко, с завтраком, обедом и ужином. Когда дармовщина кончилась, переместился в пансион возле моста Аккадемиа за десять долларов в день, с крохотным окошком, в которое даже выброситься нельзя было, но выходило оно на Канале Гранде.

На биеннале отважился подойти к Андрею Синявскому. Познакомился с Александром Галичем и прогулялся с ним по Славянской набережной. Галич был в пальто с меховым шалевым воротником, с тростью и в пирожке, на манер хрущевского. Вальяжный, красивый, на него оглядывались. Через две недели он умер в Париже.

В перерыве между заседаниями, болтаясь по соседним залам, заметил человека, который объяснялся с охранником в униформе. Человек говорил по-английски, а охранник не понимал. К этому времени я знал полторы сотни итальянских слов и самонадеянно решил, что могу помочь. Попробовал и тогда только увидел на груди у человека табличку – "Иосиф Бродский". В том первом разговоре Бродский сказал мне: "Российскому человеку, если жить где-нибудь вне России, то в Штатах". Что это единственная страна, которая в состоянии такого человека воспринять и более или менее соответствовать его представлениям о месте обитания. Наверное, имея в виду и масштабы, и разноплеменность. Я очень приободрился от этих слов, хотя выбор уже сделал.

В тот же день был поэтический вечер Бродского, его знаменитое литургическое полупение, и я услышал "Лагуну" от автора.

После чтения выпил с новым знакомым, художником Олегом Целковым, и мы стали искать, где бы еще. Венеция в то время, в отличие от нынешней эпохи общетуристского либерализма, отличалась строгостью. Мы ничего не могли найти и тут столкнулись с итальянской компанией, объяснили свои горести. Они вошли в положение и, проведя куда-то далеко, вынесли из дома огромную оплетенную бутыль вина, а сами пошли спать. Олег все повторял: "Новая музыка стиха, ты понимаешь, что это новая музыка стиха?" Мы сидели у Большого Канала, напротив моего пансиона, вода плещет у ног, гондолу бьет о гнилые сваи, Адриатика ночью восточным ветром канал наполняет, как ванну, с верхом, вокруг тонущий город, где твердый разум внезапно становится мокрым глазом, и время выходит из волн, меняя стрелку на башне, ее одну — чего же тут не понять, Олег, как не понять.

Венеции удалось свести в один вселенский и всевременной клуб Петрарку, Дюрера, Байрона, Гете, Тургенева, Вагнера, Тернера, Генри Джеймса, Ренуара, Пруста, Дягилева, Томаса Манна, Хемингуэя, Висконти, Сартра, Вуди Аллена, Бродского etc. – ничем иным, кажется, вместе не сводимых, кроме способности и возможности высказать восхищение самым городским из всех городов на земле – именно потому, что на воде.

Там, где пустой взгляд видит нарочитость и фасад, пристальный взор усматривает подлинность и объем. Вода лагуны – твердь истории – не позволила растечься пригородами, исказиться в новостройках, впустить потоки транспорта – конного, бензинового, электрического. Колесо, даже велосипедное, не касается венецианских мостовых. Пешком и по воде, возвращаясь ко всеобщему прошлому, перемещается здесь человек – оттого легко перемещаясь в веках.

Соблазн вживую перелистать учебник цивилизации – неодолим, особенно если попытаться оставить свои пометки на полях. Преклонение и восторг художников выстроили и укрепили город так же надежно, как сваи из балканских лиственниц и сосен, которые столетиями вбивали в дно лагуны, устанавливая немыслимые рекорды: под одной только церковью Санта-Мария-делла-Салюте у входа в Большой Канал – больше миллиона таких столбов, столпов Венеции.

Стволы привозили далматинцы, хорваты, которых, по повсеместным обычаям старины, называли обобщенно – славяне. Память об этих строителях – в названии главной набережной города, Славянской, где в старину выгружали импортные бревна. Славяне всегда и составляли важную часть толпы на Riva degli Schiavoni, прогуливаясь, останавливаясь, высказываясь, оставляя следы. Здесь стольник Петр Толстой разглядел, что "народ женский в Венецы зело благообразен"; Чайковский писал Четвертую симфонию, а Бродский "Сан-Пьетро" – здесь, в гостинице "Londra", возле "чугунной кобылы Виктора-Эммануила"; здесь Пастернак увидел "каменную баранку", Ахматова – "золотую голубятню у воды", Лосев убеждался, что "кошки могут плавать, стены плакать"; Шемякин показывал своего бронзового Казанову. Всё – здесь, где некогда громоздился славянский лес.

Всеобщее прошлое делает Венецию для каждого своей. Иосиф Бродский эту связь сделал нерасчленимой: вписал в город свою биографию, а город – в себя. "Лагуна" стала первым его стихотворением не о России или Америке, "С натуры" – последним. "Тело в плаще обживает сферы...” — зима 73-го. “Местный воздух, которым вдоволь не надышаться, особенно напоследок” — осень 95-го. Между этими датами — Венеция Бродского: пансион “Аккадемиа” и базилика Сан-Пьетро, Беллини и “высокая вода”, Арсенал и Фондамента Нуове, туман и запах, виа Гарибальди и фасад Джованни и Паоло, память о романах Анри де Ренье и малеровское начало фильма “Смерть в Венеции”. Набережная неисцелимых. Кладбище Сан-Микеле. Надгробье с именем по-русски и по-английски, датами — 1940–1996 — художник Володя Радунский, некогда сосед Бродского по нью-йоркскому району Бруклин-Хайтс, сделал по-античному строго. На задней стороне строка из Проперция, которую выбрала Мария: “Letum non omnia finit”. “Со смертью все не кончается” — в том числе Венеция Бродского.

У каждого есть свое в этом городе. Приезд сюда кажется обязательным визитом, заранее окрашенным в ностальгические тона: принято считать, что Венеция медленно, но неотвратимо тонет. Однако панические слухи опережают действительность, грусть составляет часть венецианского мифа, и нет краше и праздничней города, к которому нельзя привыкнуть. Растущие из водяной тверди дворцы, храмы, мосты. Мини-музеи мирового разряда в каждой церкви. Невообразимая в большом туристском городе тишина. Прелестные овалы женских лиц на улицах и в рамах. Изысканность осанок и облачений. Удваивающая, умножающая, тиражирующая чудо вода каналов и лагуны. Пронзительно яркие отражения, оставленные теми, кто так красиво любил Венецию.

Их, великих, столь много, что нужно лишь покорно и радостно встать в очередь. И, может быть, достоять до конца. Своего, разумеется, не Венеции же. Если карта ляжет правильно, попробую это сделать.

Неторопливым венецианским пенсионером где-нибудь подальше от туристов, поближе к Арсеналу, к парку Giardini: зелень, знаете. Летом Pinot Grigio, зимой Valpolicella — когда за столиком у воды, не до изысков и дороговизны, а эти вина из провинции Венето не подводят. Или попробовать найти занятие: вот, видите ли, литератор, со всякими был знаком, не угодно ли экскурсию "Русская Венеция"? В сентябре 2003 года у меня состоялся дебют в качестве гида, когда во время кинофестиваля Андрей Звягинцев и Костя Лавроненко из фильма "Возвращение", который был уже показан, но еще не успел получить Золотого льва, попросили меня поводить их по Венеции. Назначили время. Пришли двадцать пять человек. Экскурсия длилась три часа, с остановкой на стаканчик с закусками-чикетти в старейшем заведении "Два мавра" у рынка Риальто. Больше себя в этой профессии не пробовал, но почему бы и нет?

Освоить, скажем, маршрут "Венеция Бродского" – на те же три часа, никак не меньше. От вокзала Санта-Лючия до кладбищенского острова Сан-Микеле, через Набережную неисцелимых. На моем экземпляре этой книжки надпись – "от неисцелимого Иосифа". И дата – "31 I 1994", еще оставалось два года, без трех дней.

Другого всегда жальче

Иосиф Бродский

1940–1996

На смерть друга

Имяреку, тебе, – потому что не станет за труд
из-под камня тебя раздобыть, – от меня, анонима,
как по тем же делам: потому что и с камня сотрут,
так и в силу того, что я сверху и, камня помимо,
чересчур далеко, чтоб тебе различать голоса –
на эзоповой фене в отечестве белых головок,

где на ощупь и слух наколол ты свои полюса
в мокром космосе злых корольков и визгливых сиповок;
имяреку, тебе, сыну вдовой кондукторши от
то ли Духа Святого, то ль поднятой пыли дворовой,
похитителю книг, сочинителю лучшей из од
на паденье А. С. в кружева и к ногам Гончаровой,
слововержцу, лжецу, пожирателю мелкой слезы,
обожателю Энгра, трамвайных звонков, асфоделей,
белозубой змее в колоннаде жандармской кирзы,
одинокому сердцу и телу бессчетных постелей –
да лежится тебе, как в большом оренбургском платке,
в нашей бурой земле, местных труб проходимцу и дыма,
понимавшему жизнь, как пчела на горячем цветке,
и замерзшему насмерть в параднике Третьего Рима.
Может, лучшей и нету на свете калитки в Ничто.
Человек мостовой, ты сказал бы, что лучшей не надо,
вниз по темной реке уплывая в бесцветном пальто,
чьи застежки одни и спасали тебя от распада.
Тщетно драхму во рту твоем ищет угрюмый Харон,
тщетно некто трубит наверху в свою дудку протяжно.
Посылаю тебе безымянный прощальный поклон
с берегов неизвестно каких. Да тебе и не важно.

1973

Это стихотворение почти неизменно читал сильно выпивший Довлатов. Читал, словно заново обретая траченую дикцию, мрачновато, опустив голову, глядя куда-то в пол. Как в каждом настоящем алкоголике, в нем жил подсознательный самоубийственный импульс – вероятно, это и притягивало. "Может, лучшей и нету на свете калитки в Ничто". Довлатов в застольной компании читал и другие стихи, своих питерских – Уфлянда, Вольфа, Горбовского, но к Бродскому подходил в стадии определенной. Помню, как-то звонит к нашим общим приятелям его жена Лена: "Сережа у вас? – Да. – Что делает? – Выпивает, но держится в порядке, стихи читает. – Какие стихи? – Сейчас послушаю. Вот что-то про драхму. – Ну, еще минут тридцать–сорок есть".

Мне кажется, Довлатов всякий раз на всякий случай посылал свой "прощальный поклон" Бродскому, кому же еще. Для него литературные современники делились на Бродского и на остальных.

Бродский откликался. Мне дважды приходилось слышать от него признания в том, что Довлатов – единственный сегодняшний русский прозаик, которого он дочитывает до конца, не откладывая. Примечательно полное соответствие Бродского-читателя амбициям Довлатова-писателя, который считал своим главным достижением именно увлекательность чтения. Не случайно Довлатов, в духе свойственного ему в поведении и в литературе understatement'а, называл своими любимцами и ориентирами Куприна и Шервуда Андерсона – не замахиваясь на обожаемых им Достоевского и Джойса.

К первой годовщине безвременной (в неполные 49 лет, 24 августа 1990 года) смерти Довлатова Бродский написал эссе. Отметить эту печальную дату попросил Бродского я (первая публикация – в лос-анджелесском еженедельнике "Панорама" в сентябре 91-го). Он передал мне текст без заглавия, сказав, что ничего подходящего не придумывается. На следующий день я предложил: "Может быть, просто – "О Сереже Довлатове"?" Бродский согласился. В "Сереже" обозначено соотношение: хотя номинальная разница в возрасте у них составляла чуть больше года, но это были старший и младший из одного поколения.

Из эссе вычитывается об авторе не меньше, чем о герое. “Сережа принадлежал к поколению, которое восприняло идею индивидуализма и принцип автономности человеческого существования более всерьез, чем это было сделано кем-либо и когда-либо. Я говорю об этом со знанием дела, ибо имею честь – великую и грустную честь – к этому поколению принадлежать”.

Бродский находит в довлатовской прозе “отсутствие претензии”, “трезвость взгляда на вещи”, “негромкую музыку здравого смысла”. И главное: “Этот писатель не устраивает из происходящего с ним драмы... Он замечателен в первую очередь именно отказом от трагической традиции (что есть всегда благородное имя инерции) русской литературы, равно как и от ее утешительного пафоса”.

Бродский видит, таким образом, в Довлатове литературного и мировоззренческого союзника, прививающего русской прозе именно те качества, которые он сам прививал русской поэзии.

Сравним приведенные слова с теми, которые им сказаны об американских стихах: “Они живы духом индивидуальной ответственности. Нет ничего более чуждого американской поэзии, чем излюбленные европейские мотивы – мироощущение жертвы с мечущимся в поисках виноватого указующим перстом... Поэзия по определению – искусство весьма индивидуалистическое, и, в каком-то смысле, Америка – логичное для нее пристанище".

Вот оно, поколение штатников, выросшее на "трофейном" кино – американском кино, полученном по репарациям из побежденной Германии. Эти картины повсеместно крутили по Советскому Союзу, изымая титры, снабжая фантастическим обозначением "зарубежный фильм", играя в дурацкую государственную викторину: мы будто не знаем, что показываем американское, а вы будто не знаете, что смотрите. Я моложе Бродского на девять лет, Довлатова на восемь – вроде немного, но разница решающая: ничего этого я уже не застал. А они складывались "Ревущими Сороковыми", которые в советском прокате стали "Судьбой солдата в Америке". Потом – американским джазом.

Бродский пишет о тех, кому в конце концов удалось пересечь океан: "Мы оказались "американцами" в куда большей степени, чем большинство населения США".

Близость у них (при том, что очень тесного общения в Нью-Йорке не было) закладывалась на детском, подростковом уровне – то есть неистребимая. То-то Довлатов стихотворение Бродского читал будто о себе.

Речь в эссе Бродского постоянно и подчеркнуто идет и о младшем товарище, и о замечательном писателе с высочайшей оценкой его литературных заслуг. Оба мотива звучат одновременно: "Для меня он всегда был Сережей. Писателя уменьшительным именем не зовут; писатель – это всегда фамилия, а если он классик – то еще имя и отчество. Лет через десять – двадцать так это и будет..."

Отметим пророчество: в 91-м слава Довлатова только начиналась, оценка его была еще невнятной, многим он казался забавным рассказчиком смешных анекдотов. Бродский ошибся лишь в сроках: и десяти лет не понадобилось, чтобы Довлатов сделался современным русским классиком.

Он, Сергей, словно надекламировал себе судьбу. С поправкой на климат: не замерз в подъезде, а, перебравшись на широту Баку и Ташкента, умер, как пишет Бродский, "в удушливый летний день в машине "скорой помощи" в Бруклине, с хлынувшей горлом кровью и двумя пуэрто-риканскими придурками в качестве санитаров".

В нарочитом снижении интонации – подлинное горе. Сосредоточение на участи умершего. Нельзя, неприлично, оплакивая потерю, оплакивать себя. "Трудно, подчас неловко бороться с ощущением, что пишущий находится по отношению к своему объекту в положении зрителя к сцене и что для него больше значения имеет его собственная реакция (слезы, не аплодисменты), нежели ужас происходящего".

Конечно, "в настоящей трагедии гибнет не герой – гибнет хор" (Нобелевская лекция). Здесь слышен голос Мандельштама, самого, вероятно, объективно близкого Бродскому поэта ("Стихи о Неизвестном солдате": "Миллионы убитых задешево", "Небо крупных оптовых смертей...", "Хорошо умирает пехота..."). Мандельштам словно откликнулся на вызов Сократа, говорившего, что гибнущие одиночки делаются героями драм, но "никогда не было столь отважного и дерзкого трагического поэта, который вывел бы на сцену обреченный на смерть хор" (Элиан).

Все так, но где ты видишь и где увидишь гибель хора? А единичная смерть солистов – ощутима и рядом.

У Бродского есть два перекликающихся стихотворения – "На смерть друга", знакомца юности, яркого и беспутного поэта, героя московской богемы Сергея Чудакова, и "Памяти Геннадия Шмакова", близкого приятеля, искусствоведа, переводчика, полиглота, кулинара. Между ними – шестнадцать лет. В первом случае "адресат" вовсе не умер – просто до Бродского, жившего уже в Штатах, дошли неверные слухи: Чудаков прожил еще два десятка лет. Во втором – речь о человеке, который умирал почти на глазах автора. В стихах "На смерть друга" альтруистического отстранения больше, чем в стихах на смерть Шмакова: может, оттого, что Чудаков был во всех отношениях дальше. Про Шмакова философичнее: "Ты теперь, в худшем случае, пыль / свою выше ценящая небыль, / чем салфетки, блюдущие стиль / твердой мебели; мы эта мебель". Про Чудакова ("лучшая из од" которого начиналась

“Пушкина играли на рояле, / Пушкина убили на дуэли”) свободнее: помню разговор с поклонницей Бродского о непонятных ей сиповках и корольках – самое странное, что она была врач, однако пришлось разъяснять детали, непонятно, чему их там учат.

Но – так или иначе – главный мотив один, будь то о скончавшемся Шмакове, об оставшемся в живых Чудакове, об умершем Довлатове: “Другого всегда жальче, чем себя”.

Письменное народное творчество

Владимир Высоцкий
1938–1980

Старый дом

Что за дом притих,
Погружен во мрак,
На семи лихих
Продувных ветрах,
Всеми окнами
Обратясь в овраг,

А воротами –
На проезжий тракт?

Ох, устал я, устал, – а лошадок распряг.
Эй, живой кто-нибудь, выходи, помоги!
Никого – только тень промелькнула в сенях
Да стервятник спустился и сузил круги.

В дом заходишь как
Все равно в кабак,
А народишко –
Каждый третий – враг.
Своротят скулу,
Гость непрошеный!
Образа в углу –
И те перекошены.

И затеялся смутный, чудной разговор,
Кто-то песню стонал и гитару терзал,
И припадочный малый – придурок и вор –
Мне тайком из-под скатерти нож показал.

“Кто ответит мне –
Что за дом такой,
Почему – во тьме,
Как барак чумной?
Свет лампад погас,
Воздух вылился...
Али жить у вас
Разучилися?

Двери настежь у вас, а душа взаперти.
Кто хозяином здесь? – напоил бы вином”.
А в ответ мне: “Видать, был ты долго в пути –
И людей позабыл, – мы всегда так живем!

Траву кушаем,
Век – на щавеле,
Скисли душами,
Опрыщавели,
Да еще вином
Много тешились –
Разоряли дом,
Дрались, вешались”.

“Я коней заморил – от волков ускакал.
Укажите мне край, где светло от лампад.
Укажите мне место, какое искал, –
Где поют, а не стонут, где пол не покат”.

“О таких домах
Не слыхали мы,
Долго жить впотьмах
Привыкали мы.
Испокону мы –
В зле да шепоте,
Под иконами
В черной копоти”.

И из смрада, где косо висят образа,
Я башку очертя гнал, забросивши кнут,
Куда кони несли да глядели глаза,
И где люди живут, и – как люди живут.

...Сколько кануло, сколько схлынуло!
Жизнь кидала меня – не докинула.
Может, спел про вас неумело я,
Очи черные, скатерть белая?!

1974

Высоцкий — ускользающий персонаж: несмотря на то, или потому именно, что о нем с конца 80-х написано и сказано больше, чем о любом другом русском литераторе. Он абсолютный лидер в жанре воспоминаний, где "друзья Володи" составляют отдельный мощный отряд мемуаристов. О нем пишут научные труды ("Функциональные особенности лексики и фразеологии поэтических произведений Владимира Высоцкого" и т. п.), по нему защищают диссертаций, его обсуждают "доценты с кандидатами", устраиваются конференции, сочиняются книги. В Орле выпущен словарь "Окказионализмы В.С.Высоцкого" — там собраны 418 придуманных Высоцким слов: "безгитарье", "всенаплевающе", "израиелеванный", "бермутно" и т. д. Ему тут приписаны, правда, и слова, существовавшие прежде, вроде "недолюбить" или "всяко-разно". В другом исследовании насчитывается 150 неологизмов, тоже немало. В конце века представительный социологический опрос определил, что не знают Высоцкого вообще — всего полпроцента населения России. По этому показателю он опережает Пушкина.

При всем этом не вполне понятно, каково место Высоцкого в словесности. В кулуарах одного московского мероприятия я стал свидетелем бурного спора видных литературных критиков: Высоцкий — высокая поэзия или масскульт? Заведомо тупиковая дискуссия велась в академическом тоне с бокалами в руках. В напряженный момент тот, который "высокая", прищурился и выдвинул тому, который "масскульт", сильный аргумент: "Знаете, как я вас позиционирую? Я вас позиционирую как пиздюка, вот как". Оппонент смешался.

Объект обсуждения смог бы этот окказионализм зарифмовать и спеть — замечательная вышла бы песня. В своем жанре Высоцкий мог всё. Мастерство складывания слов — захватывающее. Рифмы хочется выписывать и читать отдельно: "рос в цепи — россыпи"; "Вологде — вона где"; "Бог хранит — ВОХРами"; "дешево и враз — проведешь его и нас"; "тяжело шаги — лошади"; "об двери лбы — не поверил бы"; "как встарь, ищи — товарищи"; "не дай Бог — Бодайбо".

Важнейшее обстоятельство — то, что такого у Высоцкого много, очень много. Россыпи. Еще при жизни его афоризмы по-грибоедовски разошлись повсеместно. “Настоящих буйных мало – вот и нету вожаков”. “Я был душой дурного общества”. “Лучше гор могут быть только горы”. “Я самый непьющий из всех мужиков”. “Лечь бы на дно, как подводная лодка”. “А те, кто сзади нас, уже едят”. “И в мире нет таких вершин, что взять нельзя”. “Если я чего решил, то выпью обязательно”.

Российского президента начала XXI века остряки прозвали “главврач Маргулис” – без пояснений, потому что в песенном письме из сумасшедшего дома он “телевизор запретил”.

Фольклорное восприятие такого явления неизбежно. По-народному безлично, почти анонимно, Высоцкий существовал два десятилетия: как в сказке “Аленький цветочек”, проявляясь лишь голосом. Слишком рано (1967 год) появившаяся кинокартина “Вертикаль” образ автора любимых песен не оформила. Остальные его экранные явления были более или менее удачными эпизодами. На телевидение Высоцкого не пускали почти до самого конца жизни.

Ключевое событие произошло в декабре 79-го – телесериал “Место встречи изменить нельзя”.

В те пять вечеров показа милицейские отчеты зафиксировали нулевую преступность. Грабить и убивать было некому и некого: страна сидела у телевизора. Высоцкий сыграл капитана Жеглова, и голос обрел лицо. Как всегда бывает в жизни замечательных людей, это случилось вовремя – за полгода до смерти. Высоцкий умер Жегловым.

Не слишком примечательное лицо на экране произносило очень обыкновенные слова, но завораживающий голос превратил их в фольклор. Пожалуй, лишь одна реплика Жеглова претендует на афоризм: "Вор должен сидеть в тюрьме". Остальное — удручающе никакое: "Дырку ты от бублика получишь, а не Шарапова", "Теперь Горбатый, я сказал, Горбатый", "С тобой, свинья, не гавкает, а разговаривает капитан Жеглов". Но именно это, произнесенное *таким* голосом, запечатлелось в благодарной народной памяти.

Произошла объяснимая несправедливость: чужие незначительные слова канонизировались как речения поэта Владимира Высоцкого наряду с его собственными стихотворными достижениями. Оттого и кажется закономерным упомянутый довод литературного критика: научно феномен объяснить сложно, неясно, куда вставить Высоцкого, в какую культурную нишу.

По законам существования искусства, его словесные попадания у всех на слуху, промахи забыты. Между тем пристрелка шла массированная. За короткий продуктивный период – два десятка лет – он написал более шестисот песен (для сравнения, Окуджава за сорок лет – менее ста пятидесяти).

Шестьсот песен, попытки прозы, постоянная работа в театре, съемки в кино, множество концертов, разъезды по стране, а потом и путешествия по Европе и Америке, с поездками на мифические в то время для российского человека Канары, Мадейру, Таити – вся эта обильная и бешеная активность впечатляет и ставит дополнительный вопрос: не преувеличен ли акцент на пьянстве Высоцкого в многочисленных мемуарах?

Разумеется, свидетельств тому множество, и известно, что впервые он выпил в тринадцать лет, что придававший значение нумерологии, особенно цифрам возраста (песня о 37-летних поэтах), Высоцкий свое 33-летие встречал в психбольнице

Кащенко, что трижды пережил клиническую смерть – все так. Ясно, что человек, написавший "Проводник в предвестье пьянки извертелся на пупе", кое-что понимал в этом деле. Но так же понятно, что любому мемуаристу лестно вспоминать, как он пил с "Володей", тем более – как не давал пить, и еще более – как спасал.

Умер Высоцкий от наркотиков или, точнее, сочетания их с алкоголем. Но наркотики появились, судя по всему, в последние три-четыре года: на протяжении всей жизни фактором биографии стала выпивка. Накал был по-высоцки высок: он каждый раз запивал, как насмерть. Но всякий, кому случалось выпивать и сочинять, понимает, что никогда и никто спьяну не воспроизведет такого достоверно-уморительного языка, как в "Диалоге у телевизора", не составит таких точных словосочетаний, как "Бабы по найму рыдали сквозь зубы" или "Бараки, длинные, как сроки", не запустит такую крутую спираль бытового абсурда, как в "Поездке в город", не создаст блистательную метафору "И кровь в висках так ломится-стучится, –/ Как мусора, когда приходят брать", не нарисует живописную – кроваво-алое по белоснежному – картину "Охоты на волков", не заставит протяжно вибрировать букву "у" в строке "Стервятник спустился и сузил круги". Все это требует трезвого кропотливого труда. И сам колоссальный объем писательской и артистической работы, выполненной Высоцким за малое время, заставляет если не изменить угол зрения, то по крайней мере – скорректировать.

Что до соотношения количества и качества, все шестьсот песен хорошими быть не могут. Десятки и сотни из них – на уровне "дырки от бублика". Конечно, время само разбирается и отсеивает, но в случае Высоцкого вступает в силу еще одно обстоятельство, которое делает его явление уникальным в отечественной культуре. Это обстоятельство, за неимением лучшего, приходится называть иностранным словом "драйв".

Как перевести на русский – напор, надрыв, сырая эмоция? Но здесь нет присутствующего в английском слове вектора движения, идеи гона, преследования, удара, атаки. У Высоцкого драйв повсюду – словно в органном звучании, он покрывает все написанное и спетое им, отчасти выравнивая по качеству. По гулу драйва Высоцкий узнается безошибочно, даже в слабых и нехарактерных для него вещах, отчего они вырастают над собой, как скромное платьице с ярлыком "Шанель".

Он мог петь сначала "Я не люблю, когда стреляют в спину, / Но если надо – выстрелю в упор", а потом "Я также против выстрелов в упор". Иногда "И мне не жаль распятого Христа...", а иногда "Вот только жаль распятого Христа...". Под напором чувств – почти не важно. Так современные российские теледикторы называют Кубу – Островом свободы. Словесный ритуал важнее идеологии и самой сути, не смущают даже такие фразы, как "очередное преследование инакомыслящих на Острове свободы". В 70-е достаточно было произнести, да еще громко и с надрывом, "распятый Христос" – остальное несущественно.

Драйв – дело не русское, как сам термин. К нему не приспособлен наш язык, с его многосложными словами и путаницей сложноподчиненных предложений. Быть может, нет на свете языка, более подходящего для передачи душевных хитросплетений, чем русский, но завоевал мир английский – благодаря краткости, логике и энергии. Кочующий по десятилетиям лишний человек — от Онегина до Венички — мог быть доведен до статуса суперзвезды только в стихии русского языка.

Маяковскому пришлось строить из стихов лесенку, чтобы обратить внимание на разрыв с традицией. Цветаева изломала строки анжамбеманами, понаставила между всеми словами тире — так, что ее стихи узнаются издали по графике. Они двое — по страстному драйву — предтечи Высоцкого в XX веке. Других образцов что-то не видать. Разве что в устном народном творчестве, да еще там, в детском возрасте допушкинской словесности, в первоначальной поэтической пылкости, с которой писали Тредиаковский (библейские переложения) и Державин ("На смерть князя Мещерского" и др.), в простодушной страсти, принципиально отринутой легкой гладкописью Пушкина, а вслед за ним почти всеми русскими поэтами.

Высоцкий в таких его вещах, как ошеломляющая по накалу "Охота на волков", возвращает к нерафинированности, которая всегда отождествлялась с некультурностью. Эмоция без иронии – вечная новизна. Неодолимо привлекателен гибельный восторг. "Пропадаю!" – главное слово Высоцкого, с его суицидальным алкоголизмом, дополненным наркоманией, с несомненной тягой к самоистреблению.

Год, в который написан "Старый дом" и Высоцкому исполнилось тридцать шесть, едва не стал для него последним.

1974-й – печальный для русской словесности год. Умер 45-летний Шукшин, повесился 37-летний Шпаликов, выслали Солженицына, уехал Галич, выгнали из Союза писателей Войновича и Чуковскую.

Для Высоцкого год – один из самых насыщенных. Театр на Таганке отметил десятилетие. Шел расцвет застоя, и Таганка была одним из немногих оазисов, а Высоцкий в этих кущах играл свои лучшие роли – Галилея и Гамлета (на Шекспире за каждый спектакль теряя по два килограмма – драйв!). Снимался в кино, правда незначительном. Во второй раз съездил с Мариной Влади во Францию, гастролировал в Литве, Латвии, Ленинграде, на Волге. Много писал. Только для фильма "Иван да Марья" – четырнадцать песен, народные стилизации с фокусами: “Коли! Руби! Ту би ор нот ту би”. Для фильма “Одиножды один” — восемь песен, где встречается смешение мотивов из “Я был батальонный разведчик” и “Старого дома”: “Там сидел за столом, да на месте моем, / Неприветливый новый хозяин. / И фуфайка на нем, и хозяйка при нем, — / Потому я и псами облаян. / Это значит, пока под огнем / Я спешил, ни минуты невесел, / Он все вещи в дому переставил моем / И по-своему все перевесил”.

В 74-м среди четырех десятков песен — одна из его лучших “На смерть Шукшина”, где если и есть чуть печали о себе (“Смерть тех из нас всех прежде ловит, / Кто понарошку умирал”), то все в целом — истинная благородная скорбь по ушедшему, без позы и горестного самолюбования: “Мы выли, друга отпуская / В загул без времени и края”. На похороны Шукшина Высоцкий вырвался с ленинградских гастролей и, возвращаясь из Москвы на машине, попал в аварию, чуть не пополнив собой мартиролог 74-го.

Высоцкому суждено было прожить еще шесть лет, а лирический герой “Старого дома” пропадает безнадежнее многих других его персонажей.

Песня – вторая, и последняя, часть короткого цикла "Очи черные". Первая – "Погоня". Ездок, отбившись в лесу от волков, добирается до дома – такого, какой есть, какой описан: стоило ли отбиваться? Хотя запросы у него невелики и вроде достижимы: оказаться там, "где поют, а не стонут, где пол не покат", и всего-то. Но, спасшись от волчьей погони, он попадает в вязкую человеческую западню.

Рушится традиционный образ домашнего очага как средоточия порядка и покоя. Дом из песни – отчаянно чужой по всем признакам и ощущениям, хотя ясно, что родной и в широком (родина), и в узком буквальном (домашний очаг) смысле: "Видать, был ты долго в пути – / И людей позабыл..."

"Старый дом" – апофеоз одиночества именно потому, что напряженно и напрасно ищется соборность, обернувшаяся бросовым сборищем.

Фольклорность Высоцкого – та самая, которая мешает внятно и окончательно определить его место как выдающегося явления культуры, большого русского поэта – здесь проявляется не столько в цыганщине черных очей, сколько в зловещей сказочности дома на проезжем тракте, где по законам жанра обитает знакомая и близкая, но оттого не менее нечистая сила. Ужас в том, что она тут не таится по углам, а выступает ответственным квартиросъемщиком.

Диалог, который ведется в песне — классическая балладная беседа, — жутковат: говорят люди одного сознания и языка, легко и сразу понимающие друг друга, по сути человек разговаривает сам с собой. Раздвоенный персонаж: один не разучился изумляться и возмущаться, а другой устал. Как если бы автор провел в Париже не полтора месяца, а полтора десятка лет, вернулся — и ахнул. Высоцкий-внутренний проводит экскурсию для Высоцкого-внешнего. И куда это он, внешний, поскакал в предпоследнем куплете? Достоевский финальную реплику Чацкого "Бегу, не оглянусь, пойду искать по свету..." трактовал полицейским образом: "За границу хочет бежать".

Может, и за границу. Приговор Высоцкого родному дому страшен и безысходен, потому что под ним — любовь и знание. До появления героя там происходило то, что подробно и доступно описано в “Смотринах”, спетых годом раньше “Старого дома”: “Потом пошли плясать в избе, / Потом дрались не по злобе – / И все хорошее в себе / Доистребили”. Каждое слово незыблемо на месте, каждый слог, особенно приставка в последнем глаголе – добили-таки. Та вековая народная забава, о которой заезжему говорит местный: “Мы всегда так живем!”

Музыка из окошка

Булат Окуджава

1924–1997

Арбатский романс

Арбатского романса старинное шитье,
к прогулкам в одиночестве пристрастье,
из чашки запотевшей счастливое питье
и женщины рассеянное “здрасьте...”.

Не мучьтесь понапрасну: она ко мне добра.
Светло иль грустно – век почти что прожит.
Поверьте, эта дама из моего ребра,
и без меня она уже не может.

Бывали дни такие — гулял я молодой,
глаза глядели в небо голубое,
еще был не разменян мой первый золотой,
пылали розы, гордые собою.

Еще моя походка мне не была смешна,
еще подметки не поотрывались,
из каждого окошка, где музыка слышна,
какие мне удачи открывались!

Любовь такая штука: в ней так легко пропасть,
зарыться, закружиться, затеряться…
Нам всем знакома эта губительная страсть,
поэтому не стоит повторяться.

Не мучьтесь понапрасну: всему своя пора.
Траву взрастите — к осени сомнется.
Вы начали прогулку с арбатского двора,
к нему-то все, как видно, и вернется.

Была бы нам удача всегда из первых рук,
и как бы там ни холило, ни било,
в один прекрасный полдень оглянетесь вокруг,
а все при вас, целехонько, как было:

арбатского романса знакомое шитье,
к прогулкам в одиночестве пристрастье,
из чашки запотевшей счастливое питье
и женщины рассеянное “здрасьте...”.

[1975]

Уже лет тридцать я знаю, что такое старость. Жду и понимаю, что не пропущу ее прихода – она наступит тогда, когда исчезнет ощущение: "...из каждого окошка, где музыка слышна, / какие мне удачи открывались!"

В прошлом – это главное, что вспоминается, что стоит вспоминать. Почти недоступно изложению – как пересказывать мелодию словами, удивительная выходит чушь. Как описать предчувствие события? Какого именно – значения почти не имеет, воплощение не столь уж важно.

Как-то, когда я пошел на музыку из окошка, меня ударили топором по голове. Это было в Риге на улице Артилерияс. Моросил летний дождик, в деревянном доме большого двора мой тезка Лещенко хрипло пел про чубчик. Я окликнул и застрял в этой квартире на три дня. Оставался бы дольше, но пришел человек, предъявивший права на хозяйку – кажется, даже законные. Все завершилось благополучно: простонародный аргумент только уголком лезвия чиркнул по черепу, и я ушел под дождь и чубчик – оба не стихали все это время. Шрам до сих пор прощупывается под волосами: начну лысеть – выйдет наружу.

Однажды мы с друзьями вышли поздним вечером из общежития физкультурного института с неодолимым желанием продолжить. В спасительном кафе "Сауле" был закрытый вечер, однако из дома по соседству гремела музыка, и когда грянуло "Ах, эта свадьба, свадьба, свадьба пела и плясала", меня отрядили на добычу. Часа через полтора вернулся с черным бальзамом – друзья, усыпленные трогательной верой в товарища, ждали на лавках у трамвайной остановки. Часто потом я думал: что говорили друг другу молодожены, разглядывая свадебные снимки? Кто этот человек, который танцует с невестой, целуется с ее подругой, обнимается с женихом и родителями?

Во дворе на улице Фридриха Энгельса нам с Юркой Никаноренко просто махнули рукой из окна и позвали, перекрикивая радиолу: "Не скучно, ребята?" К ночи веселье достигло апогея, когда хозяйка квартиры, желая понравиться Юрке, мастеру спорта по гимнастике, встала на мостик и не смогла распрямиться. "Скорая помощь" приехала неожиданно быстро, хозяйку выпрямили, а врач, санитар и шофер задержались еще на сутки. Помощь оказалась взаимной, по-другому не бывает: отдавая – получаешь, приобретая – расплачиваешься. О чем бы ни шла речь.

Случались встречи, конечно, и значительнее этих, когда я, словно зомби, шел не столько на звуки и голоса, сколько подчиняясь внутреннему влечению, холодея от восторженного ожидания удачи. Но не хочется выстраивать иерархию удач – сам позыв существеннее результата. Музыка из окошка – какая разница, что именно оказывалось за ней: жизненный поток и состоит не из эпохальных происшествий, а из такой ерунды, без которой жить не хочется и не стоит. Музыка звучала. Мелодия эта, память о мотиве, непреходящее его ожидание – псевдоним жизни.

Остальные строки "Арбатского романса" не трогают, некоторые коробят неуклюжей манерностью – про гордые розы, про даму из ребра. Да и с подметками какая-то путаница: они ведь отрываются как раз в юные годы, по бедности и разгильдяйству. Но какие точные и внятные слова найдены для образа молодости – предощущения события.

Две строки из тридцати двух, шесть процентов с четвертью – отличный результат даже для чтения. Подчеркиваю "для чтения" – потому что здесь другое: сочиненное не для глаза, а для слуха. Стихи Окуджавы – только песни. Все барды таковы, единственное исключение – Высоцкий, многие вещи которого выдерживают испытание печатью. Окуджава тоже сильно выделяется: ему вдобавок к тексту необходимы только голос и мотив. Такое сочетание называется красиво – монодия. Остальные монодией не обойдутся – нужна, как минимум, эпоха (Галич) и почти всегда – обстановка. Поэтика "остальных" довольно полно описывается анонимным четверостишием: "Люблю я авторскую песню: / Когда сидишь, бля, у костра, / И все, бля, рядом, все, бля, вместе, / И так, бля, на хер, до утра". Если не костер, так выпивка – непременно, кто и где видал костер без выпивки? Окуджава же может существовать вне зависимости от антуража, как всякая настоящая лирика. Лично-доверительная интонация – и есть Окуджава. Явление "Окуджава".

Это явление могло вызывать и вызывало раздражение – что накапливалось и в начале перестройки гласно проявилось вместе с общим отрицанием шестидесятничества: как демонстрация компромисса, полупротеста-полупризнания. Дело даже не в "комсомольской богине" и "комиссарах в пыльных шлемах", не в том, что Окуджава печатался с 1945 года, книжки выходили с 56-го, с 66-го — пластинки, песни звучали в десятках фильмов, в 84-м ему успели вручить орден Дружбы народов. Главное, что примирительный пафос "Возьмемся за руки, друзья..." казался фальшиво прекраснодушным в том обществе, в котором звучал. Но Окуджава, напрочь лишенный учительства (Владимир Уфлянд в некрологе назвал его "великий ученик жизни") писал всегда про себя и для себя. Когда "Союз друзей", он же "Старинная студенческая песня", сделался гимном клубов самодеятельной песни, Окуджава, не желавший, чтобы со всеми "рядом" и "вместе", перестал исполнять эту вещь.

Он пел подкупающе безыскусно, не обладая сильным голосом, не одаренный способностью к изыскам, мелизмам (как Высоцкий со своим завораживающим протяжением согласных). Его проникающее обаяние просто и наглядно. В конце 90-х замечательный поэт, продолжавший (кажется, и продолжающий) отвергать Окуджаву за стилистику заведомо придушенного протеста, стал у меня в гостях объектом опыта. Выпили, установилось благолепие, и я поставил диск. Захорошевший поэт начал подпевать и пропел едва не все двадцать девять песен выпущенного во Франции альбома "Le soldat en papier" – от "Молитвы Франсуа Вийона" до "Опустите, пожалуйста, синие шторы...".

Окуджава вошел в слух и сознание, пробил подкорку, потому что отважно взял на себя стыдные чувства нежности и теплоты. Откровенно, прямо и беззастенчиво он высказывался на свои главные темы: Война, Женщина, Двор.

Молодой Сергей Гандлевский, непримиримый в то время, писал в 80-м: "Здесь с окуджававской пластинкой, / Староарбатскою грустинкой / Годами прячут шиш в карман..." Безжалостность 27-летнего – лермонтовского, отрицающего – возраста. Даже прилагательное отвратительно, на звук и на взгляд: "окуджававской". Но и безусловное признание здесь – тоже. Гандлевский пишет о своей улице, над которой – для всего нашего поколения, где бы мы ни жили — витает образ окуджавского арбатского двора. Создано лекало, по которому нельзя не вычерчивать свое детство, отрочество, юность — так оно плавно, удобно, натурально.

Об Арбате Окуджава писал с конца 50-х (про Леньку Королева, про текущую рекой улицу со странным названием) до самого конца, и это яркий пример сознательно и настойчиво внедряемого образа, который выглядит естественным. Родившийся в Москве Окуджава жил на Арбате до десяти лет, а потом еще с тринадцати до шестнадцати — и всё. Строго говоря, строчки "Я выселен с Арбата, арбатский эмигрант... Ходят оккупанты в мой зоомагазин" ничем не обоснованы. Он в 40-м уехал в Тбилиси, а когда после войны, после Калуги, в 56-м вернулся в Москву, то жил в других местах. Тем не менее и через четверть века писал о своем дворе: "Когда его не станет — я умру, / пока он есть — я властен над судьбою", называл себя "дворянин с арбатского двора". Верность завидная.

Для меня окуджавский двор — любой, где музыка из окошка. Арбатский — пусть арбатский.

В 75-м, в год “Арбатского романса”, на весенней сессии заочного отделения Московского полиграфического, я пошел искать дом и двор, где часто бывал мальчиком. Нашел и теперь знаю, что это совсем рядом с Окуджавой. Его — № 43, под арку против Спасопесковского переулка, он и теперь есть, только двор усеченный, перестроенный. Наш, где жила когда-то тетка, сестра отца, и ее дети, мои двоюродные брат и сестра, куда меня в детстве привозили из Риги, — в квартале оттуда, ближе к Смоленской площади.

В 75-м, никакого Окуджаву не имея в виду, я наткнулся, как сейчас понимаю, именно в его 43-м дворе на компанию с гитарой. Разговорились, мне понравилось, как уже сильно затуманенный в два часа дня очкарик мечтательно сказал: “Одно из двух — или Арбат, или арбайт”. Мы плодотворно продолжили эту мысль, пополняя и тасуя свои ряды до позднего утра, и когда я прямо с Арбата прибыл на Садовую-Спасскую, принимавший экзамен по зарубежной литературе профессор Урнов, увидев меня, сказал: “Ой!” Сдав экзамен, я вернулся в тот двор, в тот дом и пробыл там под гитарные аккорды еще два дня вплоть до практической стилистики – с арбатцами и, что важнее, с арбатками, ничем не отличавшимися от рижанок из наших дворов: трогательная легкость нрава, стремительная отзывчивость к вниманию, всегдашняя готовность к необязательности.

Как правильно писал именно в те годы Окуджава: "...Гордый, сиротливый, / извилистый, короткий коридор / от ресторана "Праги" до Смоляги, / и рай, замаскированный под двор". Ага, рай, что же еще? Такие раи (как глупо, что это слово обходится без множественного числа, какая бедность воображения) снимали с себя маски в Москве, Тбилиси, Питере, Пскове, Вильнюсе, Киеве, уж не упомнить, потом в Нью-Йорке, хотя дворы там другие. Чаще всего, разумеется, в Риге, откуда я уехал в неполные двадцать восемь – хороший возраст: уже вполне, но еще впереди.

"...Из каждого окошка, где музыка слышна, / какие мне удачи открывались!" Мало поэтических строк, которые я повторяю чаще. Понимаю, что это – заклинание. Что никуда не денешься, когда-нибудь ощущение музыки из окошка пройдет. Но пока оно есть, ничего не страшно.

Манифест

Александр Володин

1919–2001

Простите, простите, простите меня!
И я вас прощаю, и я вас прощаю.
Я зла не держу, это вам обещаю,
но только вы тоже простите меня!

Забудьте, забудьте, забудьте меня!
И я вас забуду, и я вас забуду.
Я вам обещаю, вас помнить не буду,
но только вы тоже забудьте меня!

Как будто мы жители разных планет.
На вашей планете я не проживаю.
Я вас уважаю, я вас уважаю,
но я на другой проживаю. Привет!

[1976]

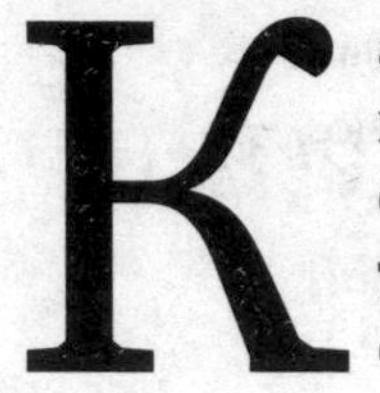
ак неуклонно, стремительно и наглядно нарастает с годами количество людей, к которым хочется обратиться с этими непритязательными строчками.

Возвращение голоса

Алексей Цветков
1947

уже и год и город под вопросом
в трех зонах от очаковских громад
где с участковым ухогорлоносом
шумел непродолжительный роман
осенний строй настурций неумелых
районный бор в равнинных филомелах
отечества технический простой
народный пруд в розетках стрелолиста

покорный стон врача специалиста
по ходу операции простой

америка страна реминисценций
воспоминаний спутанный пегас
еще червонца профиль министерский
в распластанной ладони не погас
забвения взбесившийся везувий
где зависаешь звонок и безумен
как на ветру февральская сопля
ах молодость щемящий вкус кварели
и буквы что над городом горели
грозя войне и миру мир суля

торговый ряд с фарцовыми дарами
ночей пятидесятая звезда
на чью беду от кунцева до нары
еще бегут электропоезда
минует жизни талая водичка
под расписаньем девушка-медичка
внимательное зеркало на лбу
там детский мир прощается не глядя
и за гармонью подгулявший дядя
все лезет вверх по гладкому столбу

вперед гармонь дави на все бемоли
на празднике татарской кабалы
отбывших срок вывозят из неволи
на память оставляя кандалы
вперед колумбово слепое судно
в туман что обнимает обоюдно
похмелье понедельников и сред
очаковские черные субботы
стакан в парадном статую свободы
и женщину мой участковый свет

[1978]

В середине 80-х в Вашингтоне Цветков исполнил детскую мечту: купил говорящего попугая. Попугай был большой, злобный, стоил девятьсот долларов, имел в паспорте репутацию быстро обучаемого полиглота. Цветков припомнил навыки преподавания языка и литературы в колледже Карлайла и вдохновенно взялся за дело.

Интерес к животному миру он выказал еще в молодости, когда написал книгу "Бестиарий", полную разнообразных сведений: "Гиену за то, что гиена она, / Гиеной прозвали в народе". Ярко там сказано о зайце: "Зубы крепкие на зависть, / Мощных лап не зацепи! / Кровожадный хищник заяц / Ходит-бродит по цепи. / Толстозобый, круторогий, / Хватка мертвая – тиски. / Все живое по дороге / Разрывает на куски".

Брем сделался Дуровым. За полтора года неустанных усилий попугая удалось выучить двум русским фразам. При звуках застольного бульканья он вопил: "По второй!" Когда взгляд его падал на другую квартирную фауну, сидевшего в клетке хорька, попугай заявлял: "Хорек – еврей!" Всё.

“не описать какие случаи смешные”, – выразился Цветков по другому поводу. Впрочем, по всем поводам вообще.

За тридцать зарубежных лет он медленно и неуклонно продвигался с запада на восток. Сан-Франциско, Пенсильвания, Вашингтон, Мюнхен, Прага – все ближе к родному Запорожью. Попугай остался в Штатах. Где именно он теперь обижает хорьков и евреев – неизвестно.

“уже и год и город под вопросом” – быть может, самое выразительное и трогательное, что сказано по-русски о разрыве и единстве миров при географическом перемещении. Это из сборника “Состояние сна”, стихотворения которого написаны между 1978 и 1980 годами – одно лучше другого. Резкий расцвет после отъезда из России – видимо, тот захлеб страшноватой и желанной свободы, который мне очень знаком. То чувство веселого отчаяния, когда осознал, что ты не просто пересек океан, а поменял миры, и полагаться можно лишь на себя, и ты готов к этому, хотя полон ужаса, потому что в прежней жизни хоть и не было многого хорошего, но не было и необходимости отвечать за все самому.

Так, вероятно, приняв сто грамм, поднимаются из окопа.

Ощущение памятно, только я не готовился так, как Цветков, во всем положившись на жизненный произвол. Он ждал и примеривался. "Кто виноват, что прошлое прошло, / А будущее все не наступает" – сказано давно, очень давно, еще когда Цветков писал с запятыми и заглавными. Он подгонял будущее: "Мне было любить не под силу, / В расцвете души молодом, / Холодную тетку Россию / И ветра пожизненный дом". Теперь мне представляется, что, несмотря на различия предварительного периода, результат у нас схожий, созерцательно-обобщенный, когда все – и холодная тетка, и Новый Свет – стали прошлым. Говорю об этом как человек, знающий Цветкова двадцать с лишним лет, почти ровесник. Почти одновременно "Мы в гулкой башне вавилонской / Сменить решили этажи" – только он осознанно, а я по легкомысленной тяге к жизненной пестроте.

Мы познакомились в Нью-Йорке, куда Цветков приехал из своего пенсильванского Карлайла обсуждать с художником Косолаповым обложку новой стихотворно-прозаической книги "Эдем". Художник с задачей, по-моему, не справился, воспроизведя на красном фоне гипсового кудрявого Ильича в штанишках до колен. Ильич, конечно, тоже уместен, но не стоило сводить к нему проникновенную цветковскую лирику о потерянном рае. Это там, в "Эдеме": "и смерть сама у многих под сомненьем / за явным исключением чужой".

После "Эдема", вышедшего в 85-м, случилось небывалое. С 1986 по 2003 год Цветков не написал ни строчки стихов. Кажется, рекорд – по крайней мере для русской литературы. Долгие перерывы случались (самый известный – у Фета, занявшегося сельским хозяйством), но все-таки никто не держал сухую голодовку: стишок-другой позволительно. Здесь же именно – ни строки.

Была попытка романа "Просто голос", оставшегося незавершенным (в одном из ранних стихотворений Цветков заявил: "Я хотел бы писать на латыни" – так почти и вышло: роман из древнеримской жизни стилизован под латинское письмо). И наконец, после семнадцатилетнего поэтического молчания, произошло возвращение — не сказать ли красиво, обретение — голоса. Просто голоса.

Помню первое из появившихся вдруг стихотворений, помню восторг от снятия омерты и твердую свою уверенность, что это еще только замечательная, но проба: "странник у стрелки ручья опершись на посох / ива над ним ветвится в весенних осах", и дальше в духе живописного треченто, какой-нибудь Симоне Мартини, что ли.

Все правильно, очень скоро Цветков вышел на свою исхоженную дорогу, обнаружив не существовавший прежде питательный пласт того, что именуется поэтическим вдохновением. Не существовавший потому, что не мог возникнуть раньше. Тут нечего додумывать, надо процитировать самого Цветкова из интервью 2005 года: "Когда я жил в Америке много лет, практически все время писал о Советском Союзе, о России… А теперь, когда я живу вне Соединенных Штатов, у меня, наверное, ностальгия по Америке". Это понятно: я тоже живу в Праге с 95-го, и когда меня время от времени спрашивают, не думаю ли на старости лет вернуться, я лишь по личности спрашивающего понимаю, что он имеет в виду Россию. Для меня “вернуться” — скорее в Нью-Йорк, где я прожил с двадцати восьми до сорока пяти лет: по старой советской терминологии, если не “определяющие”, то “решающие” годы. Так у Цветкова появляется стихотворение, которое начинается пенсионным отбытием в Штаты: “теперь короткий рывок и уйду на отдых / в обшарпанном 6-motel’е с черного въезда”, а кончается смертью “в городке которого не припомнит карта / на крыльце мотеля в подтяжках из k-mart’a”.

Так бывает с алкоголиками: зашившись, закодировавшись или давши обет, он может – даже после перерыва на долгие годы — начать снова так, словно не прошли десятилетия, а продолжается взволнованное вчера.

“поди вернись в верховья мира / в забытой азбуке года / где только мила ела мыло / а мы не ели никогда / мертва премудрости царица / мать умозрительной хуйни / пора в мобильнике порыться / взять и жениться по любви”. Три на “м” — мыло, Мила, мобильник – из разных времен, но скорее соединяют, чем разъединяют эпохи. И я тот же ведь, нет сомнения: и в тазике на общей кухне земляничным мылом, и по мобильнику с Интернетом.

Не то чтобы перепутать Гаую с Гудзоном или Раменское с Рочестером – не позволит обычная память, но та, которая память впечатлений и ощущений, объединяет все, потому что всё это ты. Обнадеживающий это или безрадостный итог прошедших лет, но другого нет и быть не может, а значит, все в порядке.

Цветков потрошит свою истерзанную тему (или тема терзает его) – разрыв и общность испытанных нами миров. Так же, как двадцатью годами раньше, но все-таки по-другому. Как хорошо это понятно – смена ритма с возрастом. В конце концов, что в нас меняется с годами, кроме темпа впечатлений и скорости ощущений? Все чаще чувствуешь себя стареющим малообщительным попугаем, которого раздражают хорьки, и хочется по второй.

Приближаясь к шестидесяти, Цветков открыл силлабику, погрузив в ее взрослую протяжность прежние эмоции и мысли: "свернута кровь в рулоны сыграны роли / слипшихся не перечислить лет в душе / сад в соловьиной саркоме лицо до боли / и никогда никогда никогда уже". Это ведь та самая саркома, от молодого упругого анапеста которой у меня замирало сердце тогда, в мои первые эмигрантские годы, когда я был так благодарен Цветкову за то, что он вспоминает то же, только лучше говорит: "лопасть света росла как саркома / подминая ночную муру / и сказал я заворгу райкома / что теперь никогда не умру / в пятилетку спешила держава / на добычу дневного пайка / а заворг неподвижно лежала / возражать не желая пока".

Заворгов я в интимной обстановке не встречал, но мог бы предложить со своей стороны школьного завуча по идеологическому воспитанию и даже цензора Главлита, однако не в конкретности дело. Тут прелесть в метаморфозах не хуже Овидиевых: фокус превращения безусловно мужского казенного заворга (как и ухогорлоноса) в безусловно женское постельное создание.

Про Овидия Цветкову подошло бы: он любит щегольнуть образованностью, внезапной и красочной: "Крутить мозги малаховской Изольде", "жаль я музыку играть не гершвин". Обычно это пробрасывается непринужденно, а иногда масса Авессаломов, Персефон, летейских вод, Аттил, Гуссерлей с Кантами и пр. превышает критическую, как в александрийской поэзии.

Но все укладывается в цветковскую систему образов, такую насыщенную в стихотворении "уже и год и город под вопросом": червонец распластанный, буквы над городом, "Кварели" со склона Везувия, девушка-медичка, подгулявший дядя на столбе, стакан в парадном.

Увиденная из другого полушария, эта обыденная мишура, как всякая мишура, отстраненная временем и расстоянием, по закону антиквариата приобретает ценность символа. Правильная – единственно правильная! – жизненная мешанина. То, к чему Цветков готовился заранее и что увидел: "одна судьба сургут другая смерть тургай / в вермонте справим день воскресный". Или еще жестче: "невадские в перьях красотки / жуки под тарусской корой / и нет объясненья в рассудке / ни первой судьбе ни второй".

Будто кто-то может дать объяснение судьбе – какая есть, такая есть.

Взрослый поэт

Лев Лосев

1937

С.К.

И наконец остановка “Кладбище”.
Нищий, надувшийся, словно клопище,
в куртке-москвичке сидит у ворот.
Денег даю ему – он не берет.

Как же, твержу, мне поставлен в аллейке
памятник в виде стола и скамейки,
с кружкой, поллитрой, вкрутую яйцом,
следом за дедом моим и отцом.

Слушай, мы оба с тобой обнищали,
оба вернуться сюда обещали,
ты уж по списку проверь, я же ваш,
ты уж пожалуйста, ты уж уважь.

Нет, говорит, тебе места в аллейке,
нету оградки, бетонной бадейки,
фото в овале, сирени куста,
столбика нету и нету креста.

Словно я Мистер какой-нибудь Твистер,
не подпускает на пушечный выстрел,
под козырек, издеваясь, берет,
что ни даю — ничего не берет.

[1981]

Непременный эмигрантский кошмар: повторяющийся сон о возвращении. Чаще всего — о том, что вернулся, и уже навсегда, никак снова выехать не удается. Мне в первый год раз шесть снилось одно и то же: продуктовый магазин на углу Ленина и Лачплеша, в кондитерском отделе (к которому отродясь не подходил за все годы рижской жизни, да и что бы мне там делать?) покупаю какую-то карамель (и вообще сласти не люблю, а уж карамель тем более), выхожу с кульком на улицу и вот тут-то понимаю, что не будет у меня больше никакого Нью-Йорка, и ничего вообще, кроме того, что сейчас передо мной, и жизнь в подробностях ясна до последнего дня, как беспросветно ясна была до отъезда. Шесть раз я был счастлив, просыпаясь.

У Лосева жанр стихотворных возвращений представлен основательно: "Чудесный десант", давший название первой лосевской книжке ("На запад машина летит. / Мы выиграли, вы на свободе"); "Се возвращается блудливый сукин сын" — стихотворение, открывающее вторую книгу "Тайный советник" ("...в страну родных осин, /

где племена к востоку от Ильменя / все делят шкуру неубитого пельменя"); "Разговор с нью-йоркским поэтом" ("Я возьму свой паспорт еврейский. / Сяду я в самолет корейский. / Осеню себя знаком креста – / и с размаху в родные места!").

В родных местах Лосев, как положено поэту, напророчил себе поиски могилы – не своей, но родной. В 98-м, в первый за двадцать два года приезд в Россию, он не смог в Переделкине найти могилу отца, поэта Владимира Лифшица. Бесплодно проблуждав по обледенелому кладбищу несколько часов, обратился к встреченной женщине: "А фамилия как?" – спросила тетка, как бы что-то припоминая, и тут мне показалось, что она выпивши. Я сказал: "Лифшиц". – "Лифчик? Черный такой камушек? Возле Пастернака?" Она повторяла в своих вопросах то, что я ей успел сообщить, но шевельнулась во мне надежда. Но тут она сказала: "К нему еще сына подхоронили прошлое лето?".

В этой документальной повести, диковинно названной "Москвы от Лосеффа", сновидческие возвращения в стихах оборачиваются безнадежной прозой.

Лосев так поздно начал писать стихи, что счастливо избежал множества поэтических иллюзий. В том числе и почти обязательного интеллигентского комплекса долга и вины перед народом и родиной. Не Мистер Твистер, но и не в куртке-москвичке. Родина – язык, словесность. “О Русь моя, жена моя, до боли…” – у Блока красиво, но нельзя быть женатым на России, как же отчаянно не повезло тому, кто отважился на этот катастрофический брачный союз (тот же Блок, Есенин, Корнилов, Рубцов), цитировать правильно именно так: “до боли”, без продолжения.

Лосев – взрослый. Бог знает, о ком из русских поэтов – взятых во всей их полноте – можно сказать такое.

Позднее зрелое начало Лосева отмечает каждый пишущий о нем – и правильно отмечает: вряд ли еще найдется поэт такого калибра, публикующий первую подборку в сорок два года и первую книгу в сорок восемь лет. Позднейшим исследователям трудно придется без ювенилии.

Вспоминаю как ошеломляющее событие первую лосевскую публикацию в парижском журнале “Эхо” в 79-м: необычно, увлекательно, сильно. Чего стоили рифмы! На моей памяти Лосев печатно лишь однажды обиделся на критику: о каком-то его образе написали, что это, мол, "для рифмы". Он с достоинством ответил: "Если я что и умею, то рифмовать". Как-то мы ехали по Вермонту в машине с Лосевым и Алешковским, и Юз в разговоре о версификации сказал: "А вот на слово "лёгкие" свежую рифму не придумаешь". Лёша, не отрывая взгляда от дороги – он был за рулем – и не промедлив ни секунды, отозвался: "Лёгкие? Подай, Лёх, кии!" Даже себя сумел вставить.

В стихах он может все, и на фоне поэтической изощренности резко выделяется спокойная внятность суждений. Так, что вполне толковые критики говорят о "воплощенном здравом смысле" Лосева как о его главной особенности. Мне повезло пользоваться лосевским расположением в течение многих лет, и с его мнением я время от времени сверяюсь в жизненных ситуациях. Как сверялся и сверяюсь в отношении к тому, что происходит в отечестве, всегда находя отклик и всегда откликаясь. Но стихи Лосева люблю не за это, и такое ли уж в них торжество здравого смысла: "...И пройдя сквозь окошко и по половицам без скрипа, / лунный луч пробегает по последней строке манускрипта, / по кружкам, треугольникам, стрелкам, крестам, / а потом по седой бороде, по морщинистой морде / пробирается мимо вонючих пробирок к реторте, / где растет очень черный и очень прозрачный кристалл". Это куда больше и важнее, это неуловимое, неопределимое, неописуемое качество, которое в стихотворении "Читая Милоша" попытался обозначить сам Лосев: "И кто-то прижал мое горло рукой / и снова его отпустил".

Фоторобот художника в юности

Алексей Цветков
1947

подросшее рябью морщин убирая лицо
в озерном проеме с уроном любительской стрижки
таким я вернусь в незапамятный свет фотовспышки
где набело пелось и жить выходило легко

в прибрежном саду георгины как совы темны
охотничья ночь на бегу припадает к фонтану
за кадром колдунья кукушка пытает фортуну
и медленный магний в окне унибромной тюрьмы

отставшую жизнь безуспешно вдали обождем
в стволе объектива в обнимку с забытой наташкой
в упор в георгинах под залпами оптики тяжкой
и магнием мощным в лицо навсегда обожжен

и буду покуда на гребень забвенья взойду
следить слабосердый в слепящую прорезь картона
где ночь в георгазмах кукушка сельпо и контора
давалка наташка и молодость в божьем саду

[1981]

Стал перебирать свои фотографии. Наткнулся на 68-й: Павилоста, рыбацкий поселок в западной Латвии. Суденышки, сосны, светлое море, где-то за кадром Мара, дочь судового механика. На следующий день в неторопливом разговоре с капитаном, переходя с латышского на русский, я спросил: "А дочка у механика чем занимается?" Капитан выпустил дым и равнодушно сказал: "Давалка". Я вздрогнул, он продолжил: "Парни после армии берут паспорт и едут, если могут, далеко нет, тут едут, в Лиепаю, в Вентспилс, на большие плавбазы, а девочки ничего не делают, только даются".

Спасибо им всем за незанятость, а цветковской Наташке, оставшейся и в памяти, и на снимке, и в стихах, – особо.

У Цветкова – при всей явленной лабораторной ироничности – пафос в стихах встречается, и немало, и почти бесстыдный. Начав после долгого перерыва сочинять, он договорился: "я войду и буду краток / миновало время пряток / миру времени в обрез / бейте в бубны / я воскрес". Поздравил себя и читателей. У Цветкова два очевидных “Памятника” – “в ложбине станция куда сносить мешки” и “писатель где-нибудь в литве”, с их горделиво-насмешливыми концовками: “и будем мы олень и вепрь и ныне дикий / медведь и друг степей сурок” и “еще барбос поднимет ногу / у постамента на тверской”.

По отношению к коллегам подобная стилистика саркастической почтительности работает успешно, как в стихотворении о Пушкине, привечающем крепостную девку и хлещущем пунш: “с этой девкой с пуншем в чаше / с бенкендорфом во вражде / пушкин будущее наше / наше все что есть вообще”. Пушкинистика такой интонации – далекое наше будущее и долгожданный знак перемены в сознании и самосознании российского общества. Пожалуй, не дожить. Показательно, что чудом появившийся блестящий образец свободного подхода к нашему главному классику – “Прогулки с Пушкиным” Андрея Синявского–Абрама Терца – трижды был разнесен в прах: в России советской, в России зарубежной, в России постсоветской. Пока все под козырек: классик – начальство. Нужны англичане, чтобы рассказать нам биографии Чехова и Чайковского, когда-нибудь доберутся и до Пушкина.

К себе Цветков, при всем вышеизложенном, относится смешанно.

Ироничность его смела и изобретательна: “но бесспорный аларих орел / он штаны нам носить изобрел”, “народ не верит в истину вообще / а только в ту что в водке и в борще”, “мы до инцеста любим отчий дым / и труп отца нам сладок и приятен”.

Он не стесняется обозначить происхождение: “Я родом из Марбурга, поздняя поросль...” (Пастернак), “Пой, соломинка в челюсти грабель!” (Мандельштам), “Улыбка моя означает / Неразвитость детской души”, “спит опоссум на дороге / засыпай и ты малыш” (прямой Заболоцкий, который вообще очень слышен у раннего Цветкова).

Он может быть безжалостен к себе: “Умение быть нелюбимым / Помимо таланта дано”. Но тут, конечно, уничижение паче гордости: “Все выживет, в фонемах каменея”.

Выживает.

Выживает не вопреки, а благодаря той нелепой бессмысленности бытия, которую так точно и проницательно воспроизводит Цветков в своем безжалостном стихотворном пунктире, иногда доходящем до жестокости. Ему все равно, поймут ли его, он и не стремится к понятности лексической, за ним всегда – фонетическая внятность, акустическая убедительность.

Как писал Блок: "Всякое стихотворение – покрывало, растянутое на остриях нескольких слов. Эти слова светятся, как звезды. Из-за них существует стихотворение. Тем оно темнее, чем отдаленнее эти слова от текста". У Цветкова о том же: "какие случаи напрасные везде / недоумения пехотные окопы", или так: "окликнешь кореша из сумерек семен / и ждешь уверенный а он григорий вовсе".

Однако есть и доверие: "гитару в сторону давай друг другу сниться / а жить само сумеется тогда".

И даже потом, через десятилетия, после молчания, с той же японской страстью: "проснуться прежним навеки на этих фото". Нечто постоянное прослеживается в цветковских стихах, да и в нем самом: запечатлеть, поместить в слепящую прорезь картона, поверить.

С такой трогательностью поэт глядит на свою юность, и этот Цветков немного другой, проговаривающий больше и подробнее, а в прозаических главках книги “Эдем” даже не по-цветковски обильно: “И если есть Бог, а теперь считают, что непременно есть, надо спросить Его, куда девается то, что проходит? Может быть, прошедшее – это все равно что никогда не бывшее. Есть только то, что есть сейчас, а того, что было, сейчас нет. Был город, город, были в нем какие-то жители, но теперь остается полагаться на память, потому что нельзя уже протянуть руку и сказать: вот!”

Все помним о детстве и юности, и все неверно – и не может быть верно: как исполнять музыку на аутентичных инструментах: воссоздать – не воссоздать. Первая любовь, первое свидание, первый поцелуй – и первое забвение, то есть почти сознательно организованное забывание.

Ирка Соколова была дочкой артистов рижского ТЮЗа, которых я видал на сцене в “Друг мой Колька”, мы жили на соседних дачах в Яундубулты и целовались с Иркой в дюнах, я – впервые по-настоящему, с языком. Все это обычно, но мне теперь кажется то ли чересчур взрослым, то ли покаянно гнусным, что уже тогда, целуясь, знал, что это для будущего опыта, например, чтобы подмигнуть гостившему у нас московскому кузену Володьке, мол, ты старше на три года, а я тоже вот. Знал, что не позвоню в сентябре, вернувшись в Ригу, хотя обещал. Сколько ж таких сентябрей прошло с того 62-го.

Перебираю фотографии.

У новогодней елки на встрече 55-го. Видимо, Пьеро: жабо, колпак, лицо глупое-глупое.

В Москве на ВДНХ в 61-м у вывески “Ковровые изделия Туркменистана”.

Опершись на ядро Царь-пушки, тогда же.

Постановочные снимки дома. К отцу пришел приятель-фотограф, мы с братом за шахматами, отец наблюдает. Доску долго искали, обнаружили на антресолях.

Та же съемочная сессия. Брат якобы говорит по телефону, я слушаю. Над нами японский календарь с красавицей, года три висел.

В школьном заснеженном дворе, изображая галантность, с русской красавицей семитского облика в шубке и сапогах, теперь живет в Израиле.

С одноклассниками, все в меховых шапках, все сосредоточенно курят: мужчины.

Люда Овсянникова рядом за партой, тоненькая, беленькая, уж как нравилась, но ничего не было, а могло, еще как могло, потом жалел.

Таня Данилова, первая любовь, такую не помню: на скамейке в каком-то саду, с косой через плечо, Тургенев.

А вот такая она была: улыбка наивная, надменная, беззащитная, коварная.

С тряпкой в руках в коридоре казармы, позирую. Без позы – сколько раз мыл полы, но и без снимков.

Сам собою неузнаваемый в армии. Приятель сказал тогда, встретив: "Здорово, пол-Вайля!"

С Юркой Поднииексом – военные меланхолики: дембель близко.

Из горлá, смельчак, под вывеской "Штаб добровольных народных дружин".

Восходящая звезда республиканской журналистики: галстук, чего прежде не водилось, взгляд уверенный и нагловатый.

Свадьба. Неужели мог быть такой комсомольский облик: из-под венца – на БАМ!

В редакции, склонившись над оттиском сверстанной газетной полосы. Маска значительности: дело делаем.

На фоне Кремля с нарочито плакатным пафосом в выражении лица: ну, диссидент.

На хуторе под Лиепаей, перед самым отъездом на Запад, в безлюдности погранзоны: пустыня в предвидении Нью-Йорка.

На рижском перроне 4 сентября 77-го. Жена брата сияет: через год отчалят и они. Приятели заняты своей болтовней. Отец растерянно и неуместно улыбается: объектив направлен.

Самый последний в Риге снимок: сдвинутое лицо в окне двинувшегося вагона с надписью "Schlafwagen".

Самая последняя фотография в стране: пересадка в Минске, на лицах у всех – уезжающих и провожающих – никакой грусти, воодушевление и целеустремленность: где сейчас открыто?

Я еще не сумел полюбить свою молодость. Мне она пока только интересна.

Зарубежный полигон

Лев Лосев

1937

Один день Льва Владимировича

Перемещен из Северной и Новой
Пальмиры и Голландии, живу
здесь нелюдимо в Северной и Новой
Америке и Англии. Жую
из тостера изъятый хлеб изгнанья
и ежеутренне взбираюсь по крутым
ступеням белокаменного зданья,

где пробавляюсь языком родным.
Развешиваю уши. Каждый звук
калечит мой язык или позорит.

Когда состарюсь, я на старый юг
уеду, если пенсия позволит.
У моря над тарелкой макарон
дней скоротать остаток по-латински,
слезою увлажняя окоем,
как Бродский, как, скорее, Баратынский.
Когда последний покидал Марсель,
как пар пыхтел и как пилась марсала,
как провожала пылкая мамзель,
как мысль плясала, как перо писало,
как в стих вливался моря мерный шум,
как в нем синела дальняя дорога,
как не входило в восхищенный ум,
как оставалось жить уже немного.

Однако что зевать по сторонам.
Передо мною сочинений горка.
"Тургенев любит написать роман
Отцы с Ребенками". Отлично, Джо, пятерка!
Тургенев любит поглядеть в окно.

Увидеть нив зеленое рядно.
Рысистый бег лошадки тонконогой.
Горячей пыли пленку над дорогой.
Ездок устал, в кабак он завернет.
Не евши, опрокинет там косушку…

И я в окно — а за окном Вермонт,
соседний штат, закрытый на ремонт,
на долгую весеннюю просушку.
Среди покрытых влагою холмов
каких не понапрятано домов,
какую не увидишь там обитель:
в одной укрылся нелюдимый дед,
он в бороду толстовскую одет
и в сталинский полувоенный китель.
В другой живет поближе к небесам
кто, словеса плетя витиевато,
с глубоким пониманьем описал
лирическую жизнь дегенерата.

Задавши студиозусам урок,
берем газету (глупая привычка).
Ага, стишки. Конечно, “уголок”,
“колонка” или, сю-сю-сю, “страничка”.

По Сеньке шапка. Сенькин перепрыг
из комсомольцев прямо в богомольцы
свершен. Чем ныне потчуют нас в рыг-
аловке? Угодно ль гоноболыцы?
Все постненькое, Божии рабы?
Дурные рифмы. Краденые шутки.
Накушались. Спасибо. Как бобы
шевелятся холодные в желудке.

Смеркается. Пора домой. Журнал
московский, что ли, взять как веронал.
Там олух размечтался о былом,
когда ходили наши напролом
и сокрушали нечисть помелом,
а эмигранта отдаленный предок
деревню одарял полуведром.
Крути, как хочешь, русский палиндром
барин и раб, читай хоть так, хоть эдак,
не может раб существовать без бар.

Сегодня стороной обходим бар.

Там хорошо. Там стелется, слоист,
сигарный дым. Но там сидит славист.
Опасно. До того опять напьюсь,

что перед ним начну метать свой бисер
и от коллеги я опять добьюсь,
чтоб он опять в ответ мне пошлость высер:
"Ирония не нужно казаку,
you sure could use some domestication*,
недаром в вашем русском языку
такого слова нет – sophistication"**.

Есть слово "истина". Есть слово "воля".
Есть из трех букв – "уют". И "хамство" есть.
Как хорошо в ночи без алкоголя
слова, что невозможно перевесть,
бредя, пространству бормотать пустому.
На слове "падло" мы подходим к дому.

Дверь за собой плотней прикрыть, дабы
в дом не прокрались духи перекрестков.
В разношенные шлепанцы стопы
вставляй, поэт, пять скрюченных отростков.
Еще проверь цепочку на двери.

* "You sure could use some domestication" – "уж вам бы пошло на пользу малость дрессировки".

** Sophistication – очень приблизительно: "изысканность". *(Прим. автора.)*

Приветом обменяйся с Пенелопой.
Вздохни. В глубины логова прошлепай.
И свет включи. И вздрогни. И замри:
...А это что еще такое?

А это – зеркало, такое стеклецо,
чтоб увидать со щеткой за щекою
судьбы перемещенное лицо.

[1981]

Поразительно, как стихотворение пережило свое время и расширилось в пространстве. Ведь сейчас не сразу и сообразишь, что Лосев листает не российские, а эмигрантские газеты. Из комсомольцев попрыгали в богомольцы не десятки и сотни в Чикаго или Тель-Авиве, а десятки и сотни тысяч на родине. Московский журнал сейчас точно так же, как тогда, на высшей точке т. н. застоя, рассказывает, как ходили наши напролом. Палиндром "барин и раб" злободневнее некуда. Были восемь-десять лет в новейшей российской истории, когда лосевский "Один день" мог казаться музейным. Миновали. Настоящий поэт находит народный алгоритм, а эта штука долговечнее политических перестановок.

Верно вычислена пропорция диаспоры и метрополии. Точно, холодно и жестоко обозначено место русского человека в западном мире. Просто человека в мире. Ты сам по себе. Твоя судьба – одиночество и свобода. Эту формулу, заглавие книги Георгия Адамовича, можно было бы выбить на лосевском щите, если б у него был щит.

Российские эмигранты так долго ощущали себя посланцами, робинзонами, миссионерами, что до сих пор им не всем ясно: эмиграция утратила содержательное значение, миссия стала адресом.

Путаница мироощущений — фирменный знак русского зарубежья. Да и как, в самом деле, было понять, что есть что. Это сейчас мир тотально пронизан информацией, а тогда — зыбкие тени на стенах пещер. Федор Степун пишет: "Быть может, новая Россия, с которой мы постоянно сталкиваемся в лице новой эмиграции, более Россия, чем та, которую мы, постаревшие на Западе, все еще благодарно храним в своей памяти? Но и более настоящая она не совсем наша Россия. Значит ли это, что и мы уже не настоящие русские люди? Не думаю". Не думает, не соглашается, но честно ставит вопрос — немногие были на это способны.

То-то так выделяется в огромном объеме русской зарубежной периодики статья Адамовича 1937 года о московских процессах: "Вот перед нами список людей, требующих "беспощадной расправы с гадами": профессор такой-то, поэт такой-то... Что они — хуже нас, слабее, подлее, глупее? Нет, ни в коем случае... Паспортное разделение русской интеллигенции произошло на добрую половину случайно... Значит, вполне возможно, что мы, — находись мы сейчас в Москве, — подписывали бы те же воззвания. Значит, тяжесть ложится на нас всех, и нельзя красоваться чистотой риз, пока не доказано, что чистыми они остались бы всегда, везде, при всех обстоятельствах".

Можно прожить жизнь, не узнав о себе многое — и дай Господь каждому из нас не узнать.

Однако смелость и благородство Адамовича вполне конкретны, потому что проявлены в определенном месте, времени, среде: Париж, 30-е, сообщество людей, уверенных в том, что государственная граница — фактор не только политический, но и нравственный. Адамович делит людей лишь на людей, поодиночке, с отчетливым привкусом мазохизма: "Нет доли сладостней — все потерять. / Нет радостней судьбы — скитальцем стать, / И никогда ты к небу не был ближе, / Чем здесь, устав скучать, / Устав дышать, / Без сил, без денег, / Без любви, / В Париже..." Да, это снова его формула — "одиночество и свобода", но сквозит истерика непрошеной жертвы: чем хуже, тем лучше.

У лучших в русском зарубежье происходил какой-то двойной сбой: смесь самоуничижения с самовозвеличиванием. Когда сбиты масштабы, теряется и направление, смещение происходит по всем направлениям.

Ирина Одоевцева записывает слова Адамовича: "Если вы меня переживете... защищайте меня от преувеличенной хвалы и хулы. И сами, пожалуйста, без дифирамбов излишних". Одоевцева прибавляет: "Он был уверен, что после его смерти сейчас же издадут все оставленное им и каждая его страница будет изучаться, разбираться и комментироваться". Уверенность Адамовича основана на том, что он был создателем и разрушителем репутаций в русском зарубежье – но зарубежье и исчерпывало для подавляющего большинства эмигрантов всю страну, язык, словесность.

Тэффи в парижской "Иллюстрированной России" пишет: "Пастернак. Никогда не слыхала о таком поэте. Зато с детства знаю: "Танцевала рыба с раком, / А петрушка с пастернаком". Ну, не смешно же ни в каком отношении. Опять — застава на замке.

Музыкальный критик Леонид Сабанеев, тонкий, избирательный в оценках, о Шостаковиче упоминает лишь мельком и пренебрежительно, да еще через запятую с Хачатуряном: "типичные "ниже среднего" композиторы, без индивидуальности, но плодовитые". Шостаковича уже в 1926 году, после 1-й симфонии, называли гением, его сразу стали исполнять Стоковский и Тосканини, а Сабанеев пишет тридцатью (!) годами позже, когда есть уже десять симфоний и вообще все главное. Не знать Шостаковича в 56-м было нельзя, но можно было не хотеть знать.

Гайто Газданов, который глядел на мир не только из-за письменного стола, но и — что важно! — из-за баранки парижского такси, безжалостно резюмирует: "Разница между этими русскими, попавшими сюда, и европейцами… заключалась в том, что русские существовали в бесформенном и хаотическом, часто меняющемся мире, который они сами чуть ли не ежедневно строили и создавали, в то время как европейцы жили в мире реальном и действительном, давно установившемся…"

Георгий Иванов по-другому, но о том же: “Ласково кружимся в вальсе загробном / На эмигрантском балу”.

Эмиграция во многом стала испытательным полигоном России: в освоении бизнеса, ужасе ответственности, свободе слова, разнузданности слова, утрате соборности, торопливой религиозности, отказе от интеллигентности, организованной преступности, захлебе Западом, отторжении Запада, страхе одиночества, гордыне одиночества.

Метрополия исторически послушно повторяет эмигрантский путь. И те восемь–десять лет, когда государственная граница перестала быть фактором нравственным, миновали. На всякую попытку “domestication” всегда можно ответить “падлом”.

Лосев, один из редкостно немногих, трезв даже в горечи. Взглянуть хоть для контраста на двух его соседей из “Одного дня” – нелюдимого и витиеватого. Лосев – адекватен: нечастое дело для русского поэта. Потому живет его стихотворение при всех переменах на дворе, и под последней строчкой – “судьбы перемещенное лицо” – хочется поставить не только его, но и свое имя.

Космогония любви

Иосиф Бродский
1940–1996

М. Б.

Я был только тем, чего
ты касалась ладонью,
над чем в глухую, воронью
ночь склоняла чело.

Я был лишь тем, что ты
там, внизу, различала:
смутный облик сначала,
много позже – черты.

Это ты, горяча,
ошую, одесную
раковину ушную
мне творила, шепча.

Это ты, теребя
штору, в сырую полость
рта вложила мне голос,
окликавший тебя.

Я был попросту слеп.
Ты, возникая, прячась,
даровала мне зрячесть.
Так оставляют след.

Так творятся миры.
Так, сотворив, их часто
оставляют вращаться,
расточая дары.

Так, бросаем то в жар,
то в холод, то в свет, то в темень,
в мирозданье потерян,
кружится шар.

1981

В "Литовском ноктюрне" Бродского есть образ, словно продолжающий эпизод из приключений барона Мюнхгаузена, где замерзшие зимой звуки трубы в оттепель оживают, и воздух начинает источать музыку. Бродский образ расширяет: "Видишь воздух: / анфас / сонмы тех, кто губою / наследил в нем / до нас". И еще: "Небосвод – / хор согласных и гласных молекул, / в просторечии – душ". Это было у стоиков: "Если ввек пребывают души, как вмещает их воздух?" (Марк Аврелий). Однако Бродский ставит знак тождества между отделившимися от тел душами – и звуками, словами. Именно слово одушевляет, населяет окружающий мир самым буквальным способом.

В написанном через восемь лет стихотворении "Я был только тем, чего..." идея еще более материализуется, уточняется: один человек способен сотворить другого своей артикулированной любовью. Опять-таки буквально. Кажется, на такое намекал Пастернак: "Я был пустым собраньем / Висков, и губ, и глаз, ладоней, плеч и щек!" Многочисленны песенные фантазии на мотив “стань таким, как я хочу”. Бродский в любовной лирике заходит дальше.

Как интересно, что он сквитался – в жизни и в стихах – со своей возлюбленной, еще до этих стихов, в 75-м написав: “...Я взбиваю подушку мычащим “ты” / за морями, которым конца и края, / в темноте всем телом твои черты, / как безумное зеркало, повторяя”. Ты создала меня, я воспроизвожу тебя. Заокеанский клон.

Книга “Новые стансы к Августе” беспрецедентно в мировой поэзии (свидетельство такого авторитетного знатока, как Михаил Гаспаров) собрана только из стихотворений с посвящением *М.Б.*, Марианне Басмановой, Марине – шестьдесят стихотворений за двадцать лет (с 1962 по 1982 год). Еще раз подчеркнем: не сборник посвящен одной женщине, а каждый из стихов, которые составили сборник.

Вообще-то время противопоказано любви, и любые чувства неизбежно гаснут, и стирается острота поэтически плодотворной измены, измена делается метафорой (где ей и место – после, после страстей), и тут вступает в силу аргумент пространства: другое полушарие и невозможность физической встречи. Реальная Марина, лишенная пристального безжалостного взгляда в упор, возрастая в далекой перспективе, превратилась действительно в М.Б. — в символ, в знак, в лирический канон.

Так произошло с той, байроновской, Августой: насильственно прерванная, а не естественно затухшая любовь, помноженная на дальность расстояния, вознесла ее в глазах поэта и читательских поколений.

Стихотворение "Я был только тем, чего..." завершает "Новые стансы к Августе". Какой замечательный синтез, "против шерсти" (не зря Бродский так любил это выражение) XX века с его тягой к анализу, разложению на составные. Пикассо говорил, что его картина — "итог ряда разрушений". Тут — итог ряда созиданий. Подробно и обстоятельно: осязание в первой строфе, зрение во второй и пятой, слух в третьей, речь в четвертой.

Сергей Гандлевский как-то сказал мне: "Вот стихи, которые хотел бы написать я..." И добавил, что такое чувство иногда возникает при чтении чужих стихов. Хотя подобное сожаление я от него слышал еще лишь однажды – по поводу беглого зрительного образа у Георгия Иванова, двустрочной зарисовки, а здесь речь о мироощущении, точнее – миростроительстве. Потому я не удивился, прочитав в романе Гандлевского “НРЗБ” о стихах поэта Чиграшова: “Функции Создателя в стихотворении препоручались любимой женщине. Своими прикосновениями она преображала безжизненный манекен мужской плоти: наделяла его всеми пятью чувствами и тем самым обрекала на страдание, ибо, вызвав к жизни, бросала мужчину на произвол судьбы”. Это благородный жанр вариации на тему: так Глинка посылает привет Беллини, Шопен – Моцарту, Брамс – Гайдну. О таком высказывался и Бродский: “Подлинный поэт не бежит влияний и преемственности, но зачастую лелеет их и всячески подчеркивает... Боязнь влияния, боязнь зависимости – это боязнь – и болезнь – дикаря, но не культуры, которая вся – преемственность, вся – эхо”. Перекличка налицо, только понимание “произвола судьбы” у двух поэтов – разное. После 82-го года посвящения *М.Б.* исчезают, чтобы впоследствии возникнуть всего один, и последний, раз в 89-м: "Дорогая, я вышел сегодня из дому поздно вечером..." Расчет чувств беспощаден: "...Потом сошлась с инженером-химиком / и, судя по письмам, чудовищно поглупела". Осознание своих заслуг спокойно – вечность за неверность: "Повезло и тебе: где еще, кроме разве что фотографии, / ты пребудешь всегда без морщин, молода, весела, глумлива?" Подведение итогов окончательно: "Не пойми меня дурно: с твоим голосом, телом, именем / ничего уже больше не связано. Никто их не уничтожил, / но забыть одну жизнь человеку нужна, как минимум, / еще одна жизнь. И я эту долю прожил".

Шестьдесят стихотворений. Двадцать лет. Запущенный в любовный космос, шар кружится, ведая и помня, как был сотворен, но сам по себе.

У всех так. Не все осознают, не все признаются. Произнес – один.

Свиток соответствий

Сергей Гандлевский

1952

Дай Бог памяти вспомнить работы мои,
Дать отчет обстоятельный в очерке сжатом.
Перво-наперво следует лагерь МЭИ,
Я работал тогда пионерским вожатым.
Там стояли два Ленина: бодрый старик
И угрюмый бутуз серебристого цвета.
По утрам раздавался воинственный крик
“Будь готов!”, отражаясь у стен сельсовета.

Было много других серебристых химер –
Знаменосцы, горнисты, скульптура лосихи.
У забора трудился живой пионер,
Утоляя вручную любовь к поварихе.

Жизнерадостный труд мой расцвел колесом
Обозрения с видом от Омска до Оша.
Хватишь лишку и Симонову в унисон
Знай бубнишь помаленьку: "Ты помнишь, Алеша?"
Гадом буду, в столичный театр загляну,
Где примерно полгода за скромную плату
Мы кадили актрисам, роняя слюну,
И катали на фурке тяжелого Плятта.
Верный лозунгу молодости "Будь готов!",
Я готовился к зрелости неутомимо.
Вот и стал я в неполные тридцать годов
Очарованным странником с пачки "Памира".

На реке Иртыше говорила резня.
На реке Сырдарье говорили о чуде.
Подвозили, кормили, поили меня
Окаянные ожесточенные люди.
Научился я древней науке вранья,
Разучился спросить о погоде без мата.

Мельтешит предо мной одиссея моя
Кинолентою шосткинского комбината.
Ничего, ничего, ничего не боюсь,
Разве только ленивых убийц в полумасках.
Отшучусь как-нибудь, как-нибудь отсижусь
С Божьей помощью в придурковатых подпасках.

В настоящее время я числюсь при СУ-
206 под началом Н.В.Соткилавы.
Раз в три дня караульную службу несу,
Шельмоватый кавказец содержит ораву
Очарованных странников. Форменный зо-
омузей посетителям на удивленье:
Величанский, Сопровский, Гандлевский, Шаззо —
Часовые строительного управленья.
Разговоры опасные, дождь проливной,
Запрещенные книжки, окурки в жестянке.
Стало быть, продолжается диспут ночной
Чернокнижников Кракова и Саламанки.

Здесь бы мне и осесть, да шалят тормоза.
Ближе к лету уйду, и в минуту ухода
Жизнь моя улыбнется, закроет глаза
И откроет их медленно снова — свобода.

Как впервые, когда рассчитался в МЭИ,
Сдал казенное кладовщику дяде Васе,
Уложил в чемодан причиндалы свои,
Встал ни свет ни заря и пошел восвояси.
Дети спали. Физорг починял силомер.
Повариха дремала в объятьях завхоза.
До свидания, лагерь. Прощай, пионер,
Торопливо глотающий крупные слезы.

1981

Первое стихотворение Гандлевского, которое я прочел — в начале 80-х в парижском журнале “Эхо”. Было острое ощущение точного попадания, совпадения. Это же я два года подряд бубнил “Ты помнишь, Алеша, дороги Смоленщины”, примазавшись к полковой самодеятельности с художественным чтением. Это же у меня в послужном списке пожарная охрана — в согласии с его просто охраной, “караульной службой”. Это мои университеты, в которых постигались образцы вдохновенного вранья, равнодушной жертвенности, трогательного окаянства. Это у меня такие же запрещенные книжки и опасные разговоры. Это я только что впервые съездил в Испанию и бродил по Саламанке, представляя, как в этом светлом городе, целиком из золотисто-розового камня, копошилось чернокнижье и барочное плетение словес. Похожа была вся биография, с ее плебейскими работами и болтливым пьяным досугом (“Пустые споры между людьми поврежденного ума”. 1 Тим. 6:5). Соответствия касались и самого важного — мировосприятия, мироощущения: тогда я только так и понимал свободу — как уход. Совпадения продолжались и после того, как в конце 80-х познакомился с приехавшим на несколько дней в Нью-Йорк Гандлевским. В сентябре 96-го мы вчетвером, с женами, отправились в Италию.

Вечером в Риме перешли мост Умберто Первого, спустились к Тибру, разместили на лежащей мраморной колонне пармскую ветчину, моццареллу, помидоры. Разлили вальполичеллу, и тут откуда-то зазвучало — красиво-красиво — томительное "Странники в ночи". Под мостом, самозабвенно запрокинувшись, играл саксофонист. Я пошел к нему сказать спасибо и предложить стакан, он принял, мы поговорили, вернулся я ошеломленный. За одиннадцать лет до этого, разумеется, в России, Гандлевский написал: "Когда задаром – тем и дорого – / С экзальтированным протестом / Трубит саксофонист из города / Неаполя. Видать, проездом". Парень был из Неаполя, проездом в Риме, вышел из гостиницы поупражняться. Вообще-то так не бывает, разве только с поэтами.

Конечно, дело не в одних рифмующихся жизненных ситуациях. С самого начала и по сей день завораживают внятность и четкость, строгость и классичность стиха. Вот и прописные буквы в начале строк — вызывающий анахронизм. Гандлевский даже в молодые годы в густой напористой среде друзей-авангардистов сумел избежать искушения формальных изысков, напрямую адресуясь к великим предшественникам не столько XX столетия, сколько XIX, "золотого" века русской поэзии. Он и читает свои стихи "по старинке", тщательно выговаривая каждый слог, разворачивая свиток неторопливо, уверенно, наглядно.

Стихотворение 81-го года про работы написано изнутри того мира, который стоял вокруг. Всего через несколько лет мир рухнул. Александр Блок, в духе своего времени и тогдашних поэтических настроений, писал о блаженстве свидетелей роковых минут и, похоже, в самом деле так думал. Не зря же у него в дневнике есть запись о гибели "Титаника": "Жив еще океан!" Ну да, океан жив, а полторы тысячи человек — нет. Но даже Блок не решился выйти с такой декларацией в стихах, доверившись лишь дневнику. Поэт конца XX века вряд ли и в одиночку порадуется катастрофе: другой исторический опыт.

Отношение к разлому мира выражается чувствительнее всего даже не в словах, а в интонации. Младший приятель Гандлевского – Денис Новиков, ныне покойный, – подсчитывает потери, делая это куда талантливее, чем занимаются тем же десятки миллионов его соотечественников: "Когда-то мы были хозяева тут, / но все нам казалось не то: / и май не любили за то, что он труд, / и мир, уж не помню за что". Элегия. Гандлевский – примечательно для него (и для правды) – прикидывает перемены не на "мы", а на "я": "Стал ли я счастливей, став свободным? Не уверен. Но свобода – это не про счастье, при чем здесь счастье? Свобода расширяет кругозор, подогревает чувство личного достоинства, треплет нервы и умножает познание. А кого и когда вышеназванное осчастливливало?!" Так в прозе, а вот воспоминания про мир-труд-май в стихах 99-го года (опять-таки примечательно, что тут отход от традиции – без прописных и знаков препинания): "пусть я встану чем свет не таким удручающим что ли / как сегодня прилёг / разве нас не учили хорошему в школе / где пизда – марь иванна / проводила урок / иванов сколько раз повторять не вертись и не висни / на анищенко сел по-людски / все открыли тетради пишем с красной строки / смысл жизни". Тоже элегия. За этой интонацией – без гнева и пристрастия – правда, потому что речь о себе, о своей ответственности за судьбу. Твоей ответственности за твою судьбу.

Михаил Гаспаров подчеркивает, что в годы зрелости Мандельштам "писал в среднем меньше, чем по стихотворению в месяц: для профессионального поэта это мало". Гандлевский пишет по два-три стихотворения в год. Так совсем не принято, обычно бывает поток, из которого потом редактор или время что-то оставляют. Составлять избранное Гандлевского – тяжелый неблагодарный труд: у него все – избранное.

Есть такая юридическая формула – "защита чести и достоинства". Гандлевский однажды отказался от премии "Антибукер" (т. е. от изрядной суммы в двенадцать тысяч долларов), потому что столкнулся с унизительной процедурой получения. Вызвал большой переполох в литературном сообществе. Никто ничего не понимал, строились догадки, хотя сам он все печатно объяснил.

Но таково состояние умов и душ, что как-то не очень верили. Недоумевали: ну, походи, попроси, понабирай телефонные номера, посиди в приемных — так заведено. Но он так не захотел, защитил свои честь и достоинство доступным себе способом: ушел с того открытого пространства, где раздают коробки с подарками, туда, где он вдалеке от посторонних пишет.

История, характерная и для творческого метода Гандлевского.

Не давая повода упрекнуть себя в поспешности и небрежности, выходя к читающей публике только с отточенными стихотворениями, каждое из которых достойно включения в любую антологию, он таким способом защищает честь и достоинство поэта. Вероятно, как подлинный лирик, сочиняет не меньше других — то есть постоянно, только отделывает стихи необычно долго. Не производит массовой продукции; на его поэтической кухне готовятся блюда к празднику.

Раз навсегда осознав, что искусство есть чудо, к которому неприложимы обычные рациональные мерки, стоит ли удивляться тому, что при такой кропотливости сохраняются легкость и естественная достоверность интонации. Вот что мне давно уже представляется главным в поэзии – интонация. Если ты ей веришь, значит, она обращена к тебе – только то и нужно. Иногда даже кажется, что сам это все написал.

В центре Рима

Иосиф Бродский
1940—1996

Пьяцца Маттеи

I

Я пил из этого фонтана
в ущелье Рима.
Теперь, не замочив кафтана,
канаю мимо.

Моя подружка Микелина
в порядке штрафа
мне предпочла кормить павлина
в именье графа.

II

Граф, в сущности, совсем не мерзок:
он сед и строен.
Я был с ним по-российски дерзок,
он был расстроен.
Но что трагедия, измена
для славянина,
то ерунда для джентльмена
и дворянина.

III

Граф выиграл, до клубнички лаком,
в игре без правил.
Он ставит Микелину раком,
как прежде ставил.
Я тоже, впрочем, не внакладе:
и в Риме тоже

теперь есть место крикнуть “Бляди!”,
вздохнуть “О Боже”.

IV

Не смешивает пахарь с пашней
плодов плачевных.
Потери, точно скот домашний,
блюдет кочевник.
Чем был бы Рим иначе? гидом,
толпой музея,
автобусом, отелем, видом
Терм, Колизея.

V

А так он — место грусти, выи,
склоненной в баре,
и двери, запертой на виа
дельи Фунари.
Сидишь, обдумывая строчку,
и, пригорюнясь,
глядишь в невидимую точку:
почти что юность.

VI

Как возвышает это дело!
Как в миг печали
все забываешь: юбку, тело,
где, как кончали.
Пусть ты последняя рванина,
пыль под забором,
на джентльмена, дворянина
кладешь с прибором.

VII

Нет, я вам доложу, утрата,
завал, непруха
из вас творят аристократа
хотя бы духа.
Забудем о дешевом графе!
Заломим брови!
Поддать мы в миг печали вправе
хоть с принцем крови!

VIII

Зима. Звенит хрусталь фонтана.
Цвет неба – синий.
Подсчитывает трамонтана
иголки пиний.
Что год от февраля отрезал,
он дрожью роздал,
и кутается в тогу цезарь
(верней, апостол).

IX

В морозном воздухе, на редкость
прозрачном, око,
невольно наводясь на резкость,
глядит далёко –
на Север, где в чаду и в дыме
кует червонцы
Европа мрачная. Я – в Риме,
где светит солнце!

X

Я, пасынок державы дикой
с разбитой мордой,
другой, не менее великой
приемыш гордый, —
я счастлив в этой колыбели
Муз, Права, Граций,
где Назо и Вергилий пели,
вещал Гораций.

XI

Попробуем же отстраниться,
взять век в кавычки.
Быть может, и в мои страницы
как в их таблички,
кириллицею не побрезгав
и без ущерба
для зренья, главная из Резвых
взглянет — Эвтерпа.

XII

Не в драчке, я считаю, счастье
в чертоге царском,
но в том, чтоб, обручив запястье
с котлом швейцарским,
остаток плоти терракоте
подвергнуть, сини,
исколотой Буонарроти
и Борромини.

XIII

Спасибо, Парки, Провиденье,
ты, друг-издатель,
за перечисленные деньги.
Сего податель
векам грядущим в назиданье
пьет чоколатта
кон панна в центре мирозданья
и циферблата!

XIV

С холма, где говорил октавой
порой иною
Тасс, созерцаю величавый
вид. Предо мною –
не купола, не черепица
со Св. Отцами:
то – мир вскормившая волчица
спит вверх сосцами!

XV

И в логове ее я – дома!
Мой рот оскален
от радости: ему знакома
судьба развалин.
Огрызок цезаря, атлета,
певца тем паче
есть вариант автопортрета.
Скажу иначе:

XVI

усталый раб — из той породы,
что зрим все чаще —
под занавес глотнул свободы.
Она послаще
любви, привязанности, веры
(креста, овала),
поскольку и до нашей эры
существовала.

XVII

Ей свойственно, к тому ж, упрямство.
Покуда Время
не поглупеет, как Пространство
(что вряд ли), семя
свободы в злом чертополохе,
в любом пейзаже
даст из удушливой эпохи
побег. И даже

XVIII

сорвись все звезды с небосвода,
исчезни местность,
все ж не оставлена свобода,
чья дочь — словесность.
Она, пока есть в горле влага,
не без приюта.
Скрипи, перо. Черней, бумага.
Лети, минута.

Февраль 1981

Микела – для автора и истории литературы Микелина с уменьшительно-ласкательным суффиксом – так вот, Микела мне рассказывала (в Праге, году в 98-м), что "граф" был-таки кем-то вроде "принца крови", состоял в родстве с королевскими домами Европы. Их роман шел к концу, хотя еще теплился, когда появился поэт. Однажды оба поклонника столкнулись в доме Микелы на виа деи Фунари. Она представила графа и поэта друг другу и в ужасе бросилась на второй этаж, тревожно прислушиваясь к тому, что творится внизу. Внизу было тихо, и когда Микела спустилась, застала мужчин, оживленно и дружелюбно беседующих за бутылкой вина. Оказалось, граф спросил: "Have you already slept with her?", на что поэт ответил: "That's none of your fucking business, Your Highness!". Диалог ("Вы с ней уже спали?" – "Не ваше грёбаное дело, Ваше Высочество!") немедленно способствовал сближению.

В любовной линии этого стихотворения сведены воедино и перемешаны мотивы и "Чудного мгновенья", и письма Пушкина к Соболевскому о той же А.П.Керн (“которую с помощию Божией я на днях ....”). Зазора и зазрения нет – отсюда ощущение полной свободы, которая в заключительных строфах возносится на иной уровень.

“Все, описанное здесь, – чистая правда, полный акмеизм”, – высказался Бродский по поводу “Пьяцца Маттеи”.

“Этот фонтан” – Fontana delle tartarughe, Фонтан черепах – одно из изящнейших скульптурных сооружений Рима. Четверо бронзовых юношей, стоя на дельфинах, подталкивают черепах в чашу в виде раковины. В конце XVI века фонтан соорудил Модерно, а в середине XVII столетия черепах добавил Бернини. Ощущение грации и радости таково, что понятно, почему Бродский сказал об этом: “То, от чего становишься физически счастлив”.

Знал ли он – я забыл спросить, когда узнал сам – или просто, как положено поэту, угадал, что веселая бронзовая компания – прямое порождение любви. Римский аристократ Маттеи сватался к княжне Сантакроче, но отец девушки, зная его как оголтелого игрока, у которого не держатся деньги, отказал. Маттеи пригласил отца с дочерью к себе на ужин, предоставив им потом покои на ночлег. Когда наступило утро, на площади стоял фонтан, воздвигнутый за ночь, — незыблемое свидетельство финансовой и душевной состоятельности претендента. Самое интересное в этой истории — финал, потому что их два: потрясенный князь дал согласие и потрясенный князь все-таки не согласился. Нечто подобное произошло через четыре века — несмотря на полный акмеизм, вариантов два: по данным Микелы, победил поэт, по данным поэта — граф.

Правда всегда за поэтом — она убедительнее, потому что красивее. Страдание, даже только стихотворное, благотворнее торжества: "Как возвышает это дело!" Выя, склоненная в баре, благороднее павлиньих вый.

Поэт не просто проигрывает графу (что все-таки, кажется, не соответствует действительности, и пусть), но проигрывает с наслаждением и ощущением триумфа. Свой выигрыш он осознает безусловно и красноречиво. Это — свобода. Потому-то и приносится в жертву мужское самолюбие, что жертва такому божеству необходима.

Для Бродского — образцового путешественника, у которого я перед своими поездками по миру часто справлялся и получал дельные рекомендации о музеях и ресторанах, — очень важно размещение эмоции. Пьяцца Маттеи и ее окрестности — одно из оставшихся в Риме мест, где легко и непринужденно происходит перемещение в прежние эпохи: сохранившийся в веках почти без изменений город. Площадь — на краю старого римского гетто, где и теперь попадаются кошерные лавочки и закусочные, неподалеку — лучшее в городе заведение римско-еврейской кухни "Piperno", со специально панированной треской и жареными артишоками alla giudea. Вплотную к дому Микелы — палаццо Античи-Маттеи, великолепный дворец, где когда-то несколько лет прожил Леопарди, где сейчас размещаются Институт истории, библиотека и Итальянский центр изучения Америки — туда Бродский заходил по делу. За углом — место, где в 78-м нашли тело бывшего премьер-министра Альдо Моро, похищенного и убитого террористами "Красных бригад". Там большая многословная мемориальная доска с портретом. Бродский говорил, что следовало бы выбить всего два слова: "Memento Moro". Была в нем эта, несколько плебейская, тяга к каламбурам, будто он и так не зарифмовал все вокруг.

Любовь, кровь, поэзия, наука, мешанина языков и народов – все на одном пятачке. Таков Рим.

Но этого мало: на площадь Маттеи выходит улица S.Ambrogio, великого святого, покровителя Милана, а рядом – via Paganica, улица Язычников. Есть улица Королевны, via della Reginella, а есть и Столяров, via dei Falegnami, и Канатчиков, вот эта самая via dei Funari, на которой жила Микела. Сама топография пьяцца Маттеи – история Рима. Всей Италии.

Русский поэт, проживший четверть века в Америке и ставший фактом двух литератур, нагляднее всего любил Италию, написав о ней два десятка стихотворений, два больших, изданных отдельными книгами, эссе: "Набережная неисцелимых", "Дань Марку Аврелию". Каждый год, и не по разу, Бродский бывал в Италии. Он говорил об этой стране: "То, откуда все пошло", а об остальном: "Вариации на итальянскую тему, и не всегда удачные".

Понятно, здесь мандельштамовская тоска по мировой культуре. Но и просто всплеск эмоций, главная из которых – восторг от жизни. Нигде это не проявляется с такой силой, как в итальянских стихах, особенно в "Пьяцца Маттеи", где количество восклицаний и прописных – рекордное для Бродского. В Риме он даже позволил себе умилиться по поводу утехи гимназисток, выпив какао со сливками, а не вино или граппу (см. "Лагуну"), которые любил – потому что все по-особому "в центре мирозданья и циферблата".

Определяющее слово тут – "центр". Италия служила эмоциональным балансом, удерживая в равновесии две бродские судьбы – Россию и Америку. Являла собой гармонию – климатом, музыкой, архитектурой, человеческими лицами, голосами.

Как-то в Москве была устроена выставка, призванная обозначить взаимовлияние русского и итальянского искусства. Сама постановка вопроса – тупиковая.

Чему и когда мы могли научить итальянцев? Правда, есть начало XX века, когда на короткий период русское искусство оказалось в авангарде — в прямом и переносном смысле слова. Без Малевича и Кандинского картинка столетия была бы иной. Но в предыдущие века все основы — нет, не изобразительного искусства, а самого видения мира — заложили итальянцы. Вовсе не только для русских, для всех. Просто в северной холодной стране их достижения выглядели иногда экзотично. Взять хоть эти палладианские дворцы, созданные для средиземноморского солнца, которыми уставлены улицы Питера, которые строили помещики какой-нибудь Вологодской губернии, которые по сей день запечатлелись в советских Дворцах культуры хоть бы и Сибири.

Не важна практическая нелепость, важно, что воспринималась несравненная итальянская соразмерность, прямое и непосредственное соответствие человека бытию. Вот чему учились у них другие народы. Опять-таки речь не о ремесле — слава богу, в российских и иных академиях неплохо учили по слепкам и копиям. Русскому литератору и вовсе чужбина профессионально ни к чему. Но и Александру Иванову, и Николаю Гоголю нужна была сама Италия, всё гармонизирующая собой. Вот почему они просиживали годами в кафе “Греко” на виа Кондотти и в других местах благословенной страны. Им и многим-многим другим нужно было то искусство повседневности, которым в полной мере обладают только итальянцы.

Есть такая болезнь – агедония: неспособность осмысленно и полно получать удовольствие от жизни. Бич, который так и косит современную цивилизацию, хлеще СПИДа. Италия – одно из немногих безотказно действующих против этого средств. Привязанность к Италии – уже прививка.

Надо было видеть Иосифа в конце сентября 95-го года, когда мы с женой гостили у Бродских в Тоскане. Как он выбирал белые грибы и маслины на рынке. Как показывал Лукку и соседние городки. Как заказывал обед (у меня хранится меню ресторана “Buca di San Antonio” с надписью “На память о Великой Лукке, где мы нажрались с Петей в Буке”). Как мы сидели во дворе их дома, глядя, как внизу лесник по имени, конечно, Виргилий (Вирджилио) жег листву. Дым уходил к дальним холмам – тем самым, опять-таки мандельштамовским, “всечеловеческим, яснеющим в Тоскане”, которые здесь бывают не только зелеными, но и синими, лиловыми, фиолетовыми. Мария взяла дочку посмотреть на костры. Они уже возвращались, поднимаясь по склону. Бродский оторвался от разговора и, охватывая взглядом картину, полувопросительно произнес: “Повезло чуваку?”

Италия становилась, да и стала уже, для него своей.

По обыкновению, как он умел, снижая пафос и расширяя понятие, Бродский сказал мне о “Пьяцца Маттеи”: “Это стихотворение о том, что у тебя есть воспоминания”.

Надо знать места. Называние (и взывание: “о Боже”, и обзывание: “бляди!”) увековечивает, и более того – облагораживает. Назвать – не только запечатлеть, но и присвоить титул. Поддать с принцем, положить с прибором на джентльмена. Рванина дворянина. Непруха духа. Отсюда, из освоения действительности – раскрут эротической зарисовки в манифест.

“Поэтическая речь – как и всякая речь вообще – обладает своей собственной динамикой, сообщающей душевному движению то ускорение, которое заводит поэта гораздо дальше, чем он предполагал, начиная стихотворение". Это Бродский о Цветаевой, но и о себе, разумеется. Он называл такое – "центробежная сила стиха". И конкретно о "Пьяцца Маттеи": "К концу – все больше освобождения. Хочется взять нотой выше, вот и все".

Вот и все.

"Он был существом, обменявшим корни на крылья", – сказал Степун о Белом. Похоже. Впрочем, у Бродского корни были всегда – язык. (По подсчетам канадской исследовательницы Татьяны Патеры, его лексикон – самый обширный в русской поэзии: около 19 тысяч слов.) Так что о корнях нечего беспокоиться и нет надобности выставлять их на обмен. А вот крылья – позднейшее приобретение, о чем так выразительно выкрикнуто в строфе XVI. Напрасно только здесь "под занавес" – на дворе стоял всего лишь 1981 год.

Как бесстрашно Бродский повторяет на разные лады слово "свобода", изжеванное всеми идеологиями. Как очищается оно восторженной искренностью. Как причудлив и в то же время логичен переход от графа с павлинами к тому, дороже и важнее чего нет на свете.

Как радостно присоединяешься к этому чувству.

“Пьяцца Маттеи” – может быть, лучший пример того, что настоящий поэт, о чем бы ни заговаривал, всегда говорит то, что хочет и должен сказать.

По поводу Фуко

Лев Лосев

1937

Подписи к виденным в детстве картинкам

3

Штрих — слишком накренился этот бриг.
Разодран парус. Скалы слишком близки.
Мрак. Шторм. Ветр. Дождь. И слишком близко брег,
где водоросли, валуны и брызги.

Штрих – мрак. Штрих – шторм.
Штрих – дождь. Штрих – ветра вой.
Крут крен. Крут брег. Все скалы слишком круты.
Лишь крошечный кружочек световой –
иллюминатор кормовой каюты.

Там крошечный нам виден пассажир,
он словно ничего не замечает,
он пред собою книгу положил,
она лежит, и он ее читает.

[1984]

Виртуозность стиха труднопредставимая. Но это уж потом обращаешь внимание и восхищаешься, как передан экспрессивный рисунок, на который глядит автор, какая звукопись бури, будто слышная наяву. Стискиванье согласных – особенно в третьей, пятой и шестой строках: удары волн, треск бортов. Это после, вчитываясь и восторгаясь. Первое и самое, вероятно, важное – ощущение покоя и правильности жизненной эмоции. Опять-таки лишь во внимательном перечитывании понимаешь, как при переходе от шторма к пассажиру удлиняются слова, как отступает и приглушается раскат "р", исчезая в последних стихах. Первое же и самое, вероятно, важное: ты *видишь* этого спокойного и мудрого с книжкой. Хочется так же выглядеть в бурях. В противоположность тому, под парусом, у которого только струя светла, остальное – мятежный ужас.

Стихи о картинах – почтенный жанр. В русской поэзии замечательный образец – "В картинной галерее" Николая Олейникова, где благостная обстановка "Пьяницы (картина Красбека)" так созвучна лосевскому описанию. Свои – очень похожие – морские сюжеты рассматривал Ходасевич: “На спичечной коробке – / Смотри-ка – славный вид: / Кораблик трехмачтовый / Не двигаясь бежит”. Он видел такой же иллюминатор кормовой каюты, который как сухопутный шпак называл “окошком”, и человека за ним: “Вот и сейчас, быть может, / В каюте кормовой, / В окошечко глядит он / И видит – нас с тобой”.

Маргарита Волошина (Сабашникова) в книге воспоминаний рассказывает о профессоре-искусствоведе, который решил посвятить жизнь науке, в молодости увидев такую же – а может быть, и эту самую, лосевскую – гравюру: “Человек был погружен в чтение, его лампа бросала кружок света на открытую страницу, а кругом все тонуло во мраке”.

Успокоительный контраст: вот очарование.

У Гончарова во “Фрегате “Паллада” – пассаж о шторме на Индийском океане. Автор укрылся в каюте, однако его настойчиво тянули на палубу, и в конце концов Гончаров сдался: “Я посмотрел минут пять на молнию, на темноту и на волны… – Какова картина? – спросил капитан, ожидая восторгов и похвал. – Безобразие, беспорядок! — отвечал я, уходя весь мокрый в каюту переменить обувь и белье".

Поэзия "обыкновенных историй" — высочайшая из всех — одушевляет многие стихи Лосева.

Образ пассажира кормовой каюты и по-другому существенен для его восприятия. Ага, литература, он книжку читает среди бури, но бурю не замечает лишь *словно* — вот она, "штрих — шторм". Книжка, правда, важнее.

Лосевскую образованность и литературность отмечают все. Валентина Полухина: "Интертекстуальное поле поэзии Лосева столь объемно и компактно, что на ста страницах умещается вся русская поэзия от "Слова о полку Игореве" до Бродского". Псой Короленко: "Своего рода центон основных мотивов русской классической литературы начала века". Сергей Гандлевский эссе о Лосеве даже назвал "Литература в квадрате", считая реальность словесности не менее осязаемой и плодотворной для лосевского творчества, чем реальность окружающей жизни.

Верно, за ним, Лосевым, та протяженность культуры, которую мы даже и знаем, но не всегда осознаем. Отсюда тоже — признательность:

за напоминание, которое, как говорит Сенека, "не учит, а направляет... Напомнить – это вроде как ободрить... Поэтому нужно порой привести себя в память: таким вещам следует не лежать в запасе, а быть под рукой. Что полезно для нас, нужно часто встряхивать, часто взбалтывать..."

Подпись к виденной картинке: профессор Лосев взбалтывает пробирку с культурой микроорганизмов, нашей питательной средой.

Но вот как начинается стихотворение "Фуко": "Я как-то был на лекции Фуко. / От сцены я сидел недалеко. / Глядел на нагловатого уродца. / Не мог понять: откуда что берется?" Резко, даже грубо. Лосев вообще – хулиган, при всем своем профессорстве в Дартмут-колледже, входящем в элитарную "Лигу плюща". Респектабельный хулиган – оксюморон, потому и звучат лосевские выпады внезапно и броско. А ведь как может благопристойно начать, черт-те чем закончив: "Он смотрел от окна в переполненном баре / за сортирную дверь без крючка, / там какую-то черную Розу долбали / в два не менее черных смычка".

Ладно, тут о бруклинско-блоковской Розе-розе, а чем же вызывает такую неприязнь Мишель Фуко, властитель структуралистских дум, "археолог знания"? Как раз тем, надо думать, что умственный археолог — не только иной, но вредно чужой, враждебный: не игра в бисер, а растление умов. "Фуко смеяться не умел и плакать, / и в жизни он не смыслил ни хрена".

Лосев в жизни остро смыслит и остро чувствует. В одном из лучших поздних стихотворений — "Стансы" — детское послевоенное впечатление звучит просто, доходчиво и трагично: "Седьмой десяток лет на этом свете. / При мне посередине площадей / живых за шею вешали людей, / пускай плохих, но там же были дети!"

Такое, кажется, называется нравственным императивом. Псевдоним совести.

Какой, на хрен, профессор и книжник. Лосевская "Сонатина безумия" — вербальное освоение Алексея Германа, хотя стихотворение написано раньше, чем вышел фильм "Хрусталев, машину!". Ощущение от того и другого одинаковое — сердцебиение: "Портянку в рот, коленкой в пах, сапог на харю. / Но чтобы сразу не подох, не додушили. / На дыбе из вонючих тел бьюсь, задыхаюсь. / Содрали брюки и белье, запетушили". Так там, в кино, в две минуты спрессовано отчаяние и горе, все внутри колотится в ритм ударов фонаря о скобу, когда насилуют в “воронке” генерала.

Про Фуко и про Розу я как-то прочел перед респектабельной литературной аудиторией в Москве – никто даже не улыбнулся. Губы не раздвинули, а поджали. Где они живут и как, – подумал я, вспоминая, как днем раньше в Шереметьеве у багажной ленты молодая мать говорила дочке лет восьми, негромко, мягко, размеренно: “Ёб твою мать, постой ты минуту, блядь, спокойно”. Я взял чемодан и пошел мимо таможенника, который вполголоса, развлекая себя, покрикивал: “Ред лайн, плиз, не хуя расслабляться, ред лайн, плиз!”

Книги можно читать по-разному. Бунин обучил крестьянского парня собирать народные песни и поговорки и как-то дал ему “Смерть Ивана Ильича”: “Ну, понравилось? – Оченно понравилось, там буфетный мужик большие деньги загребал”.

Мандельштам написал: “Разночинцу не нужна память, ему достаточно рассказать о книгах, которые он прочел, – и биография готова”. В этой книжке я попробовал такое сделать. Потом подумал, что можно еще рассказать о фильмах, которые видел, о картинах, перед которыми простаивал, о музыке, которую слушал. Попытался представить – и понял, что получатся другие автобиографии. Так и должно быть, что ли?

Не стоит слишком вникать, ведет к шизофрении. Книжек хватит. Вот эти лосевские "Подписи" перечитывать не устаю. Догадываюсь и даже знаю, почему. Но не хочу до конца выражать свое понимание словами, пусть остается так – на то и стихи.

Платформа Марк

Сергей Гандлевский

1952

Е.Ф.Фадеевой

Не сменить ли пластинку? Но родина снится опять.
Отираясь от нечего делать в вокзальном народе,
Жду своей электрички, поскольку намерен сажать
То ли яблоню, то ли крыжовник. Сентябрь на исходе.
Снится мне, что мне снится, как еду по длинной стране
Приспособить какую-то важную доску к сараю.

Перспектива из снов – сон во сне, сон во сне, сон во сне.
И курю в огороде на корточках, время теряю.
И по скверной дороге иду восвояси с шести
Узаконенных соток на жалобный крик электрички.
Вот ведь спички забыл, а вернешься – не будет пути,
И стучусь наобум, чтобы вынесли – как его – спички.
И чужая старуха выходит на низкий порог,
И моргает, и шамкает, будто она виновата,
Что в округе ненастье и нету проезжих дорог,
А в субботу в Покровском у клуба сцепились ребята,
В том, что я ошиваюсь на свете дурак дураком
На осеннем ветру с незажженной своей сигаретой,
Будто только она виновата и в том, и в другом,
И во всем остальном, и в несчастиях родины этой.

1987

Много лет повторяю себе и другим эти две строчки: "Снится мне, что мне снится, как еду по длинной стране / Приспособить какую-то важную доску к сараю". Здесь слышны Радищев, Пушкин, Ключевский, Щедрин, Чехов, Розанов, Платонов. Что ли дело в длине и ширине страны? Ладно, а Канада?

Приезжаем с Гандлевскими с утра пораньше – для них десять считается "с петухами" – по Дмитровскому шоссе на барахолку у платформы Марк, это станция Савеловской железной дороги. Официально, как указано на вывеске, – "Ярмарка товаров, бывших в употреблении".

Употребление долгое. Цены на товары небывалые. Не может ничего на свете стоить четыре рубля – чуть меньше четырнадцати центов. Тут – стоит. Солнцезащитные очки со склейкой на переносице. Проволочная подставка под чайник. Ватная насадка на чайник. Брошюра "Внимание: жиды". Долото. Журнал "Крестьянка" за 1977 год. Вилка двухзубцовая. Учебник физики для седьмого класса – автор Пёрышкин? конечно, привет, Пёрышкин. В изрядной по здешним меркам цене – впрочем, “все договорное, мужчина, все обсуждается” – вытертый до основы жанровый настенный коврик из детского прошлого. За куклу без головы неожиданно хотят тридцать. Скорбная старуха готова отдать десяток баночек из-под сметаны за двадцать пять. Мой рижский знакомец Бритт, которого потом зарезали, обкуренного, под Красноярском, всегда носил такую в кармане – уважал за надежную толщину стекла: не раздавится, как стакан или майонезная банка. Бритт нестеснительно доставал свою посудину даже в кафе, на протесты официанток – вот же перед вами бокал! – веско отвечал: “Страна влачит жалкое продовольственное и промтоварное существование”. Замечательным чувством стиля обладал человек. Сметана из подобной тары съедена еще до перестройки, но где-то в культурных пластах кладовой выжили баночки, чтобы попасть к платформе Марк.

Чем дальше от шоссе к станции, тем плоше торговые ряды, скудеет обстановка, бывшие в употреблении товары спускаются с фанерных прилавков на землю, так что время от времени слышится визг: “А вот этого не надо! Наступать необязательно!” У самой железной дороги торговля вовсе затухает, тут спят бомжи на глиноземе, выпивает праздное население, местный эксцентрик тараторит в расчете, что нальют. Артистично и похоже изображает эстонца из анекдотов: “На куя попу накан, если поп не куликан! На куя волку шилетка, по кустам ее трепать!” Выходит слишком изысканно для публики Марка, они геополитику не ловят, произношение не ценят, говорят: “Ты чё, зубы с утра не вставил?” Того сразу не собьешь: “Что надо, я и себе и тебе вставлю!” – но все же переходит на более доступный репертуар. Поет а capella, незнакомое, мелодичное, несуразное: “И забрезжит рука, и гитара, и твое с синевою лицо”. Не помогает. Мужик в медалях, никак не завоеванных, а тут же прихваченных, благо на барахолке боевых наград полно, и за копейки, брезгливо произносит: “Болтаешь много, потому не имеешь ничего”. Почти цитата. Приятель моей молодости Мишка Володин, моряк дальнего плавания, непременно в середине вечера подкручивал усы, откладывал гитару и говорил из “Адъютанта его превосходительства”: “Мы в России слишком много болтаем, господа! И потому имеем то, что имеем. Я буду пить молча, господа!" Тоже врал. В том, что ли, дело, что болтают много? Ладно, а итальянцы?

Всего в остановке отсюда – Лианозово. В минутах езды от ковриков с оленями и брезжущей руки – место, где писались картины Кропивницкого и Рабина, сочинялись стихи Холина и Сапгира: лианозовская школа. Не отсюда ли, не с извечной ли платформы Марк явились рабинские ржавые селедки на газете и сапгировские "Сонеты на рубашках"?

Солнце к полудню начинает припекать, торгующие раздеваются, обнажая татуированный целлюлит. Лена Гандлевская досадует: "Фотоаппарата не взяли". Мы с Сергеем возражаем: "Зарежут и под платформу положат". Могут, наверное, хотя на вид народ здесь расслабленный, вялый, да и жарко, сил едва-едва хватает на первичные рефлексы.

У прилавка с закопченными кастрюлями – разгул куртуазности. От столба с объявлением "Куплю волосы свыше 35 см" отделяется усатый мужчина в тельняшке и приступает к флирту с кастрюльщицей: "У настоящей женщины между шейкой всегда такая родинка. – Да это не родинка, дурной, это прыщик. – Прыщик – это когда обнял и не вставил, а когда обнял и вставил, тогда родинка". У платформы Марк свои лексические поветрия: "вставить" – популярный глагол, слышится отовсюду, народ деликатный, прибегает к эвфемизмам. Кастрюльная торговка одета с выдумкой: синие длинные трусы и незапамятный, откуда-то из видений дачного отрочества, белый атласный лифчик на шести пуговицах. Усатый засовывает руку глубоко в трусы, та хохочет и понарошке отталкивает: "Иди-иди, торгуй! – Я не торгую, я реализовываю!"

Две девчонки рассматривают разложенное на земле зеленое кримпленовое платье, всерьез сбивают цену. Надеть это невозможно, хотя лет тридцать назад очень носили, даже и на танцы. Девчонки, видно, затеяли что-то вроде маскарада, обсуждают детали будущей вечеринки, потом забывают о покупке, перейдя к более важному. Одна рассудительно говорит: "Да нет, тут надо как-то по-другому придумать, к одиннадцати часам все нажрутся в жопу". Вторая согласно кивает. Обеим лет по шестнадцать, не больше. Кажется, излишне суетятся и тревожатся антиглобалисты:

национальная специфика сохранится еще надолго. По крайней мере, по эту сторону Карпат.

Две трети россиян в начале XXI века полагают, что западная культура оказывает негативное воздействие на жизнь в России. По какому историческому пути должна идти Россия: "свой путь" – больше половины, "советский" и "общий путь европейской цивилизации" – примерно поровну, процентов по двадцать. В перечне главных мировых событий XX века на первом месте с большим отрывом – Великая Отечественная война, на втором – полет Гагарина. Список самых выдающиеся личностей всех времен и народов возглавляют Петр, Ленин, Пушкин, Сталин, Гагарин, Жуков; единственный в десятке иностранец – Наполеон – на седьмом месте.

Название места "Ярмарки товаров, бывших в употреблении" озадачивает: почему Марк, откуда? Нетрудно было бы узнать, но неохота, пусть остается таинственно и многозначно. Платформа Маркс. Платформа Мрак. Идейная платформа. Платформа Марс.

Может, была затея выстроить вдоль Савеловской железной дороги все четыре имени подряд, с Матфея начиная, но получилось только со вторым. Неужели никто не вздрогнул, называя? Впрочем, сказано: “Они своими глазами видят, и не видят; своими ушами слышат, и не разумеют” (Мк. 4:12). Ахматова говорила: “Христианство на Руси еще не проповедано”. А Пильняк, словно отвечая на это, объяснял, что вместо слова – сама жизнь: “Россия трудная страна: живешь в ней и идешь сплошною Страстною пятницей”.

Строчки про доску к сараю – не формула (к счастью, Гандлевский, с его точностью вкуса и меры, формул не любит и не ищет), но яркий и ёмкий образ, сжато описывающий огромное явление. В “Стансах” у Гандлевского сказано более публицистично, те два стиха я тоже твержу про себя: “...Раз тебе, недобитку, внушают такую любовь / это гиблое время и Богом забытое место”. Ничего не поясняется: почему гиблое, почему забытое, почему недобиток, почему внушают – но всё правда. Настоящая: поэтическая и просто – про себя, кто написал, про меня, кто читает. Старуха с баночками моргает и шамкает: “Купите, сынки”. Сынки платят, сдачи и банок брать не хотят, старуха не понимает, потом, поняв, плачет. Сынки уходят.

Русские мальчики

Евгений Рейн

1935

Авангард

Это все накануне было,
почему-то в глазах рябило,
и Бурлюк с разрисованной рожей
Кавальери казался пригожей.
Вот и Первая мировая,
отпечатана меловая
символическая афиша,
бандероль пришла из Парижа.

В ней туманные фотоснимки,
на одном Пикассо в обнимку
с футуристом Кусковым Васей.
На других натюрморты с вазой.
И поехало и помчалось –
кубо, эго и снова кубо,
начиналось и не кончалось
от Архангельска и до юга,
от Одессы и до Тифлиса,
ну, а главное, в Петрограде –
все как будто бы заждалися:
"Начинайте же, Бога ради!"
Из фанеры и из газеты
тут же склеивались макеты,
теоретики и поэты
пересчитывали приметы:
"Значит, наш этот век, что прибыл…
послезавтра, вчера, сегодня!"
А один говорил "дурщилбыл"
в ожидании гнева Господня.

Из картонки и из клеенки
по две лесенки в три колонки
по фасадам и по перилам

Казимиром и Велимиром.
И когда они все сломали
и везде не летал "Летатлин",
догадались сами едва ли
с гиком, хохотом и талантом,
в Лефе, в Камерном на премьере,
средь наркомов, речей, ухмылок
разбудили какого зверя,
жадно дышащего в затылок.

[1987]

Острое переживание искусства — одушевление искусства: оно не понарошке, оно сама жизнь. Живопись как живое писание. Так у Рейна в стихотворении "Ночной дозор" выходят за раму персонажи Рембрандта, воспринимаясь через личную судьбу — свою и своей страны: "Этот вот капитан — это Феликс Дзержинский, / этот в черном камзоле — это Генрих Ягода. / Я безумен? О нет! Даже не одержимый, / я задержанный только с тридцать пятого года. / Кто дитя в кринолине? Это — дочка Ежова! / А семит на коленях? Это Блюмкин злосчастный!"

О классике — тяжелой поступью четырехстопного анапеста. В "Авангарде" — разноударный дольник, захлебывающийся торопливый бег русского fin-de-siècle. Рейн вообще ритмически разнообразен.

Одическая торжественность: "Семья не только кровь, земля не только шлак / И слово не совсем опустошенный звук! / Когда-нибудь нас всех накроет общий флаг, / Когда-нибудь нас всех припомнит общий друг!" Кимвал — так, кажется, называется. Такие стихи предназначены для массового скандирования или для смешанного хора с оркестром.

Мотив городского – полублатного – романса, без особой заботы о рифмах и лексической оригинальности: “Ты целовала сердце мне, любила как могла”, “Что оставил – то оставил, кто хотел – меня убил. / Вот и все: я стар и страшен, только никому не должен. / То, что было, все же было. Было, были, был, был, был...”

Просто, как и сказано, песенка: “Жизнь прошла, и я тебя увидел / в шелковой косынке у метро. / Прежде – ненасытный погубитель, / а теперь – уже совсем никто. / Все-таки узнала и признала, / сели на бульварную скамью, / ничего о прошлом не сказала / и вину не вспомнила мою. / И когда в подземном переходе / затерялся шелковый лоскут, / я подумал о такой свободе, / о которой песенки поют”. Сердечная, доходчивая, хватающая за душу фантазия на тему “Я встретил вас, и все былое...”.

О себе – безжалостно и старомодно: “ненасытный погубитель”. Ключевое здесь слово “ненасытный” – это ёмкая автохарактеристика. Жадная жовиальность проступает в рейновских стихах и мемуарах — поэтическая черта, которая встречается нечасто и проявляется неоднозначно. Может быть элегантная ироничность Олейникова: "От мяса и кваса / Исполнен огня, / Любить буду нежно, / Красиво, прилежно… / Кормите меня!" Или эпатирующая откровенность Тинякова: "Я до конца презираю / Истину, совесть и честь. / Лишь одного я желаю — / Бражничать блудно да есть. / Только бы льнули девчонки, / К черту пославшие стыд. / Только б водились деньжонки / Да не слабел аппетит!" При всем внешнем сходстве — говорят совершенно разные люди, вызывающие прямо противоположные чувства.

Рейновская ненасытность восходит к героям "Авангарда": "Каждый молод, молод, молод, / В животе чертовский голод… / Все, что встретим на пути, / Может в пищу нам идти" (Давид Бурлюк, 1913 год).

В пищу идет все, но в стихах и в воспоминаниях по-разному. В послесловии к книге рейновских мемуарных баек "Мне скучно без Довлатова" близкий друг и восторженный почитатель автора называет его "великий враль". Вряд ли похвала для мемуариста. Устные рассказы Рейна легендарны, мне приходилось их слышать не раз – это высокий класс неостановимой гиперболы. Чего стоит упомянутая в том послесловии история, как Есенина убивали топорами в бане Брюсов и Луначарский. Но от книжных воспоминаний ждешь другого. Однако Рейн не поддается цитированию даже в простейших деталях. Если написано, что за столом сидела испанская герцогиня, владелица замка под Саламанкой, сомнения возникают в каждом пункте: замок не под Саламанкой, не герцогиня, не испанка, да и было ли такое застолье вообще.

Правдоподобно мешать вымысел с фактом – особое мастерство. Им в совершенстве владел Георгий Иванов, признававшийся, что в "Петербургских зимах" три четверти придумано. Тем не менее – это источник: потому что и придуманное достоверно. Из моих современников таким искусством психологически достоверного вранья обладал не раз упоминаемый Рейном и даже вынесенный в заголовок Сергей Довлатов. В его книге "Ремесло" – история создания нью-йоркского еженедельника "Новый американец". Как член редколлегии этой газеты скажу: печальна участь того, кто вздумал бы воспользоваться довлатовской книжкой как документом – словно писать историю МХАТа по булгаковскому “Театральному роману”. При этом все главные и глубинные характеристики ситуаций и персонажей – верны. Постоянно отвечая на вопрос “Правда ли то, что про вас написал Довлатов?”, я выработал формулу: неправда, но я с этой неправдой полностью согласен. Признаю довлатовскую художественную достоверность высшего порядка.

Дарование Рейна таково, что он гораздо правдивее в стихах. “Авангард” – блестящая по темпераменту и сжатости трактовка проблемы, точнее, целого пучка проблем: “интеллигенция и революция”, “искусство и общество”, “художник и власть”. Тема, в России острозлободневная всегда.

Многие считали, что русскую революцию подготовило новое русское искусство. Об этом страстно писал Василий Розанов, возлагавший вину за катастрофу на словесность, которая год за годом методично подрывала основы уважения к государству, религии, церкви, морали, семье. Целенаправленно на авангард обрушивался Федор Степун: “Футуристы на самом деле зачинали великое ленинское безумие: кренили паруса в ожидании чумных ветров революции... Большевизм представляет собою социал-политическое воплощение того образа новой культуры, который впервые наметился в футуристическом искусстве... Готовящиеся в истории сдвиги всегда пророчески намечаются в искусстве". Иван Ильин об авангарде: "Дух эстетического большевизма, теория безответственности и практика вседозволенности". Владислав Ходасевич в 1914 году пишет о претензиях футуризма "провозгласить себя не только новой школой, но и новым миропониманием".

Через восемнадцать лет Ходасевич возвращается к теме по трагическому поводу. Русский эмигрант Павел Горгулов 6 мая 1932 года застрелил президента Франции Поля Думера. Ходасевич рассказывает о литературных опытах Горгулова, который печатался под псевдонимом Павел Бред, и видит происхождение таких людей в культурной неукорененности: "Нормальные психически, они болеют, так сказать, расстройством идейной системы". Эталоны такой неукорененности, ведущей к умственной и эстетической мешанине, претенциозному мессианству и страсти к переоценке ценностей – футуристы, авангардисты. Тут Ходасевич – Кирсанов, выступающий в защиту “принсипов” против Базарова, базаровых ненавидящий: “Творчество Хлебниковых и Маяковских, этих ранних Горгуловых, гутировалось и изучалось... Кретин и хам получили право кликушествовать там, где некогда пророчествовали люди, которых самые имена не могу назвать рядом с этими именами”.

Бешеное раздражение людей культуры вызывало не только само новое искусство, но и его замах на научно-теоретическое обоснование. Все мало-мальски известные деятели русского авангарда были (или пытались быть) теоретиками, выступая с концепциями, манифестами, докладами, прокламациями, статьями – почти всегда многословными, бестолковыми. Еще и картинто не набралось или стихов, а манифест – вот он. Комплекс русского мальчика, исправляющего карту звездного неба. И еще – попытка заглушить лязгом лозунгов маловразумительность художественного звучания. Далеко не все из них были Маяковскими, Малевичами, Филоновыми, а первооткрывателями – все.

Как-то я бродил по Ваганьковскому кладбищу, разглядывая надгробья. Увидел: "Поэт-космист Вадим Баян". Дожил до 1966 года. Тогда никаких ассоциаций, кроме потешного персонажа из футуристического "Клопа" ("Олег Баян от счастья пьян"). Потом узнал, что еще в 1913 году Вадим Баян (в миру Владимир Сидоров), ровесник Блока, выпустил сборник "лирионетт и баркарол" с предисловием Северянина. На сером граните вырублены Баяновы строки: "В артерии веков / Вковерканы мои чудовищные крики, / На глыбах будущих земных материков / Мои зажгутся блики". Какой счастливый космист с опереточным именем: так и прожил век в ожидании криков и бликов. Счастливее других.

Алиса сказала о Зазеркалье: "Книжки там очень похожи на наши – только слова написаны задом наперед".

Авангардисты шли и задом наперед, и слева направо, и по всем направлениям, напирая фронтом и тылом на общество, на самые основы жизни, вовсе не ограничиваясь искусством. "Мы сознательно связывали наши антиэстетские "пощечины" с борьбой за разрушение питательной среды", – пишет Алексей Крученых (чью хрестоматийную заумную строку Рейн приводит неточно; правильно – "дыр бул щыл"). В манифесте "Союза молодежи", составленном в 13-м году Ольгой Розановой, говорится: "Мы объявляем борьбу всем, опирающимся на слово "устой". Из автобиографии Казимира Малевича: "Не только мир искусства, но и мир всей жизни должен быть нов по своей форме и содержанию".

Примечательно, что авангардисты никогда не ограничиваются утверждением метода и принципа, непременно делают следующий шаг, требуя отрицания всех иных подходов. Малевич в 14-м году говорит о новом искусстве: "Разуму этот путь непонятен, и в этом деле разум должен быть устранен, как шлагбаум, преграждающий путь". Нейтральности нет и быть не может. Мощная российская традиция нетерпимости ко всякому инакомыслию, простирающаяся как в глубь, так и в даль времен. Прав только я, потому что прав.

Авангард довел до предела важнейшее открытие за многовековую историю человеческой мысли – открытие романтизма, он же индивидуализм (эпоха, освященная великими именами

Наполеона, Байрона, Бетховена): автор равен произведению. В футуризме (а потом в поп-арте) само явление художника стало главным актом творчества. Отсюда естественная тяга авангардистов к социальности, озабоченной процессом, всегда готовой видеть результат в отдаленности поколений и десятилетий. Ведь и павки корчагины воодушевленно гибли за мировую революцию, даже отдавая себе отчет в том, что победит она за пределами их жизней.

Передовые художники были переполнены азартной предприимчивостью. Про такую энергию говорят: ее бы в мирных целях. Здесь – согласно теории менеджмента – профессиональная компетентность не совпадала с компетентностью моральной. Потерянность в хаосе перемен: неясно, что делать и чего хотеть. Как в анекдоте о девочке, которая заказывает золотой рыбке желания: чтобы уши стали большими и волосатыми, нос закрутился штопором, вырос длинный хвост. Всё исполнив, рыбка удивляется, почему у нее не попросили принца, дворцов, денег. Девочка озадачена: "А что, можно было?"

Когда не знаешь, как поступить, надо быстро совершить поступок. Какой-нибудь. Эту психотерапевтическую рекомендацию авангард усвоил стихийно. Протест против старого искусства был тем решительней, чем примитивнее. В России более радикально, чем где-либо, исполнялся завет Сезанна: "Трактуйте природу посредством цилиндра, шара, конуса". Сведение к формуле. "Египетско-греческо-римско-готический маскарад" (определение Эль Лисицкого) заменяется геометрической конструкцией. Традиция не только не нужна, но и вредна как помеха. Эстетическая – и, как следствие, социальная – хирургия. Кубизм и кубофутуризм производят разложение сложных форм на простые. В общественной жизни такое упрощение и есть – революция.

Чем ниже степень культурной укорененности, тем легче дать по морде – эмпирически это известно каждому. Футуристов захватывал пафос мятежа и погрома.

"Эй, молодчики-купчики, / Ветерок в голове! / В пугачевском тулупчике / Я иду по Москве!" – восклицал Велимир Хлебников. Что-то путал при этом, видно, давно читал "Капитанскую дочку", забыл, что тулупчик все-таки дарованный дворянский, с плеча Петруши Гринева. Да где там перечитывать – некогда, время бунтовать, хотя бы на страницах. Та же лихость у Хлебникова в очерке "Октябрь на Неве", в поэмах "Ночной обыск", "Переворот во Владивостоке", в разных стихотворениях. "Его умел, нагой, без брони, / Косой удар ребром ладони, / Ломая кости пополам, / Чужой костяк бросать на слом" – какой пацанский (в обоих значениях) восторг перед силой.

Василий Каменский о Стеньке Разине написал роман, поэму и пьесу, о Пугачеве – поэму и пьесу.

В брошюре "Черт и речетворцы" Крученых изображал испуг мещанина перед Достоевским: "Расстрелять, как Пушкина и Лермонтова, как взбесившуюся собаку!", но сам автор и его друзья в манифесте футуристов "Пощечина общественному вкусу" предлагали поступить с Пушкиным (заодно с Достоевским и Толстым) не лучше: "Бросить с парохода современности". Почти всегда самый знаменитый пассаж из "Пощечины" цитируется с ошибкой: "сбросить". При обсуждении манифеста Маяковский сказал: "Сбросить – это как будто они там были, нет, надо бросить с парохода". То есть не избавиться от старых мастеров, как от балласта, а именно произвести показательную казнь: сначала втащить на верхотуру, а потом швырнуть за борт. Как княжну.

Работа со схемой сильно облегчает всё. Вахтангов говорил о Таирове, создателе Камерного театра, упомянутого в рейновском "Авангарде": "У него есть чувство формы, правда, банальной и крикливой. Ему недоступен дух человека – глубоко трагическое и глубоко комическое ему недоступно".

Здания на чертежах не рушатся с грохотом, закладывающим уши, и пылью, разъедающей глаза. Человек в анатомическом атласе разнимается на части безболезненно. Когда Крученых пишет "Живописцы будетляне любят пользоваться частями тел, разрезами, а будетляне речетворцы разрубленными словами", он ничего прикладного не имеет в виду. Но можно пойти и дальше, создав, как Хлебников, поразительный историко-религиозный гибрид: "Был хорош Нерон, играя / Христа как председателя чеки". А в поэме, так и названной "Председатель чеки", сообщить: "Тот город славился именем Саенки. / Про него рассказывали, что он говорил, / Что из всех яблок он любит только глазные". Нет, сам Хлебников не прославляет члена харьковской ЧК С.Саенко, но положительному герою его поэмы тот явно симпатичен: “Как вам нравится Саенко?” — / Беспечно открыв голубые глаза, / Спросил председатель чеки”.

Авангардисты оказались естественными союзниками большевиков, оформляя и вдохновляя пафос разрушения. Оттого после победы логично пошли во власть, перейдя, по выражению Лисицкого, от “базаров идей” — к “фабрикам действия”. Общество рассматривали как поле художественного эксперимента. В устоявшихся социумах это было бы невозможно, в одной отдельно взятой России — вполне. В этой стране слов слово шло на слово. Образ на образ — буквально: черный квадрат на икону. Мантра на мантру: “Дыр бул щыл” на “Отче наш”.

Новое слово и новый образ были смелыми, броскими, громкими — против старых и стертых. За старыми, как оказалось, не было ничего, кроме звука и ритуала. Непонятный церковнославянский воспринимался тысячелетней заумью: на русский язык Писание перевели только в 60-е годы XIX века и толком не успели прочесть. Никогда не было того, что скучно именуется гражданским обществом и составляет костяк всякого организованного человеческого скопления. Государственные установления рассыпались с дивной легкостью потому, что были не институтами, но заклинаниями. А уж в заклинаниях художники знали толк лучше.

Оттого-то уваровскую триаду стало возможно чуть встряхнуть за ушко на солнышке, слегка переименовав, – и она стала служить совсем другому государству. А потом снова возродилась, совсем уже в оригинале: православие-самодержавие-народность – подлинный девиз России начала XXI столетия. Почему бы не служить и не возрождаться, если под лозунгом лежит аморфный, вязкий, трудноопределимый национальный характер, но нет за ним цивилизационных общественных основ – только идеология, то есть всё те же слова. Авангард в начале XX века и ударил по ним своим ослепительным и оглушительным лексиконом.

Художник и диктатор близки друг другу полной и безусловной властью над своим творением. Поэт заменяет строку, композитор выбрасывает такт, живописец замазывает фигуру, прозаик переставляет абзацы — тиран делает все то же, только с людьми.

В лексике Малевича — “приказы по армии искусств”, Маяковский о поэзии — постоянные оружейные метафоры. Некоторые из новаторов и получили власть. Малевич и Татлин — в изобразительном искусстве, Лурье — в музыке, Мейерхольд — в театре. Малевич был уверен, что изобретенный им супрематизм может, должен и призван переустроить жизнь, для чего создал в 1919 году в Витебске объединение УНОВИС (Утвердители Нового Искусства). Начали с перформансов и манифестов, впереди было преобразование бытия. (Занятное и важное последствие: соблазнительность проектов переманила к Малевичу учеников Шагала, вынудив того в страшной обиде покинуть Витебск, а затем и страну — так началась шагаловская мировая карьера.) Лисицкий к 1 мая 1918 года сделал первое знамя ВЦИКа, которое члены Совнаркома торжественно вынесли на Красную площадь.

Однако авангард наверху не удержался, не понадобился во власти — как старые большевики в 30-е, как диссиденты в 90-е: на дистанции революционер всегда проигрывает бюрократу. Когда выдыхается революционный порыв – а он выдыхается всегда, по законам энтропии, – приходит время иных людей, иных умений и навыков. Контора – не баррикада: нужна не битва, а интрига, не нетерпимость, а компромисс. Да и образ жизни другой – щелкать на счетах, носить нарукавники, выстраиваться в очередь к окошку. Авангардисты же продолжали меряться славой и школой, не мириться друг с другом, привыкнув к отчаянной борьбе за свой вариант карты звездного неба. Николай Харджиев рассказывает, что Татлин Малевича "ненавидел лютой ненавистью и в какой-то мере завидовал. Они никак не могли поделить корону. Они оба были кандидатами на место директора Института художественной культуры. Малевич сказал: "Будь ты директором". Татлин: "Ну, если ты предлагаешь, тут что-то неладное". И отказался, хотя сам очень хотел быть директором… Когда Малевич умер, Татлин все-таки пошел посмотреть на мертвого. Посмотрел и сказал: "Притворяется".

Притворяться и играть авангардистам в 35-м было незачем. Все уже шло всерьез. Как предсказывал еще в 1909-м Хлебников, “Жизнь уступила власть / Союзу трупа и вещи”. Но не по их правилам.

...В седьмом классе у нас появилась новенькая. Если невзрачность может быть вопиющей — это про нее. Маленькая, худенькая, в длинном платье, больших ботах, платке в горошек, она приехала в Ригу из латгальской деревни. Девочка была однофамилицей космиста Вадима Баяна: звали ее восхитительно — Доминика Сидорова. Проходили Маяковского, поэму “Хорошо!”, отрывок о коммунистическом субботнике — наизусть. Доминику вызвали к доске, она забормотала: “Работа трудна, работа томит. / За нее никаких копеек. / Но мы работаем, будто мы / делаем величайшую эпóпею”. Класс лёг. “Эпопéю, Сидорова, делаем эпопéю”, — нервно поправила учительница. Трижды новенькая подступалась, и трижды ничего не выходило, учительница махнула рукой: “Садись, дома чтобы выучила”. Доминика заплакала и сказала: “Я все равно не понимаю, что они там делают”.

Диагностика по позвоночному столбу

Иосиф Бродский
1940–1996

Из Альберта Эйнштейна

Петру Вайлю

Вчера наступило завтра, в три часа пополудни.
Сегодня уже "никогда", будущее вообще.
То, чего больше нет, предпочитает будни
с отсыревшей газетой и без яйца в борще.

Стоит сказать "Иванов", как другая эра
сразу же тут как тут, вместо минувших лет.
Так солдаты в траншее поверх бруствера
смотрят туда, где их больше нет.

Там – эпидемия насморка, так как цветы не пахнут,
и ропот листвы настойчив, как доводы дурачья,
и город типа доски для черно-белых шахмат,
где побеждают желтые, выглядит как ничья.

Так смеркается раньше от лампочки в коридоре,
и горную цепь настораживает сворачиваемый вигвам,
и, чтоб никуда не ломиться за полночь на позоре,
звезды, не зажигаясь, в полдень стучатся к вам.

1994

“Механизм посвящения самый разнообразный, – сказал Бродский, когда я спросил его об этом задолго до “Эйнштейна”, году в 90-м, – скажем, показываешь стихотворение человеку, а он говорит: “Ой, как мне нравится, посвяти его мне”. Или как Ахматова сделала однажды: просто сказала “это мое” и сама надписала посвящение. Может идти от содержания”.

Идет от содержания.

Бродский всегда интересовался языковыми новшествами. В его стихах полно жаргона – как ни у кого из больших русских поэтов. В разговоре тем более: “чувак”, “канать”, “хилять” и т. п., лексикон его молодости. Новый сленг его тоже занимал. Помню обсуждение слова “тусовка”: Иосиф соглашался с его удобной многозначностью, хотя сам не употреблял. Порадовался каламбуру: “Не, тут только ипатьевским методом. – Чего? – Ипатьевским, говорю, методом надо. – Это как? – Ипать и ипать!” Развеселился от моей московской зарисовки: “Салон красоты “Тюссо”. Профессиональный татуаж, пирсинг, перманентный макияж, мезотерапия, ботокс, обертывание, все виды эпиляции. Диагностика по позвоночному столбу". Рядом переговаривается пара: "Смотри, папик, по позвоночному столбу, давай пойдем". Папик смотрит: "Ну, ладно, можно". И вдруг страшно хохочет, почесывая голую волосатую грудь и что-то иное, не "Тюссо", имея в виду: "Только, блин, осторожно!" Несколько дней Иосиф отвечал на мои звонки: "Папик на проводе".

Однажды я ему пересказал выражение, надолго не задержавшееся в языке, но тогда приведшее Бродского в восторг: "ломиться на позоре" – ехать в общественном транспорте ("тачку поймать не смог, пришлось ломиться на позоре"). Как раз в то время он доводил до конца эйнштейновское стихотворение и вставил выражение в финал. А в начало – посвящение.

Но главное все-таки в "Эйнштейне", надо думать, отражение наших частых разговоров того времени: что и как происходит на родине (или, по неизменной терминологии Бродского, – "в отечестве"). Именно об этом: "Так солдаты в траншее поверх бруствера / смотрят туда, где их больше нет".

Не припомню телефонного или очного разговора в 90-е, чтобы Бродский не заводил речь о Ельцине, Чеченской войне, вообще российской политике. Такую линию его острого интереса есть смысл отсчитывать от точки, которую принял он сам.

В новейшей российской истории было время, когда казалось, что стихотворение "Пятая годовщина", написанное Бродским в 77-м к пятилетию его отъезда из России, принадлежит ушедшей эпохе. Но поэт видит резче и дальше. "Пятая годовщина" и теперь читается как репортаж.

"Там лужа во дворе, как площадь двух Америк. Там одиночка-мать вывозит дочку в скверик. Неугомонный Терек там ищет третий берег". По сути, выпуск новостей – нынешних, поскольку в 77-м Терек не искал ничего особенного.

"Там при словах "я за" течет со щек известка". Речь, очень похоже, о том, что называется творческой интеллигенцией.

"Там тот, кто впереди, похож на тех, кто сзади". За четверть века предсказание о первом лице государства.

“И карта мира там замещена пеструхой, мычащей на бугре”. Бурные парламентские аплодисменты.

“Там вдалеке завод дымит, гремит железом, не нужным никому: ни пьяным, ни тверезым”. Официально это именуется “нерентабельное производство” либо “задолженность по заработной плате”.

“Там украшают флаг, обнявшись, серп и молот”. Не флаг, так гимн.

“Но в стенку гвоздь не вбит, и огород не полот”. Цитата из министерского отчета.

“Там в моде серый цвет – цвет времени и бревен”. Кто это сказал: серые начинают и выигрывают? (“Город типа доски для черно-белых шахмат, / где побеждают желтые, выглядит как ничья”).

“Пятая годовщина”, как водится в большой поэзии, – не об этом. Главное – о поэте, о языке, о судьбе. “Мне нечего сказать ни греку, ни варягу. / Зане не знаю я, в какую землю лягу. / Скрипи, скрипи, перо! Переводи бумагу”. Смирение и гордость, надежда и тревога. Но ведь и о том тоже, неизменном во все времена российской истории: “Там говорят “свои” в дверях с усмешкой скверной”.

Бродский от этой усмешки и уехал. Помню, как на конференции в Петербурге (2002 год) земляки поэта один за другим называли дату отъезда “печальной”, с чем соглашаться не хочется. Поэтический глобус Бродского – беспрецедентно для нашей словесности – равен глобусу географическому. Нью-Йорк, Средний Запад, Мексика, Швеция, Париж, Англия и Новая Англия, не говоря о Венеции и Риме, – не места проживания или пребывания, а художественные события, равноценные у Бродского явлению Петербурга-Ленинграда. “В каких рождались, в тех и умирали гнездах”, – написал он не о себе. А о себе – в стихах о Риме: “Усталый раб – из той породы, что зрим все чаще, – под занавес глотнул свободы”. Отъезд 4 июня 1972 года был переездом из России в мировую культуру.

Из тех питерских выступлений, и многих других тоже, особенно после смерти, особенно после окончательного “не приедет”, “не приехал”, выступает явственный, хоть и не произнесенный, вопрос: “Как относился к родине?” Трепетно,

трепетно относился. Поэт, написавший в показательно несправедливой ссылке стихотворение "Народ" ("мой народ, терпеливый и добрый народ", "да, я счастлив уж тем, что твой сын!", "путь певца – это родиной выбранный путь"), вряд ли нуждается в мировоззренческих пояснениях.

Здесь диагностика идет именно что по позвоночному столбу, по самой основе. Богатейший русский язык – язык изгнанника Иосифа Бродского, гражданина Соединенных Штатов Америки, похороненного в Венеции.

Да, цветы "там" не пахнут, и скопленье дурачья – рекордное, но берусь утверждать, как растерянно и застенчиво был бы счастлив Бродский, когда бы узнал, что его стихи участвовали в психотерапевтическом возвращении к нормальной жизни детей, переживших в сентябре 2004 года трагедию в Беслане. О том, как читала и обсуждала с бесланскими школьниками стихотворения Бродского, пишет учительница с пушкинским именем Эльвира Горюхина, озаглавив свои заметки: "Я твоя мама. Я ничего не боюсь".

Толкование сновидений

Сергей Гандлевский

1952

Когда я жил на этом свете
И этим воздухом дышал,
И совершал поступки эти,
Другие, нет, не совершал;
Когда помалкивал и вякал,
Мотал и запасался впрок,
Храбрился, зубоскалил, плакал –
И ничего не уберег;

И вот теперь, когда я умер
И превратился в вещество,
Никто – ни Кьеркегор, ни Бубер –
Не объяснит мне, для чего,
С какой – не растолкуют – стати,
И то сказать, с какой-такой
Я жил и в собственной кровати
Садился вдруг во тьме ночной…

1995

Здесь как в изъяснении снов, где единственный критерий безошибочен: если внезапно чувствуешь, что истолковано верно, — это оно! Значит, психоаналитик тонкий и понимающий. То, что он тебе рассказывает, на деле и приснилось, а не тот запутанный мультфильм, который запечатлелся в памяти.

Мне-то ничего не снится – то есть по-научному так не бывает, считается, что снится всем и всегда – вероятно, просто не запоминается. А когда запоминается – всё ничтожно до обидного. Мои знакомые в своих сновидениях и Чеховыми случаются, Антон Палычами, и президентами разных стран, и кинозвездами, и диковинными животными, а мое высшее достижение, в конце 90-х – член какой-то украинской делегации на переговорах с российской. Ведь задолго до "оранжевой революции". Посмотрел бы я на этого Фрейда.

Сновидческая тупость, мне кажется, каким-то образом восполняется острой чувствительностью к языку, который тоже – необъяснимая, неуправляемая, во многом подсознательная стихия. Болезненно трогают языковые проявления — фонетика, морфология, синтаксис, да и вообще все то, что бессмысленно проходили в школе, не подозревая, что это и есть гамма жизни, сама жизнь. Непосредственнее и ощутимее всего действует звучание улицы, но и литературный язык тоже: прозы, еще приближеннее — стихов.

Лексикон Гандлевского — первого порядка, без поиска экзотики. Но выбор слов и словосочетаний таков, что ощущение новизны — непреходяще. Вот в этом стихотворении ощущение "настоящести", истины возникает в первую очередь от безукоризненного подбора глаголов действия-состояния: ага, соображаешь, всем этим и я занимался, и еще как. Еще — от искусно выстроенного косноязычия, простонародного лепета, интонации неуверенности, в которой только и выступает правда: "С какой — не растолкуют — стати, / И то сказать, с какой-такой..." Потому, наверное, мне мешают в этих стихах Кьеркегор и Бубер — нечего знакам культуры делать в путаной искренней исповеди. Но раз поэт поставил — значит, надо.

В конце концов, без таких знаков не был бы самим собой Гандлевский, который настаивает на том, что литература есть важнейший источник литературы. И тут, в "Когда я жил...", отзвук – ритм, слог – его любимого Ходасевича: "Когда б я долго жил на свете, / Должно быть, на исходе дней / Упали бы соблазнов сети / С несчастной совести моей". Слышен какой-то очень нынешний голос, да еще с употреблением сегодняшнего паразита "на самом деле", другого русского парижанина, Анатолия Штейгера (знает его стихи Гандлевский или то нередкая в поэзии заочная перекличка через расстояния и времена?): "И ты вдруг сядешь ночью на постели / И правду всю увидишь без прикрас / И жизнь – какой она, на самом деле..."

Коренное отличие: у Гандлевского – метафизика, а не психология. Взгляд *оттуда*. Шаг вперед? Страшновато так обозначать. Но – шаг.

Наверное, есть другие методы, и жизнь учит разному, но у меня уже иного не будет: по словоизъявлению определяется человек.

Сердечный приступ

Сергей Гандлевский
1952

Петру Вайлю

Цыганка ввалится, мотая юбкою,
В вокзал с младенцем на весу.
Художник слова, над четвертой рюмкою
Сидишь – и ни в одном глазу.

Еще нагляднее от пойла жгучего
Все-все художества твои.
Бери за образец коллегу Тютчева –
Молчи, короче, и таи.

Косясь на выпивку, частит пророчица,
Но не содержит эта речь
И малой новости, какой захочется
Купе курящее развлечь.

Играет музычка, мигает лампочка,
И ну буфетчица зевать,
Что самое-де время лавочку
Прикрыть и выручку сдавать.

Шуршат по насыпи чужие особи.
Диспетчер зазывает в путь.
А ты сидишь, как Меншиков в Березове, –
Иди уже куда-нибудь.

2001

Тут многое красиво сошлось – и фольклорная "Цыганка с картами, дорога дальняя..."; и песенка Таривердиева, памятная народу со времен рязановской новогодней сказки: "Начнет выпытывать купе курящее / Про мое прошлое и настоящее"; и пастернаковская "Вакханалия": "На шестнадцатой рюмке / Ни в одном он глазу".

Гандлевский дозу уменьшил вчетверо, что делает честь скромности поэта – или все-таки говорит о лучшем, по сравнению с Пастернаком, знании предмета. Мало кто в русской – а значит, по понятным причинам, и в мировой – поэзии так достоверно доносит феномен пьянства. Чего стоит детально точное, физиологически скрупулезное описание: "Выйди осенью в чистое поле, / Ветром родины лоб остуди. / Жаркой розой глоток алкоголя / Разворачивается в груди". Семисложный глагол движется медленно и плавно, лепесток за лепестком раз-во-ра-чи-ва-ет-ся – разливаясь горячей волной после стакана, приступая к сердцу, обволакивая душу.

Однажды в Москве, к тому же для досадного извращения не где-нибудь, а на любимых Патриарших прудах, у меня случился приступ межреберной невралгии. Потом врачи произносили и другие слова – “остеохондроз”, еще какие-то, все равно это непонятно, а главное – произносили потом. Полдня я был уверен, что инфаркт. Что может так подняться в груди, как в кино показывают извержение вулкана?

Очень больно. Очень страшно. Очень убедительно.

Все близкие и дорогие мне люди так именно и помирали: отец, мать, Юрка Подниекс, Довлатов, Бродский. Не лучше же я их. Менее близкие и под машины попадали, и от рака умирали, но эти – непременно от инфаркта. Так что возникло ощущение чего-то вроде наследственности.

Уверенность была полная, оттого настроился на торжественный лад. Попросил Гандлевского: “Посвяти мне, пожалуйста, стихотворение”. Он отвечает: “Посвящал уже”. Напоминаю: “То не стихи были, а прозаическое эссе, а теперь я стихи хочу. И вообще, не торгуйся, пожалуйста, в такой момент”. Он черство говорит: “Я подумаю”. Попытался воздействовать: “Особо некогда думать. Давай, я тебя пока вином угощу”. Стоим, пьем вино. Точнее, он пьет, а я даже слюну проглотить не могу от дикой боли. Повернуться не в состоянии, слова еле произношу, молчу, как Тютчев, чувства скрываю, скорбно настраиваюсь.

Приехали вместе в больницу, там мне сделали кардиограмму, с вызовом протянули. Объясняю: “Я же не понимаю ничего в этих зигзагах. Для меня можно хоть в коридоре от руки нарисовать”. Тогда и сообщили про остеохондроз и межреберную. Переспрашиваю: “Извините, означают ли ваши слова, что я не помру?” Говорят: “Прямо сейчас нет, но вообще обязательно”. Юмор, Зощенко, начинаю понимать, возвращаюсь к жизни.

Кое-как долетел до Праги, домой. Неделю играл в Кафку. Когда человек просыпается в виде насекомого, лежит на спине, лапками перебирает и перевернуться не может.

Очень больно. Очень смешно. Очень убедительно.

С трагедии сорвался и вытянул на фарс. Дистанция на бесконечность больше, чем расстояние от Москвы до Праги.

И в это время приходит стихотворение от Гандлевского. “Иди уже куда-нибудь”. Пошел. Спасибо.

Петр Вайль
Стихи про меня

Директор издательства С.Пархоменко

Главный редактор В.Горностаева

Технический редактор Л.Синицына

Корректоры Г.Асланянц, Н.Усольцева

Эксклюзивный дистрибьютор книг
издательства "КоЛибри" –
книготорговая компания "Либри"
тел.: (495) 951-5678; e-mail: sale@libri.ru
Генеральный директор П.Арсеньев

Изд. лиц. ИД №02194 от 30.06.2000
Подписано в печать 24.10.2006. Формат 70x108/32.
Печать офсетная. Усл. печ. л. 30,1.
Тираж 10 000 экз. Заказ № 0622520

Издательство «КоЛибри»
125009, Москва, Благовещенский пер., 12, стр.2
e-mail: mail@colibri.ru

Отпечатано в полном соответствии с качеством
предоставленного электронного оригинал-макета
в ОАО «Ярославский полиграфкомбинат»
150049, Ярославль, ул. Свободы, 97